D0522950

Ma vie entre tes mains

Une troublante amnésie

HELENKAY DIMON

Ma vie entre tes mains

BLACK *ROSE*

éditions HARLEQUIN

Collection : BLACK ROSE

Titre original : SWITCHED

Traduction française de PIERRE VANDEPLANQUE

HARLEQUIN®
est une marque déposée par le Groupe Harlequin

BLACK ROSE®
est une marque déposée par Harlequin S.A.

Réalisation graphique couverture : E. COURTECUISSE. (Harlequin SA)

83-85, boulevard Vincent-Auriol, 75646 PARIS CEDEX 13.

Service Lectrices — Tél. : 01 45 82 47 47

www.harlequin.fr

ISBN 978-2-2803-0794-9 — ISSN 1950-2753

1

Posté à la seule porte qui ne fût pas entièrement ornée de gui, Aaron consulta sa montre pour la dixième fois. La soirée se déroulait exactement comme programmé.

Pas de surprises. Pas de problèmes.

C'était mauvais signe, il le savait.

Aucun cocktail de fin d'année n'était exempt de fausses notes. Et aucun événement organisé par Craft Industries n'avait jamais échappé à l'imprévu, au grain de sable dans l'engrenage.

Arrivés une demi-heure avant le début, des dizaines d'employés maussades en costume gris se regroupaient autour des tables et près du sapin de Noël, placé sur une petite estrade au fond de la salle.

Ici, pas de joyeux bavardages comme ailleurs. Sans doute parce que le patron avait exigé la présence de chacun à sa petite réception. Etonnant de voir combien obliger les gens à s'amuser était la garantie qu'ils ne le fassent pas.

Pas plus que ne les y incitaient les cinquante kilomètres qui séparaient leur siège social de McLean, en Virginie, du Centre de conférences Elan, situé à la lisière de la zone viticole du comté de Loudoun, où habitait Lowell Craft. Fondateur et propriétaire de la boîte, il se fichait royalement que la circulation aux heures de pointe dans la région de Washington fût un enfer.

Aaron soupira. Cette fête ne l'emballait pas non plus, et le trajet avait été éprouvant au possible. Depuis qu'il avait été recruté avec son équipe, trois mois plus tôt, pour fournir une sécurité supplémentaire, il gérait tout, de l'accès de fureur alcoolisée d'un employé viré aux menaces directes contre

Lowell. Vu les théories de ce dernier sur l'art du management — par exemple qu'effectuer quelques licenciements-surprises à la veille d'un week-end était un bon moyen de motiver ses troupes —, l'on pouvait s'étonner qu'il ne fût pas agressé quotidiennement sur le parking de l'entreprise.

Mais la menace aujourd'hui était patente. Elle l'était depuis le jour où Lowell avait reçu le premier message lui promettant une mort douloureuse s'il ne quittait pas ses fonctions avant Noël.

Aaron se tenait donc à trois pas de l'intéressé, qui inspectait la table du buffet, la mine aussi rébarbative qu'à l'ordinaire. Visiblement, il prisait peu l'atmosphère festive du Centre de conférences. Ce n'était pas surprenant : Lowell n'aimait... rien.

Aaron soupira de nouveau, cette fois à l'intention de Royal Jenkins, son assistant. Celui-ci sifflait un air agaçant dans son oreillette. Faute de résultat, il lui jeta un regard noir à travers la salle. Plus jeune, plus en forme mais rétif à la discipline, Royal possédait un précieux talent de tireur d'élite, acquis lors de son passage sous l'uniforme.

— Ça t'ennuierait d'arrêter ça ? marmonna Aaron dans son micro dissimulé.

— Tu veux une autre mélodie ? lui répondit Royal.

Sur ces mots, il accueillit d'un sourire Angie Troutman, directrice des ressources humaines de Craft Industries, et accessoirement pourvoyeuse de services privés auprès de Lowell, ce qui ne manquait pas d'alimenter le moulin à ragots.

— Commençons d'abord par un peu de silence, ensuite, on verra, répliqua Aaron.

Royal traversa la salle pour le rejoindre.

— Tu n'as pas remarqué qu'il manquait quelque chose ?

Aaron observa les employés agglutinés dans le coin le plus éloigné de leur patron.

— Des gens contents d'être ici ?

— Ça aussi. Mais je pensais à un autre truc.

— Tu veux parler d'une ambiance pétillante de fin d'année ?

— De la musique.

— Ah, oui. Lowell a diffusé une note interdisant la musique sur le lieu de travail.

Aaron avisa le dictateur susnommé : il se déplaçait autour des plats qui venaient d'être disposés avec soin sur la table du buffet. Lorsqu'il claqua des doigts pour attirer l'attention d'un serveur, Aaron détourna la tête.

— Il a dit quelque chose comme : les chants de Noël détournent les employés de leur tâche.

— Mais nous ne sommes pas dans les bureaux !

— Je ne suis pas sûr qu'il fasse la différence. Pour lui, toute forme d'amusement est à bannir.

— Avec cette mentalité de rabat-joie, pourquoi avoir organisé ce cocktail ? A moins qu'il ne leur fasse payer l'entrée…

Il reporta vivement les yeux sur Aaron.

— Rassure-moi. Ce n'est pas le cas ?

— C'est pire. J'ai entendu dire qu'en contrepartie il sucrait le bonus annuel et l'indexation des salaires sur le coût de la vie.

— La classe, persifla Royal.

Malgré son aversion pour le personnage, Aaron était là pour le protéger. Il avait assez de soucis comme ça pour ne pas griller son contrat. A la différence de celui de Craft, son personnel à lui bénéficiait de primes, de congés, et avait même parfois le droit d'être malade. Tout cela demandait de l'argent. Lowell honorait ses engagements financiers, ce qui lui permettait d'honorer les siens. C'était à peu près la seule qualité qu'il lui trouvait.

Pour le reste, Lowell ne lui rendait pas la tâche facile. Au début de sa mission, il avait l'habitude de disparaître vers midi pour réapparaître plusieurs heures plus tard, un sourire niais sur les lèvres. Ce manège cessa lorsque Aaron se mit à le suivre comme son ombre.

Grand, mince, le cheveu poivre et sel, Lowell détenait le genre de fortune et de pouvoir que nombre de femmes trouvaient séduisant, ce qui laissait Aaron perplexe. L'homme exerçait le même mélange de fascination et de répulsion qu'un politicien de carrière, et possédait les mêmes compétences de tueur. Il ne disait jamais son âge, mais ceux qui le connaissaient lui attribuaient autour de cinquante-cinq ans. Il avait une femme, un fils de vingt-trois ans, et à l'instar de ses salariés aucun des deux ne le portait dans son cœur.

Et puis, il y avait la face cachée. Si Lowell se présentait comme un homme franc et direct, ce n'était qu'une façade. On ne creuse pas dans la vie d'un homme sans dénicher des détails peu reluisants, et le P.-D.G. de Craft Industries marchait chaque jour dans la fange.

Aaron fixa son attention sur une brune pulpeuse d'une trentaine d'années, aux jambes aussi longues que son esprit était étroit, assise seule devant un cocktail jaune clair.

— Il paraît qu'Angie a voulu cette réception parce que le moral est au plus bas, et qu'en dépit du contexte économique difficile elle craint un exode massif des employés.

— Et Lowell écoute Angie, ajouta Royal en gloussant. En parlant de ça, c'est sympa de sa part d'inviter en même temps sa femme et sa maîtresse.

— Supposée maîtresse.

Aaron survola la salle à la recherche de Mme Craft. En vain. Il s'apprêtait à envoyer Royal à sa recherche, lorsque son regard s'arrêta sur deux hommes de forte carrure qui attendaient devant l'ascenseur.

Arborant la même coupe militaire et le même costume sombre, ni l'un ni l'autre ne portaient le moindre intérêt à la fête. Ils n'étaient pas de chez Craft, Aaron en aurait mis sa main au feu. Après la seconde menace de mort à l'encontre de Lowell, il avait vérifié les C.V. de tous les employés passés et présents. Il avait également examiné ceux du personnel du Centre de conférences d'Elan. Soit les deux hommes étaient entrés sans qu'il ne les remarque, mais vu leur gabarit c'était peu probable ; soit ils n'étaient pas invités. Aucune des deux possibilités ne lui plaisait.

Il donna un petit coup de coude à Royal.

— Qui sont ces deux-là ?

Royal suivit des yeux la direction qu'il désignait du menton.

— Des membres du personnel de service ?

— Pas de ceux que j'ai répertoriés.

— Et ils n'ont pas le bon uniforme, confirma Royal, en plissant des yeux. Et puis, pourquoi veulent-ils prendre l'ascenseur alors que le buffet se trouve ici ?

Le passage subtil de Royal en mode attaque confirma les craintes d'Aaron. L'expérience de terrain en Afghanistan avait affûté la perception du danger chez son cadet.

Il aboya ses ordres au reste de l'équipe.

— Nous avons besoin d'aide ici. Palmer ?

Aucune réponse de Palmer Trask, le chef de la sécurité de Lowell. La petite lampe rouge clignota encore plus vite sous le crâne d'Aaron.

— Ça sent mauvais, grogna Royal entre ses dents.

— Il nous faut aussi retrouver la femme de Craft.

Royal pivota sur ses talons et explora la salle.

— Elle était ici il y a un instant.

— Elle n'y est plus.

Avec ses traits magnifiques et sa tenue de top model, la jeune femme sautait immédiatement aux yeux dans une foule, même tapie dans un coin.

Les choses se compliquaient.

— Je veux deux hommes ici, reprit Aaron. Vous rendrez compte à Royal dans la salle à manger. Les autres surveillent le périmètre.

— On boucle les lieux ? s'enquit son assistant.

— Pas encore. Tu ne quittes pas Lowell d'une semelle. Qu'il n'éternue pas sans tomber sur toi.

— Entendu.

— Je prends l'escalier. Tu m'indiqueras où s'arrête l'ascenseur.

Il effectua une dernière inspection de la salle, à l'affût de toute personne non fichée dans sa mémoire.

— N'oublie pas que tu as deux types à gérer quand tu seras là-haut, lui souffla Royal.

Pourvu qu'ils ne soient pas plus, songea Aaron. Il se tourna vers son assistant.

— Ma seule angoisse est qu'ils fassent partie d'un plan de plus grande envergure.

— Et si c'est le cas ?

Aaron vérifia la tenue de ses armes à sa ceinture.

— J'assurerai.

2

Son porte-documents serré sur sa poitrine, Risa était adossée à la paroi du fond de la cabine d'ascenseur. C'était la première fois qu'elle organisait un cocktail de fin d'année dans un lieu suggéré par un homme qu'elle n'avait vu qu'à deux reprises, dont un dîner en tête à tête, et qui, malgré sa promesse, n'avait pas jugé bon de la rappeler. On était déjà jeudi, il avait manifestement pris la poudre d'escampette. Et c'était bien dommage : cet avocat lui plaisait beaucoup, avec ses cheveux d'un châtain velouté et ses superbes yeux bleu-vert. Le Centre de conférences aussi lui plaisait. Mais elle n'avait pu le réserver qu'un après-midi : il était en phase de préouverture, l'inauguration officielle devant se tenir à la mi-janvier, après le boum des fêtes. Contre un prix modique et un accord pour limiter les frais à l'essentiel, Elan avait accepté de louer une de ses salles dans un délai très court.

Le budget de Buchanan Engineering ne leur permettrait probablement pas de renouveler l'opération l'année suivante, quand le Centre de conférences serait totalement opérationnel, mais l'occasion était à saisir.

Les kilomètres de collines et de routes en lacets étaient encore plus enchanteurs que sur le site Web, et l'immeuble de cinq niveaux était à couper le souffle, avec sa façade de pierre et sa monumentale double porte vitrée. Restait à espérer que le temps reste au beau. Un seul flocon de neige, et l'opération se muerait en rallye sibérien.

Mais rien de tout cela — le délai serré, la distance ou la météo — ne pouvait être mis sur son dos, oh, non. Elle n'était chef de bureau que depuis trois semaines lorsqu'elle avait constaté qu'avant d'être virée son prédécesseur avait omis de réserver un lieu pour le pince-fesses annuel. Et, comme les ingénieurs avaient une réputation de joyeux fêtards, on s'acheminait vers la catastrophe.

Voilà pourquoi elle était dans l'ascenseur, en direction du troisième étage : pour voir la salle que lui proposait Elan, avant de signer le contrat et de remettre le chèque.

Si elle survivait à l'épreuve, réussissait la fête et s'arrangeait pour que chacun rentre chez soi sans être ivre, elle garderait son job. Un job dont elle avait un besoin vital. Sans lui, elle ne pourrait sortir de la panade dans laquelle ce salaud de Paul l'avait jetée.

Les portes de l'ascenseur s'ouvrirent. Elle faillit sortir de la cabine, mais jeta un regard aux chiffres lumineux : elle n'était qu'au second. Alors qu'elle reculait, une main massive s'avança entre les portes et les bloqua avant qu'elles ne se referment. Deux colosses en costume noir se glissèrent dans la cabine.

Ils eurent beau se tenir à l'avant, elle se sentait désagréablement à l'étroit. La lumière n'avait pas baissé d'intensité, mais l'espace lui parut soudain plus sombre, plus froid. C'était comme si tout l'air avait été expulsé de la cabine à leur entrée. Ils ne la regardèrent pas, ne parlèrent pas. Mais la façon dont leur double masse interdisait toute fuite lui mettait les nerfs à fleur de peau et lui nouait l'estomac.

Elle compta les secondes, jusqu'à ce que la cabine reparte et s'arrête au troisième étage. Elle crut atteindre 1000, mais son imagination devait lui jouer des tours. Ce qui ne l'empêcha pas, à l'ouverture des portes, de forcer le passage entre les deux gorilles, qui grognèrent de surprise.

— Excusez-moi, bafouilla-t-elle.

Puis elle marcha aussi vite qu'elle le put, sans se lancer tout de même dans un sprint olympique. Après quelques mètres, elle tourna à un angle puis, s'adossant au mur, tendit l'oreille pour s'assurer qu'ils ne la suivaient pas.

Rien. Le silence. Elle inspira à fond. Une forte odeur de peinture et de diluants lui piqua les narines. Elle était seule sur un plateau à peine terminé. Les portes étaient encore garnies de papier protecteur et d'adhésif de masquage.

— Génial… marmonna-t-elle.

Pour calmer son rythme cardiaque, elle inhala autant d'air que pouvaient en contenir ses poumons.

Elle sentit alors les aspérités qui s'enfonçaient dans sa peau. Elle ouvrit ses mains, forçant ses doigts à s'écarter du classeur de cuir.

Elle n'était pas du genre froussarde. Les hommes les plus dangereux n'avaient pas forcément des allures de néandertalien, elle le savait. Mais elle n'était pas idiote non plus. N'importe quelle femme éprouverait une panique viscérale en se retrouvant coincée seule dans un ascenseur avec deux armoires à glace, aux mines patibulaires.

S'obligeant à oublier ce désagréable souvenir, elle s'avança vers la porte marquée « W.-C. », mais une affichette signalait :

« Hors service. Utilisez ceux du 4e ».

De plus en plus agacée, elle considéra l'ascenseur, puis la porte de l'issue de secours, à côté des W.-C. Cette fois, elle opterait pour l'escalier. En tailleur-pantalon et chaussures à petits talons, elle pourrait s'enfuir en cas de nécessité.

S'engageant dans la cage d'escalier, elle grimpa jusqu'à l'étage supérieur, ses semelles claquant sur les marches de ciment. Arrivée au palier, elle entrouvrit la porte et ne vit rien qu'un couloir moquetté, ainsi qu'une shampooineuse industrielle abandonnée contre un mur. La plupart des portes, cependant, n'étaient pas encore installées.

Elle demeura quelques instants aux aguets, sans percevoir le moindre signe de vie. Rassurée, elle gagna les toilettes dames, laissant la porte se refermer sans bruit derrière elle.

Les mains à plat sur le bord du luxueux lavabo, elle attendit que son souffle et son pouls retrouvent un rythme normal. Mais, alors qu'elle pivotait vers les cabines, la porte du local se rouvrit et une masse floue vêtue de noir fondit sur elle. Avant qu'elle ne puisse crier, des mains se refermèrent sur ses bras, la poussant dans l'une des cabines.

Ses neurones se remirent en action, et elle gigota pour se libérer, mais ne put empêcher la main de son assaillant de se plaquer sur sa bouche.

— Du calme. Je suis là pour vous aider.

Le chuchotement emplit l'espace exigu tandis que l'homme l'emprisonnait de ses bras, la tête tournée vers la porte.

Elle se retrouva coincée contre le carrelage du fond. S'il avait l'intention de lui faire du mal, il avait intérêt à bien la surveiller. Et à s'attendre à une riposte en règle.

Inspirant à fond, elle se mit à hurler et lança ses griffes vers le visage de l'homme. Surpris, il se tourna vers elle. Elle manqua de s'étrangler.

— Aaron ?

— Risa ?

De ses doigts, il lui serra une dernière fois les bras, puis laissa retomber ses mains.

— Que fais-tu ici ?

— Ce sont les toilettes dames.

— Non, je veux dire… cet immeuble. Cet endroit. Pourquoi es-tu ici ?

— C'est toi qui m'en as parlé quand je t'ai dit que j'avais besoin d'une salle de réception. Et toi ?

— C'est… c'est incroyable.

Il demeura bouche bée quelques secondes.

Mais son choc n'était rien comparé au sien. Elle tenta de cligner des yeux, mais n'y parvint pas. Il avait toujours le même regard sexy, les mêmes cheveux châtains dans lesquels il aimait glisser la main, la même mâchoire virile. Et un costume noir qui lui allait comme un gant.

Restait un détail qui ne lui était pas familier : le pistolet dans un holster à sa ceinture.

— Depuis quand les avocats fiscalistes sont-ils armés ?

Il leva ses deux mains devant sa bouche.

— Chut, pas si fort.

— Tu te moques de moi ?

— Pas du tout.

Sa voix était presque couverte par le léger bourdonnement de la bouche du chauffage au-dessus d'eux.

— Je peux tout t'expliquer.

Une vague de colère la submergea.

— Et par la même occasion me demander pardon pour ne pas m'avoir appelée après notre seconde rencontre !

— Quoi ?

— Tu sais bien, ce dîner l'autre soir. Ce coup de fil que tu ne m'as jamais donné.

Ses tempes battaient de rage à ce souvenir.

Il referma enfin la mâchoire.

— Ecoute, ce n'est pas le moment.

— Oh ! vraiment ?

Il tressaillit et regarda de nouveau vers la porte.

— Je sais que ce n'était pas cool de ma part.

— Tu m'en diras tant, répliqua-t-elle, à voix basse cette fois.

— Pour ma défense, j'ai été très occupé, déclara-t-il à deux centimètres de son oreille.

— Mentir prend beaucoup de temps, n'est-ce pas ?

Elle réprima un mot grossier. Voilà qu'elle était forcée de chuchoter et de se quereller dans une cabine de W.-C. d'un immeuble pas encore terminé, sans personne à l'étage. Décidément, cette journée était pleine de surprises.

— Nous nous disputerons plus tard, ce qui ne m'enchante pas, soit dit en passant. Pour l'instant, nous devons…

D'un geste brusque, il lui saisit de nouveau le bras.

— Mais qu'est-ce qui te prend ? s'insurgea-t-elle en tentant de se libérer.

Il crispa la bouche et elle s'immobilisa.

— Que se passe-t-il ? demanda-t-elle, inquiète.

— Je vais te le dire, mais il faut que tu gardes ton calme, O.K. ?

— Je ne suis plus une enfant ! rétorqua-t-elle, refoulant une énorme appréhension.

— Alors tu ne paniqueras pas si je te dis que nous devons impérativement nous cacher.

Elle ordonna en vain à ses paupières de cesser de papillonner.

— Moi, paniquer ?

Angie Troutman se leva de sa table sans se donner la peine de jeter un coup d'œil dans la salle. Les gens la fixaient et murmuraient : c'était ce que faisaient les perdants. Tant de jalousie dans un si petit espace. Les murs en palpitaient. Elle regrettait presque d'avoir poussé Lowell à gaspiller de l'argent pour eux. Leur ingratitude tuait toute chance de profiter de la soirée.

Elle survola les têtes à la recherche de Palmer, mais c'est sur un membre de l'équipe recruté en appoint que ses yeux se posèrent. Ceux-là semblaient avoir décidé de tout diriger. Elle avait averti Lowell d'un risque de « guerre des polices », mais il l'avait ignorée, arguant des menaces de mort.

Les hommes n'écoutaient jamais.

Elle tenta d'établir un contact visuel avec l'assistant d'Aaron McBain. Comment s'appelait-il, déjà ? C'était l'un de ces prénoms que les parents trouvent intelligents mais qui attirent généralement les railleries à l'école primaire.

Elle secoua la tête : peu importait. Elle avait un plus gros souci. Aaron McBain était une épine dans son pied depuis qu'il avait poussé les portes de Craft Industries et pris les choses en main sans mot dire. Sa simple présence l'obligeait à la vigilance. Il donnait des ordres, et les gens lui obéissaient, le petit doigt sur la couture du pantalon.

Pire : l'accepter dans la place ajoutait un niveau à la pyramide hiérarchique, quand elle avait tant sacrifié pour s'y élever. Dès son arrivée ou presque, McBain avait été omniprésent, l'empêchant presque de parler en privé à Lowell quand elle en avait besoin. Et, à présent qu'elle voulait l'avoir sous les yeux, il avait disparu. Autant pour l'expertise promise dans le juteux contrat de sécurité signé avec Craft Industries !

Comme l'assistant de McBain bavardait avec un convive au lieu de veiller sur elle, elle lui planta son index dans le bras.

— C'est quoi, votre nom ?

Il se tourna vers elle, baissa les yeux sur sa main, puis les releva sur son visage avec un froncement de sourcils.

— Toujours Royal Jenkins, madame. Il n'a pas changé depuis hier.

Quel insolent ! Elle le ferait virer sur-le-champ si elle en avait le pouvoir. Dès lundi elle réglerait ça avec Lowell. On verrait si sa voix dégoulinerait toujours de dédain lorsqu'il se tiendrait devant son bureau, le suppliant de lui laisser son job.

— Eh bien, Roy, nous avons…

— Royal.

Comme si elle avait du temps à perdre avec ces fadaises de mâle suffisant. Elle laissa son faux sourire retomber.

— Où est votre patron ?

— Pardon ?

— McBain. Il est censé veiller sur M. Craft.

Elle regarda vers l'endroit où se trouvait Lowell la minute précédente et se figea : il était de l'autre côté de la salle, tendant un verre à son épouse. Se secouant aussitôt mentalement, elle revint à sa préoccupation du moment et se tourna vers Royal.

— McBain inspecte le reste de l'immeuble, lui répondit celui-ci.

Elle sentit le sang refluer de son visage.

— Je ne le paie pas pour jouer les détectives d'hôtel.

— Craft le paie pour son expertise, et en cet instant il vérifie la sécurité des autres étages. Ça fait partie du protocole.

C'était le dernier endroit où il devait être. Elle ne pouvait pas se permettre qu'il fouine là-haut.

— J'ai besoin de lui ici.

Royal plissa les yeux.

— Pourquoi ?

Elle inspira à fond, s'efforçant de juguler une soudaine bouffée de rage et d'angoisse. Si elle montrait le moindre signe d'inquiétude, cet homme y sauterait à pieds joints. Il était peut-être insolent, mais pas stupide. En attestait sa façon de scanner les lieux, d'enregistrer chaque mouvement, de tout jauger et analyser.

Elle croisa les doigts devant elle.

— McBain a déclaré prendre en charge la sécurité personnelle de M. Craft. Par conséquent, il devrait être constamment en vue de celui-ci.

Quelque chose se décrispa dans les traits de Royal.

— J'apprécie l'intérêt que vous portez au… bien-être de M. Craft.

— Je vous demande pardon ? dit-elle d'une voix glaciale.

Il n'eut pas un clignement de paupière. Et n'eut même pas la décence de changer de ton.

— Le sort de votre patron vous tient à cœur. Je le comprends.

Elle serra les dents pour ne pas hurler. Les hommes étaient tous pareils. Ils fonctionnaient avec ce qu'ils avaient entre les jambes, mais elle n'avait pas le temps de charmer celui-ci. Aussi laissa-t-elle la fureur qui bouillait en elle se réduire à un sifflement menaçant.

— Appelez McBain tout de suite. Je le veux ici au plus tard dans deux minutes.

— Je vais l'informer que vous souhaitez lui parler.

Sur un bref hochement tête, il lui tourna le dos et fit signe à l'un de ses hommes de s'approcher.

Angie accusa le coup. Il verrait ce qu'il en coûtait de se mettre en travers de sa route. Elle veillerait en personne à l'envoyer pointer à l'agence pour l'emploi.

Mais pas aujourd'hui, songea-t-elle en avisant à distance le chiffre lumineux à côté de l'ascenseur. Quatrième étage. C'était exactement là qu'il devait être.

Pourtant, quelque chose n'allait pas, mais alors pas du tout.

3

Cette journée vire au cauchemar, pesta Aaron intérieurement.

La dernière fois qu'il l'avait vue, cette femme était assise face à lui dans un restaurant italien. Mêmes cheveux couleur de miel, même beauté du visage, mêmes yeux sombres et intelligents. Mais à la place du sourire, ses lèvres formaient à présent une ligne dure, tandis qu'un mélange de méfiance et d'indignation féminine déformait ses traits.

De toute évidence, Risa croyait que son principal problème était cet appel qu'il ne lui avait pas donné. Elle ignorait que c'était une bluette à côté de ce qui se passait dans l'immeuble.

Il faillit la toucher de nouveau, mais se ravisa et garda les mains levées : elle semblait à deux doigts de frapper quelque chose… ou quelqu'un. En l'occurrence, lui.

— Ecoute-moi, lança-t-il tout de même.

Elle croisa les bras, et tout dans sa posture le mettait au défi de commettre une nouvelle erreur.

— Vas-y. Je suis tout ouïe.

Le plus avisé était de la mettre K.-O. le plus doucement possible, puis de la transporter en lieu sûr. Mais si un simple manquement à la bienséance la faisait monter sur ses grands chevaux, il n'osait imaginer quelle serait sa réaction à son réveil.

Il lui avait déjà servi quelques mensonges. Sur le moment, cela lui avait paru le plus intelligent. Il en était beaucoup moins sûr à présent.

Et puis il y avait Royal qui entendait chacune de ses paroles. Le bougre se moquerait de lui pendant des années au sujet de ce non-coup de fil, à moins qu'il ne laisse tomber le sujet et embraye sur le danger qui planait autour d'eux.

— Pas un mot, murmura-t-il dans son micro.

Royal ricana, il avait compris, puis marmonna :

— Angie veut te voir.

Super, bougonna Aaron. Comme si cette femme était le centre de ses préoccupations.

— Tais-toi, tu veux ? reprit-il.

Risa lui lança un regard d'institutrice offensée.

— Tu me demandes de la fermer ?

— Mais non !

Difficile de lui expliquer qu'il parlait à un type sur un système de communication privé. Mieux valait passer pour un débile mental que de lui exposer les tenants et aboutissants de l'opération, surtout à ce stade incertain.

— Je n'ai pas dit cela. Je ne suis pas complètement idiot.

— Vraiment ?

Il fallait calmer la situation et lui dire la vérité.

— Nous sommes en danger ici.

— Dans les W.-C. ?

— Dans les W.-C., et partout ailleurs.

Risa poussa l'un de ces soupirs agacés dont les femmes ont le secret.

— Désolée, mais je ne comprends pas.

— Le danger est dans chaque recoin de cet immeuble.

— C'est l'excuse la plus bancale que j'aie jamais entendue pour un lapin téléphonique. Si tu ne voulais pas me revoir, il suffisait de…

Sa phrase fut coupée par un bruit mat contre le mur des toilettes.

La main gauche d'Aaron fila vers sa bouche, tandis que la droite se plaquait sur sa nuque.

— Chut.

Les yeux dilatés, elle hocha la tête.

— Il y a quelqu'un dehors, chuchota-t-il.

En une demi-seconde, il se remémora le plan de l'étage.

Risa leva deux doigts. Il lui libéra un peu la bouche.

— Oui ? fit-il.

Sa lèvre inférieure tremblait.

— Ils sont énormes, souffla-t-elle tout bas.

— Pardon ?

— Dans l'ascenseur. Deux hommes, des colosses. Effrayants. Je ne t'en ai pas parlé ?

Aaron déglutit. Un nœud de tension se logea dans sa nuque.

— Ils t'ont menacée ?

— Ils n'ont pas dit un mot. Ils n'en avaient pas besoin. Ces types font froid dans le dos. N'importe quelle femme sans une arme ou un ami costaud s'enfuirait à leur vue.

Les muscles d'Aaron se détendirent. Un peu. Risa faisait probablement allusion au duo qu'il avait suivi, et non à une seconde paire de M. Muscle.

— Il faut que je t'emmène hors d'ici.

— Il y a l'escalier.

Elle était aussi pâle qu'un linge, et toutes les trois ou quatre secondes un frisson la traversait. Elle était terrifiée, mais ne se recroquevilla pas sur elle-même ni ne se mit à gémir. Cette force de caractère la rendait plus séduisante encore que ses longues jambes et son sourire sexy, ce qui n'était déjà pas rien.

Son pincement de culpabilité — il avait réellement eu l'intention de la rappeler, jusqu'à ce que le travail lui impose d'en faire autrement — se mua en étau implacable. N'importe quel homme serait heureux d'obtenir un second rendez-vous avec une telle femme, et il avait gâché sa chance.

Il lui devait au moins de l'aider à sortir de l'immeuble, tout en évaluant le niveau de menace.

— Ne bouge pas.

Il s'écarta d'elle et se dirigea sans bruit vers la porte.

— Royal ?

Pas de réponse. Il tapota son oreillette. Alors qu'il posait la main sur le bouton de la porte, celle-ci s'ouvrit brutalement, le projetant contre le mur. Son arme s'échappa de ses doigts et tomba sur le sol carrelé.

Il réprima un juron tandis que le bouton s'enfonçait dans son ventre. L'un des deux hommes qu'il avait vus devant l'ascenseur se jeta de tout son poids sur le battant métallique et le bloqua. Aaron étouffa un cri : sa cage thoracique n'allait pas résister. Il pouvait à peine respirer, et ses mains étaient coincées.

Il tenta de repousser la porte, de trouver une prise, mais cette satanée porte lui écrasait le corps. Ses efforts ne servaient à rien.

En proie à une rage noire, il se tourna vers Risa. Elle était paralysée par la peur : la masse humaine tentait de l'écrabouiller.

La voix de Royal gronda soudain dans son oreillette, mais il ne comprit pas un traître mot tant le râle de son propre souffle occultait tout autre bruit. Il se creusa la tête pour trouver une solution.

— Deux-deux.

C'était leur code pour demander assistance, mais il n'était même pas sûr de l'avoir prononcé à voix haute. Le bouton s'enfonça de nouveau dans son ventre, lui coupant la respiration.

Le complice de son agresseur entrait tranquillement dans la pièce, ses épaules effleurant le chambranle. Risa n'avait pas exagéré. Doté d'un cou de taureau, de biceps qui l'obligeaient à tenir les bras écartés, le type était à l'évidence un adepte de la fonte. Et, apparemment, c'était lui le chef.

Sans même lui accorder un regard, il braqua le pistolet sur la tête de Risa.

— Ça suffit, maintenant.

Aaron cligna des yeux : c'était à lui que ces mots s'adressaient.

— Que voulez-vous ? lança-t-il.

— Elle.

— Moi ? couina Risa, sa voix faisant écho dans l'espace carrelé.

Le premier malfrat agita vers elle une main massive.

— C'est le moment d'y aller, Angie.

Les doigts de Risa se crispèrent si fort sur la porte de la cabine que ses jointures blanchirent.

Aaron en avait mal pour elle.

— Je ne m'app… commença-t-elle en se tournant vers lui.

D'un hochement de tête, il lui donna son feu vert. Plus ils feraient durer les choses, plus ils donneraient à Royal la chance de rappliquer avec des renforts.

Risa déglutit avec peine.

— Qui est Angie ?

Le chef fit un pas vers elle, secouant la tête.

— Pas de ça avec nous, ma belle.

— Vous vous trompez de personne.

— Et vous, vous m'avez assez fait perdre mon temps.

Risa secoua la tête. Tout dans son corps et sa voix exprimait la stupéfaction.

— Mais enfin, que se passe-t-il ?

— C'est moi qui pose les questions, répliqua le gorille, le doigt menaçant.

Puis, il se tourna vers Aaron :

— Qui êtes-vous ?

— Je travaille chez Craft. La demoiselle et moi nous sommes rencontrés à la réception, en bas, et sommes montés ici pour avoir un peu d'intimité.

Il cherchait la confrontation d'homme à homme, mais ça ne marcha pas. Le sourire salace, l'homme examina lentement Risa de la tête aux pieds.

— Pas mal, en effet…

Son acolyte éclata d'un rire gras. Ces deux-là faisaient une belle paire, s'agaça Aaron. Du genre qui justifiait amplement les cours d'autodéfense féminine.

Le chef tendit la main vers Risa.

— Amenez-vous.

Elle recula le plus loin possible dans la cabine.

— Allez ! reprit-il.

D'une brusque secousse, il l'attrapa par le coude et la ramena au centre du local, maintenant son arme à quelques centimètres de son visage.

— Vous vous trompez de personne, répéta-t-elle d'une voix proche de l'hystérie.

— Revenons quelques instants en arrière et détendons-nous, proposa Aaron, tout en déplaçant son poids pour extraire l'un de ses pieds de derrière la porte.

— La ferme ! beugla son assaillant.

Risa secoua la tête.

— Nous n'avons rien fait.

— Vous êtes à cet étage, exactement où vous étiez censée être.

Le colosse tira de nouveau sur son bras, la faisant tituber.

— Bougez encore sans ma permission, et je loge une balle dans le ventre de votre petit ami.

Malgré ces paroles, les armes des deux hommes ne dévièrent pas de leur cible. Aaron en profita.

D'un geste aussi discret que possible, il glissa la main dans la poche intérieure de sa veste, puis batailla avec le tissu jusqu'à ce que ses doigts rencontrent le métal d'une de ses armes de secours.

Rassemblant toute son énergie, il propulsa son corps contre la porte, déséquilibrant son agresseur. Heurtée par le battant, sa tête partit en arrière et du sang jaillit de son nez. Il y porta aussitôt les deux mains.

— Risa, baisse-toi !

A peine eut-il le temps de lancer cette injonction que le chef pivota vers lui.

Risa se laissa tomber à genoux au moment où le déluge de feu éclata. Aaron tira deux fois, les déflagrations furent assourdissantes. L'une des balles traversa la porte, touchant au flanc le second malfrat : il s'effondra dans le couloir en hurlant.

La seconde balle frappa son chef à l'épaule. Tournoyant sur lui-même, il trébucha sur Risa et s'étala derrière elle.

Malgré les appels de Royal dans son oreille et les cris affolés de Risa, Aaron poursuivit sur sa lancée. Il ramassa l'arme du deuxième homme, qui se tordait de douleur, puis se précipita vers Risa et l'aida à se relever.

Ils n'eurent pas fait deux pas que son corps mince s'affaissa, comme si ses jambes s'étaient dérobées sous elle. Mais elle n'avait pas trébuché : le chef du duo la tenait par la cheville et pointait un revolver sur lui.

— Jetez cette arme, ordonna le malfrat.

Mais ses mains tremblaient, et il clignait des yeux comme pour empêcher un nuage d'obscurcir son cerveau.

Aaron ne perdit pas une seconde. Il lui asséna un violent

coup de pied au poing, envoyant valdinguer son arme. D'un second coup, il le toucha à la tempe et l'assomma.

Affalée sur le sol, Risa peinait à respirer. Aaron la hissa d'une main et, avec soulagement, sentit ses doigts se refermer sur les siens. D'une traction, il l'amena entre ses bras et la serra avec force.

Elle tremblait de tout son corps, et cela le rappela sur-le-champ à la réalité. Elle était une civile au mauvais endroit et à un très mauvais moment. Elle était innocente, comme l'étaient les gens quelques étages plus bas. Quelqu'un s'attaquait à Lowell, et pour une raison qu'il ignorait avait pris Risa pour Angie. Le plan sentait l'affolement et le bâclage. Tout le monde dans l'immeuble était en danger.

La voix de Royal résonna enfin dans son oreillette.

— Où es-tu ? demanda-t-il à son assistant.

— J'arrive.

Puis un étrange silence s'installa sur la ligne.

— Royal ?

Risa lui serra le bras au même moment.

— Que se passe-t-il ? s'enquit-elle.

— Je n'en sais rien.

C'était comme si le monde s'était tu. Pas même un souffle ne se faisait entendre.

Au fond de lui, l'inquiétude pour son équipe le disputa à la colère suscitée par l'attaque contre Risa. Il s'en était fallu d'un cheveu qu'elle ne lui soit enlevée.

Mais, dans le couloir, le blessé tentait de s'asseoir contre le mur et grognait, le ramenant au présent.

— Reste là, ordonna-t-il à Risa.

Il voulut s'écarter d'elle, mais elle le retint.

— Non. Pas question que tu disparaisses de nouveau.

Elle avait laissé libre sa main armée, et il n'objecta pas. Son corps littéralement soudé au sien, il s'avança vers le voyou.

— Pour qui travaillez-vous ?

La main sur son flanc ensanglanté, l'homme ricana. Il avait beau respirer avec difficulté, il lui restait assez d'énergie pour exprimer sa loyauté à son employeur.

— Allez au diable.

De la pointe de sa chaussure, Aaron taquina sa plaie à travers la chemise maculée de rouge. Un chapelet d'insultes suivit, mais Aaron accentua la pression jusqu'à ce que l'homme se tortille sur le sol, grimaçant et jurant.

— Je ne sais rien !

Aaron se pencha sur lui, l'arme braquée sur son front.

— Quelqu'un vous paie, et vous avez deux secondes pour me dire qui, déclara-t-il, menaçant.

Le type glissa à plat sur le sol.

— Mes ordres étaient d'emmener la femme, gargouilla-t-il.

— Mais ce n'est pas la bonne… ajouta Risa.

L'homme plissa le front, l'air égaré.

Aaron coupa court au chapitre.

— Un nom, c'est tout ce que je veux.

— Je ne sais rien !

Craignant qu'il ne soit équipé d'un micro, Aaron mit fin à l'interrogatoire. Puis, il ramena le bras en arrière et gratifia la tempe de l'homme d'un crochet qui l'envoya au pays des rêves.

— Il continue de saigner, observa Risa.

— Exact.

Une partie de lui ne voyait pas d'inconvénient à ce que ce salaud se vide de son sang, après ce qu'il avait tenté de faire à Risa, mais il avait déjà perdu assez d'humanité dans ce job. Il ne pouvait pas se permettre d'en perdre davantage.

Avec la serviette du lavabo, il confectionna un pansement de fortune, le pressa sur le flanc du gorille et l'y maintint à l'aide de sa propre ceinture.

Risa examina le travail.

— Ce sera suffisant ?

Il n'avait aucune expertise médicale, mais, de toute évidence, le type aurait très vite besoin de soins.

— Pour le moment, répondit-il.

Après une brève et vaine fouille à la recherche d'armes ou d'un téléphone portable, il se tourna vers Risa. Il s'attendait à lire de la peur ou du dégoût sur son visage. Au lieu de cela, elle se mordait la lèvre comme si elle était plongée dans une intense réflexion.

— Qu'est-ce que tout cela signifie ? J'étais venue jeter un coup d'œil à une salle de réception, et voilà que je me retrouve au centre d'un film de gangsters de série Z.

Sa voix retrouvait son timbre normal à mesure qu'elle parlait. Envolés, les tremblements de terreur, au profit d'une calme détermination.

Pour surprenant qu'il fût, Aaron appréciait ce changement à sa juste valeur. Il préféra jouer la carte de l'honnêteté.

— Sauf erreur de ma part, quelqu'un a pris pour cible le gros bonnet de la réception du premier et se sert d'une femme pour l'atteindre.

— Cette Angie dont il parlait.

— Oui. Mais je n'ai aucune idée de la raison pour laquelle on t'a prise pour elle.

Il repensa à la maîtresse de Lowell. Risa et Angie avaient de longs cheveux châtains et mesuraient autour de un mètre soixante-dix. Mais les points communs s'arrêtaient là.

Angie avait une petite quarantaine — donc quelques années de plus que Risa —, une voix grave de buveuse de bourbon et une silhouette de bimbo qui rendait fous les hommes. Il n'aimait pas ce look tape-à-l'œil, mais ne la sous-estimait pas pour autant. Manipulatrice, Angie dirigeait son petit monde avec une assurance cynique, ignorant les bruits de couloir sur sa liaison avec le boss.

Risa, elle, était… lumineuse. Avec sa peau satinée, ses cheveux brillants, elle semblait rayonner d'un éclat intérieur.

Mais le sceptique en lui l'emportait : après avoir vu tant de laideur, la moindre forme de beauté ne prenait-elle pas des proportions irrationnelles dans son esprit ?

En général, sa chance avec les femmes ne lui offrait pas un tel privilège. Si ses fiançailles brisées ne l'avaient pas rayé de la carte pour toutes les femmes, elles l'avaient rendu méfiant.

Or, dès la seconde où il avait vu Risa surfer sur son ordinateur dans ce coffee-shop, quelques semaines plus tôt, il avait eu un coup de foudre. Vêtue d'un jogging et d'un léger

T-shirt, elle avait un aspect sexy, ébouriffé, tout juste sorti du lit, qui avait fait grimper en flèche sa température intérieure.

Elle était de ces femmes qui n'ont pas besoin de se fatiguer pour être belles et qui se passent de maquillage. Lorsqu'on se retourne dans son lit le matin, on sait ce que l'on va voir à côté de soi. Du moins, c'était ainsi qu'il se l'imaginait. Il n'avait jamais partagé un lit, ni un canapé, ni même un simple baiser avec elle.

Pas encore…

Elle lui adressa un sourire en coin.

— Est-ce que tu sais que, si je vois cette Angie et que je nous compare, tu risques de te prendre un coup sur le nez ?

— Elle ne t'arrive pas à la cheville. Parole de scout, ajouta-t-il en portant une main à son cœur.

Risa haussa un sourcil, mais ne releva pas.

— Que faisaient ces deux types ici ? reprit-elle. L'étage est censé être fermé.

— Bonne question.

Il lui posa les mains sur le haut des bras, et, avec douceur, la plaça dos au mur, à côté de la porte.

— Ne bouge pas d'ici.

— Où irais-je ?

Elle semblait presque agacée par sa suggestion. Décidément, elle avait du cran, songea-t-il en souriant. Elle avait été malmenée, menacée, elle avait vu des hommes se battre et se tirer dessus. Malgré cela, elle demeurait stoïque. Pas mal pour une femme qui passait ses journées derrière un bureau.

Attrapant le blessé du couloir par les chevilles, il le tracta à l'intérieur pour le placer auprès de son chef. Après avoir fouillé les poches de ce dernier, il vida les armes de leurs cartouches et les jeta dans la cuvette des toilettes. Il garda la seconde arme du malfrat en chef pour le cas où.

Restait un dernier problème.

Il leva les yeux vers Risa.

— Tu n'as pas de corde, par hasard ?

Elle leva les deux bras.

— Pas sur moi.

— Bah, ça ne coûte rien de demander, se justifia-t-il.

— Mais, vu que cet immeuble est encore en chantier, il doit y avoir toutes sortes de matériaux.

Cela signifiait chercher partout, et il doutait d'en avoir le temps. D'autant qu'il n'avait plus de nouvelles de Royal depuis un bon moment.

— Nous allons bloquer la porte et espérer qu'ils restent assez longtemps dans le cirage pour que nous puissions redescendre et filer d'ici.

— Sinon ?

Se dressant devant elle, il plongea son regard dans le sien.

— Je ne peux pas avoir autant de malchance.

— C'est l'avocat fiscaliste qui parle, bien sûr.

Il grimaça. S'il avait espéré différer encore les explications qu'elle attendait de lui, c'était raté.

— Qu'est-ce qui te fait croire que je n'en suis pas un ?

Elle baissa les yeux sur sa main armée.

— Le pistolet.

— Je vais t'expliquer.

Elle pencha la tête de côté.

— Vraiment ?

— Mais pas tout de suite.

— En temps normal, j'insisterais. Mais, comme je veux m'en aller d'ici au plus vite, nous pouvons reporter à plus tard notre conversation sur le thème « je t'ai menti sur tout ».

Ou comment reculer pour mieux sauter… songea-t-il avec un brin d'amertume.

— Je ne peux pas dire que la perspective m'enchante, Risa.

— Ce n'est qu'un juste retour de bâton.

— Je te le concède.

4

Risa se glissa dans le couloir derrière Aaron, accrochée des deux mains à sa veste, nichée dans son dos, aussi près de lui qu'il était possible. Les effluves de son eau de toilette mentholée lui titillaient les sens et occultaient l'odeur de peinture fraîche. Elle avança la tête, le nez presque dans ses cheveux, et huma le parfum de son shampooing. Frais. Propre. Pas compliqué.

Jusqu'à ce qu'elle le découvre portant un pistolet, elle le voyait comme un type simple et cool. Lorsqu'il s'était assis à sa table dans le coffee shop, le jour de leur première rencontre, elle l'avait trouvé beau et intelligent, avec en prime un franc sourire qui lui éclairait le visage.

Elle aimait son nez légèrement cassé, résultat d'un duel lors d'une partie de crosse à l'université, avait-il expliqué. Lors de leur dîner en tête à tête, au moment du dessert, il avait mêlé ses doigts aux siens, puis, à la sortie du restaurant, posé la main sur sa taille. Mais chaque fois qu'elle avait cru qu'il pousserait les choses plus loin, il avait fait marche arrière et elle avait craint ne pas lui plaire vraiment.

Maintenant, elle comprenait mieux : il cachait quelque chose de beaucoup plus gros, il avait une vie secrète. Mais comme elle avait besoin de sa protection et qu'il paraissait très à l'aise avec une arme, elle laisserait le sujet pour plus tard… S'il y avait un plus tard.

— Risa ? chuchota-t-il.

— Oui ? répondit-elle tout aussi bas, tandis que la porte des toilettes se refermait sans bruit derrière eux.

— Je ne peux pas respirer.

— Quoi ?

Il glissa une main derrière lui et lui toucha les doigts. En fait, elle tirait si fort sur sa veste et sa chemise qu'elle l'étranglait. Il était cramoisi.

Elle laissa retomber ses mains et recula.

— Oh, mon Dieu, je suis désolée !

Il lui adressa un clin d'œil par-dessus son épaule.

— Je serais ravi que tu me déshabilles, mais plus tard. Pour le moment, j'ai besoin de tous mes vêtements.

Puis il se remit en mouvement. Il s'avança jusqu'à l'extrémité du couloir : celui-ci débouchait sur un espace plus large. Là, il se pencha pour ramasser quelque chose, se redressa et se tourna vers elle, un balai à la main.

— Tu ne m'avais rien dit de tel auparavant, lui confia-t-elle.

Il la considéra d'un air surpris.

— De quoi parles-tu ?

— Le déshabillage. Le sexe. Ces trucs-là, quoi.

Il revint vers elle, un sourire incertain sur ses lèvres.

Puis, il coinça le balai sous le bouton de porte, et le bruit sec se répercuta dans le couloir. Enfin, il cala le tout avec l'étroite table de téléphone placée à côté des W.-C.

Elle l'observait sans bouger, fascinée par ses mains : de quoi diable étaient-elles encore capables ?

En un clin d'œil, il fut de nouveau près d'elle.

— Tu as vraiment cru que je n'y songeais pas ? Que je ne me creusais pas la cervelle pour trouver le meilleur moyen de tenir ton corps nu dans mes bras ?

— Je pensais que tu étais avocat fiscaliste.

Cette fois, il ne dissimula pas son sourire.

— Je suis sûr qu'ils apprécient les jolies femmes autant que les autres.

D'accord. Elle avait déjà été mieux inspirée. Quelque chose dans cette conversation réduisait sa cervelle en marshmallow.

— Euh, oui… Bon…

— Je parie que les avocats adorent le sexe, eux aussi, renchérit-il.

Elle fut bien en peine de trouver une réponse adaptée.

Heureusement, il la sauva du ridicule en lui tendant la main. Elle la saisit sans hésiter.

— Nous allons rester ici, à l'écart de cette porte, et nous signaler au premier étage.

Rien dans son plan ne lui plaisait.

— Je pensais que nous allions filer d'ici.

— Il faut d'abord nous assurer que la voie est libre, que nous ne sommes pas enfermés.

Il balayait du regard l'étage vide, scrutant chaque recoin, comme si des assaillants pouvaient surgir à tout moment.

— C'est du délire, dit-elle en se frottant le front. Moi qui étais juste venue réserver une salle.

Il se saisit alors de ses doigts et les porta à ses lèvres.

— Tout ira bien, chuchota-t-il.

Se penchant vers elle, il lui baisa le front.

Elle était incapable d'articuler une syllabe. Encore quelques émotions de ce type, quelques allers et retours entre peur et tension érotique, et elle tomberait dans les pommes.

Les yeux rivés dans les siens, il lâcha sa main et toucha son oreillette.

— Royal.

— C'est un code ? murmura-t-elle.

— Un nom.

Il réitéra son appel, puis fronça les sourcils.

Pas besoin d'avoir une maîtrise de droit pour savoir qu'une absence de réponse était mauvais signe.

— Un problème ? s'enquit-elle.

— Non, tout va bien.

Son sourire contraint disait le contraire.

D'une main sur son ventre, il la poussa contre le mur, et il leva son arme tandis qu'ils s'approchaient de l'issue de secours. Le geste était assuré, comme s'il était rodé par des années de pratique.

Un souvenir lui revint soudain à l'esprit. La première fois qu'il lui avait tenu la main, elle avait été surprise par la fermeté de la sienne. Il n'avait certainement jamais travaillé derrière un bureau.

Alors qu'il tendait la main vers le bouton de la porte, elle sentit un courant d'air derrière elle. Dans la seconde qui suivit, un bras se cala sous sa gorge, et le canon d'une arme se posa sur sa tempe avant qu'elle ne puisse appeler à l'aide.

Mais elle n'en eut pas besoin. Aaron s'était retourné et pointait son pistolet sur son nouvel agresseur.

La fureur donnait à ses iris une nuance bleu profond des mers du Sud. Il ne croisa pas son regard. Son attention était entièrement fixée sur un visage qu'elle ne voyait pas, derrière elle.

Son cœur cognait si fort qu'elle en percevait chaque battement à la base du cou. Sans le bras qui lui coinçait la tête, elle serait tombée sur le sol.

Entre le grondement du sang dans ses oreilles et le soudain bourdonnement sous son crâne, elle n'entendait presque plus rien.

La voix d'Aaron résonna, létale, dans le plateau vide.

— Lâchez-la.

— Le moment est mal choisi pour jouer les héros.

Le souffle lourd de l'inconnu lui effleurait la joue.

Elle eut envie de hurler son désaccord, mais au lieu de cela consacra toute son énergie à garder son calme. Depuis son irruption dans le local des W.-C. pour l'avertir du danger, Aaron n'avait cessé de se comporter en héros. S'ils sortaient de ce cauchemar, elle le laisserait volontiers assumer ce rôle jusqu'à la fin de ses jours.

Lorsqu'elle obtint enfin que ses poumons respirent et que son cœur batte de façon normale, son ouïe se fit plus claire.

Aaron avait sorti un second pistolet, qu'il braquait également sur la tête de l'homme.

— Vous savez quoi ? J'en ai marre des types qui s'en prennent à elle.

— J'ignore de quoi vous voulez parler.

— Vous êtes le troisième, et ma patience est à bout.

Risa déglutit avec peine, le coude se resserrait sur sa gorge.

— Elle vient avec moi, tonna Aaron.

Risa agrippa des deux mains le bras qui l'étranglait, mais

les muscles épais ne bougèrent pas d'un millimètre. Son agresseur se servait d'elle comme d'un bouclier.

Aaron était peut-être rompu à ce genre d'exercice, mais il ne pouvait probablement pas dévier la trajectoire d'une balle. On n'était pas dans un film, et l'éventualité qu'elle finisse baignant dans son sang se précisait un peu plus à chaque seconde.

Le torse de l'inconnu se dilata dans son dos, puis il reprit la parole :

— Je la tiens. Il ne vous reste plus qu'à reculer.

— Et moi j'ai une balle qui n'attend qu'une chose : que vous fassiez un geste stupide.

Risa tentait de garder son calme, mais ses dents s'étaient mises à claquer, et son pouls, à marteler ses tempes.

— Aaron… commença-t-elle.

— Ecoutez la fille, Aaron, susurra son agresseur en la tenant solidement contre lui. Vous l'avez effrayée, je sens qu'elle tremble. Il n'était pas nécessaire que ça se passe ainsi.

— Pourquoi la voulez-vous ?

— Je me fiche d'elle.

Ce n'était pas la première fois de sa vie qu'elle entendait cela. Mais avec le canon d'une arme sur la nuque, si. On lui avait déjà menti, elle avait déjà été plaquée. Mais menacée ? Jamais. Jusqu'à aujourd'hui.

— C'est donc une question d'argent, conclut Aaron d'un ton dégoûté.

— N'est-ce pas la seule chose qui compte ? Allez, écartez-vous, dit l'homme en agitant son arme.

Aaron obtempéra, et Risa sentit son cœur chuter comme une pierre dans le vide. Ils ne s'étaient vus que deux fois, mais elle se serait attendue à ce qu'il fasse quelque chose, qu'il lui vienne en aide… Elle tâcha de se concentrer sur ce qu'elle avait appris de lui ces dernières heures. Un peu plus tôt, il s'était porté à son secours. Il n'allait pas l'abandonner à cet homme, cela n'avait aucun sens.

— Posez vos armes par terre, ordonna leur agresseur. Y compris celles que je ne vois pas.

Il pivotait tout en parlant, la maintenant entre lui et un éventuel échange de tirs.

Aaron plia les genoux, et ses mains descendirent vers le sol. Elle eut envie de hurler, de supplier, mais au lieu de cela elle banda tous ses muscles. Une femme intelligente attendait-elle qu'on la sauve ?

Elle pouvait donner des coups de pied, peut-être frapper le type à un endroit sensible et donner à Aaron la possibilité de tirer. Elle venait de décider d'agir quand son regard courroucé croisa le sien. D'un imperceptible « non » de la tête, il la plongea dans la plus grande confusion.

— Voilà, approuva l'homme, planté sur ses jambes écartées. Vous êtes raisonnable, Aaron. Chacun va rentrer tranquillement chez soi.

— Sauf moi, lança-t-elle.

Si elle était sûre d'une chose, c'était bien celle-là.

Le malfrat ricana.

— Je crains en effet qu'une personne ait des projets vous concernant.

— Qui ? demanda Aaron.

— Posez vos armes.

Toute trace d'amusement avait disparu de la voix de l'homme. Il agitait de nouveau son pistolet et semblait tout à fait prêt à s'en servir.

Cette fois, Aaron ne chercha pas à temporiser. Un premier pistolet cliqueta sur le sol. Un second prit le même chemin, mais au tout dernier moment il redressa le canon et tira vers la jambe du voyou. La déflagration fit trembler les murs.

Risa ferma les yeux, attendant la morsure d'une balle ou la chute de l'homme derrière elle, mais rien n'arriva. Son agresseur n'eut même pas un tressaillement.

Il se mit à rire à gorge déployée.

— Vous m'avez raté !

Aaron fit feu de nouveau, mais rien ne se produisit après le claquement du percuteur.

— Je crois que c'est mon tour, reprit le malfrat.

Son index bougea sur la détente.

Risa hurla à Aaron de s'écarter et planta violemment son coude dans le ventre de son agresseur, plaçant toute son énergie dans sa volonté de le déséquilibrer avant qu'il ne l'entraîne avec lui.

Aaron plongea alors vers elle, en direction de ses jambes, tandis que la porte de l'escalier s'ouvrait à la volée. Elle l'entendit crier de se laisser tomber sur lui, en même temps qu'un homme jaillissait dans le couloir en tirant.

Alors que l'instant d'avant elle désespérait de se libérer de son ravisseur, ce dernier tomba comme une masse derrière elle, manquant de peu de l'entraîner dans sa chute.

Aaron l'obligea à s'accroupir, puis, l'enlaçant par la taille, les envoya tous deux faire un roulé-boulé sur le sol. Elle se sentit glisser sous son corps tandis que la pièce défilait dans un grand flou sous ses yeux. Un coup de feu retentit, et une lampe explosa derrière elle. Quand son environnement cessa de bouger, un rugissement suivi d'un choc sourd résonna.

Elle rouvrit les paupières. Son agresseur gisait à deux pas d'elle, du sang coulant de son front. Tétanisée, elle contempla la scène d'un œil fixe. La violence à la télévision, où des acteurs étaient touchés, puis cédaient la place à une publicité, n'avait que peu à voir avec la réalité, où les gens étaient vraiment blessés et saignaient du vrai sang.

Voir quelqu'un mourir devant elle l'emplit d'horreur. Elle était choquée et les extrémités de ses doigts se mirent à la chatouiller.

Un homme en costume se pencha sur elle. Jeune, blond, l'air dangereux. Son arme et son regard demeuraient fixés sur Aaron.

La révolte monta en elle : elle en avait assez d'être la victime. Assez d'avoir la poisse. Que son mauvais karma, ou en tout cas ce qui la frappait depuis un an, quel que soit son nom, aille s'adresser à quelqu'un d'autre ! Tout de suite.

Se redressant tant bien que mal sur son séant, elle tendit la main vers l'un des pistolets.

Aaron l'intercepta à mi-chemin.

— Hé là. Il est de notre côté.

Le blond laissa retomber sa main armée, et les commissures de ses lèvres s'étirèrent en un sourire.

— Comment as-tu pu le rater à cette distance ?

— Je n'en sais rien… répondit Aaron. C'est comme ça.

Une note plus rauque qu'à l'ordinaire teintait sa voix.

— O.K. Que se passe-t-il ? les interrompit Risa. Je ne comprends pas grand-chose à vos histoires.

L'euphémisme du siècle, s'il en était.

Aaron se redressa à son tour et étudia l'arme qu'il avait dans la main.

— Je l'ai pris sur l'autre gorille. Il est chargé de fausses cartouches.

— Quoi ?

Le blond le lui ôta des mains.

— A quoi cela rime-t-il ?

— Je n'en sais rien, reprit Aaron. Ça n'a aucun sens. Qui voudrait kidnapper une femme avec des balles factices ?

Puis il se tourna vers Risa et l'aida à se remettre sur pied. Elle n'arrivait pas à le croire : ses jambes la soutenaient !

— Ça va ? s'enquit-il.

La soudaine douceur dans sa voix ne fit rien pour calmer les réactions anarchiques de ses nerfs.

— En tant que presque victime de kidnapping, non.

Elle releva les yeux. Les deux hommes l'étudiaient. Le blond reporta son attention sur Aaron.

— Une idée de la raison pour laquelle on l'a prise pour cible ?

— C'est Angie, la cible.

— C'est tout aussi absurde. Angie est en bas.

Il se tourna vers Risa.

— Vous avez été touchée ?

Elle inspira plusieurs fois, tentant de chasser l'angoisse qui l'avait envahie. Encore un peu de stress de cette nature, et elle devrait se mettre en arrêt-maladie d'un travail pour lequel elle n'avait encore droit à aucun congé payé.

Tandis que l'oxygène retrouvait le chemin de ses poumons

et que le sang lui irriguait de nouveau le cerveau, certaines pièces du puzzle se mirent en place.

— Vous devez être Royal, n'est-ce pas ?

Le grand gaillard sourit et lui tendit la main.

— Oui, m'dame. Royal Jenkins.

S'il perçut les tremblements qui lui traversaient le corps, il eut la gentillesse de n'en rien montrer.

— Moi, c'est Risa. Merci d'être intervenu à temps.

Il hocha le menton en direction d'Aaron.

— C'est lui qui m'a guidé.

— Comment cela ?

Elle se trouvait dans la pièce, avait tout entendu, mais à aucun moment n'avait soupçonné la présence d'un renfort dans l'escalier. Sa panique devait avoir réduit son espérance de vie de plusieurs années, mais elle ne voulait pas y penser.

— Je lui ai dit que j'arrivais, et j'ai attendu. Il a lâché des indices, précisa-t-il en désignant son oreillette.

Aaron poussa un gros soupir, puis glissa la main sous le coude de Risa.

— Risa, réponds à sa question.

Son ton irrité la surprit.

— Laquelle ?

Il la considéra d'un air affligé, comme s'il était prêt à la ligoter et à l'amputer d'une jambe si besoin était.

— Es-tu blessée ?

L'explication du changement qui s'était opéré en lui la frappa si fort qu'elle chancela un instant. Il se faisait du mauvais sang pour elle. Elle avait douté de lui un bref instant, mais sa volonté de la protéger n'avait jamais faibli. Elle en éprouva un vif sentiment de culpabilité.

— Non, juste sonnée.

— Se faire crier dessus ne doit pas aider, marmonna Royal en regardant à droite et à gauche, évitant soigneusement de poser les yeux sur Aaron.

— En l'occurrence, je me soucie plus de la garder en vie que de ménager sa sensibilité, rétorqua ce dernier.

— C'est ce que je vois, maugréa Royal.

Son grognement réprobateur n'était pas pour détendre l'atmosphère. Et elle avait besoin de l'un et de l'autre pour avoir des réponses à ses questions.

— Quelqu'un peut-il m'expliquer le sens de ces attaques ? Pourquoi veut-on kidnapper Angie ? Pourquoi m'a-t-on prise pour elle ? Je suis dans le brouillard.

— J'y suis autant que toi, avoua Aaron.

Puis il pivota vers son ami :

— Comment ça se passe en bas ?

— Les choses étaient sous contrôle quand je suis parti, mais ensuite j'ai vu ton gars dans l'escalier et je l'ai suivi.

Une autre lumière se fit dans l'esprit de Risa.

— C'est pour ça que vous n'avez pas répondu à l'appel d'Aaron tout à l'heure. Vous ne vouliez pas que ce gars vous entende.

— Ecoutez-moi ça ! siffla Royal en hochant la tête d'un air admiratif. Ta copine est une femme intelligente.

Aaron se pencha pour ramasser son pistolet.

— Qu'est-ce qui te fait croire que je sors avec elle ?

Royal haussa les sourcils.

— Ce n'est pas le cas ?

Risa eut toutes les peines du monde à masquer sa réaction et empêcher sa mâchoire de se décrocher. Ignorer les papillonnements dans son ventre ne fut pas non plus chose aisée. Ce n'était ni le moment ni le lieu, mais... Sapristi, elle n'était pas encore morte.

Aaron se contenta de hausser les épaules.

Une intense déception l'envahit.

— C'est ça, ta réponse à la question de ton ami ? protesta-t-elle.

— Mon assistant, rectifia-t-il.

Elle détourna les yeux. Il posa la main sur son bras, l'obligeant à le regarder de nouveau.

— Je reconnais que notre rencontre d'aujourd'hui n'était pas terrible, terrible, mais la prochaine sera mieux. Si tu es d'accord, bien sûr.

Elle le considéra quelques secondes en silence, jouissant

de la perspective d'un avenir entre eux hors de cette pièce, hors de cet immeuble.

— Si tu me promets que ce ne sera pas à Elan, peut-être te donnerai-je une réponse positive.

5

Lowell suivit Brandon dans une petite pièce au fond du couloir, à l'écart de la salle de réception. La pièce était dépourvue de fenêtres et de témoins, ce qui devait expliquer le choix de son fils. Brandon avait toujours eu un goût prononcé pour le théâtral.

Depuis son arrivée, il était resté blotti près de sa mère dans un angle de la grande salle, le couple se fondant presque avec l'arbre de Noël. Ils ne s'étaient pas mêlés aux invités, ni pliés aux mondanités inhérentes à cette sorte d'événement. Bon sang, il avait même dû les menacer pour obtenir leur simple présence, afin de montrer l'image d'une famille unie.

Peu importait la pression sous laquelle il était. Peu importaient les menaces sur sa vie.

Sa femme était entièrement responsable de cette situation intenable. Elle avait fait de leur fils un être gâté et trop sensible qui agissait la plupart du temps en dépit du bon sens. Dans toute sa vie d'adulte, elle n'avait eu qu'une tâche : élever un fils. Et elle avait échoué comme elle échouait dans à peu près tout.

Oh ! Il avait bien essayé d'intervenir, mais ses tentatives pour endurcir Brandon lui étaient revenues à la figure. Un psychologue hors de prix et une mère trop affectueuse avaient torpillé toute avancée, même minime. Résultat : son fils ratait tout ce qu'il entreprenait.

Mais, désireux d'en finir au plus vite afin de pouvoir passer à des distractions plus exaltantes, il accepta de l'écouter. S'approchant de l'unique table de la pièce, il s'y appuya du bassin, les bras croisés, posture qui signifiait « fais vite ». Brandon avait intérêt à obtempérer.

— Qu'y a-t-il de si important ? soupira-t-il d'un air las.

— Comment as-tu pu l'amener ici ?

Brandon serrait et desserrait les mains sur ses cuisses, ses yeux bleus lançant des flammes.

Si théâtral…

— D'abord, baisse d'un ton. Je suis ton père, et tu me dois le respect, au cas où tu l'aurais oublié.

— Maman est partie.

Sonya, la reine du drame.

— Quand ?

— T'en soucies-tu seulement ?

— Elle m'a promis qu'elle serait là.

Non que ce point lui importât. Elle était venue, s'était laissée photographier et n'avait pas fait de scène. Ces derniers jours, il ne pouvait s'attendre à mieux de sa part. Cela signifiait sans doute qu'elle s'était remise à abuser des médicaments.

Et puis, Sonya partie, il n'était plus obligé de jouer les maris attentionnés, rôle où il était aussi peu convaincant que madame quand elle pleurait.

— Elle est montée dans la voiture il y a cinq minutes. Tu n'as même pas remarqué qu'elle avait quitté la salle.

Brandon respirait lourdement sous l'indignation.

Encore quelques minutes, et son fils se giflerait de rage. Lowell se força à se calmer : il n'était pas d'humeur à subir un inutile étalage d'émotions.

— Elle était humiliée, reprit Brandon. Par ta faute, elle était la risée de la soirée.

Il fit un pas en avant, l'air prêt à en découdre.

D'un regard noir, Lowell l'arrêta net. Stopper cette stupide dispute, en revanche, allait prendre du temps.

— J'ai dépensé une fortune en écoles privées, professeurs particuliers et université huppée pour t'inculquer les bonnes manières. J'ai fait sauter ta condamnation pour conduite en état d'ivresse, empêché ton passage devant le conseil de discipline de la fac pour falsification de document.

— Je ne t'ai rien demandé de tout ça, l'interrompit Brandon.

— Il serait temps de montrer un peu de gratitude envers ta famille, tu ne crois pas ?

Son besoin de le sermonner était inépuisable. Brandon avait décidé de salir son nom : il en avait plus qu'assez de ses crises d'adolescence répétées.

— J'ai vingt-trois ans.

— Alors cesse de te comporter comme un gosse mal élevé.

Lowell consulta sa montre. Les cinq minutes qu'il avait allouées à cet aparté étaient presque écoulées.

Soit Brandon ne comprit pas le message, soit il l'ignora.

— Réunir ta femme et ta maîtresse au même endroit… reprit-il.

— Ça suffit ! tonna Lowell.

— Maman se triturait les mains, elle n'osait pas lever la tête.

Brandon était de plus en plus exalté, son visage s'était empourpré, et il faisait de grands gestes avec les mains.

— A quoi t'attendais-tu, hein ? poursuivit-il. Tout le monde chuchotait. C'est déjà assez sordide de faire cela dans le dos de maman, de coucher avec tes employées, mais lui imposer la présence de cette femme…

— J'ai dit, assez.

Il fulminait. Tout le ressentiment qu'il éprouvait quant à ce qu'était devenu Brandon enflait au fond de lui, menaçant d'exploser.

Mais il refusait de lui donner cette satisfaction. Enfant, il ne cessait de chercher la petite bête, de semer la discorde. Le temps était-il au beau fixe avec Sonya ? Brandon venait créer de nouveaux problèmes, déclencher des conflits et au final vicier l'atmosphère familiale. Il en avait plus qu'assez de nourrir ce monstre de fils.

— Ce n'est pas ton problème, Brandon.

— Il s'agit de ma mère.

— Et de ma femme. Je discuterai avec elle. Je suis sûr que ce n'était rien de plus que le début d'une de ses habituelles migraines.

Sauf que son épouse voyait dans leur luxueuse demeure

de trois étages, dotée des derniers équipements, décorée par ses soins et abritant un véritable musée, une prison dorée.

— Je lui ai dit de rentrer, ajouta Brandon.

Décidément, il ne s'arrêterait jamais.

— A quoi joues-tu, Brandon ? Tu cours toujours voir maman quand papa ne te laisse pas faire ce que tu veux ? Comme je ne t'ai pas dit oui la semaine dernière, tu tentes d'exploiter sa faiblesse à ton avantage !

— Je t'ai juste demandé un emploi.

Brandon ahanait, tout son corps vibrait tandis qu'il parlait.

— Et j'ai refusé. Je n'embauche pas par népotisme. Je me suis construit moi-même. Tu peux en faire autant. Franchement, il est grand temps que tu deviennes adulte.

Il réprima un soupir d'agacement : il n'avait aucune envie de revivre cette conversation. Il fit deux pas vers la porte, le chapitre était clos.

— C'est justement pour ça que je t'ai demandé un emploi.

Lowell s'arrêta et considéra ce garçon dont il avait jadis espéré qu'il prendrait sa suite à la tête de la société. Ce rêve était mort depuis longtemps.

— Non. Tu me l'as demandé parce que tu as grillé toutes tes cartouches. Tu as perdu ton premier job après la fac parce que tu étais ignorant. Je t'avais dit de ne jamais te servir de ton vrai nom sur internet. Tu aurais dû m'écouter. C'est comme cela qu'on apprend, Brandon.

— Je sais que la seule personne que tu veux aider, c'est Angie…

— Je te prierai de l'appeler mademoiselle Troutman et d'être respectueux. Elle est un membre solide de mon équipe.

Brandon éclata de rire.

— C'est ainsi qu'on les appelle, maintenant ?

La grossièreté de cette remarque cachait le manque d'assurance de son fils. Il ne s'agissait que d'une bravade : Lowell se retint de le flanquer dehors à coups de pied aux fesses.

— Si tu cherches à me convaincre que tu as mûri, tu t'y prends très mal.

Quelqu'un frappa à la porte et l'ouvrit. Palmer Trask, le chef de la sécurité, glissa la tête à l'intérieur, son regard passant de l'un à l'autre.

— Excusez-moi, monsieur.

— Entrez, dit Lowell en l'y invitant de la main, trop content de mettre fin à cette bisbille familiale. Brandon et moi en avons terminé.

Palmer opina du chef.

— Oui, monsieur.

— Où étiez-vous ? Et pendant que nous y sommes, expliquez-moi pourquoi tous ces soi-disant professionnels que je paie à prix d'or semblent ne rien protéger ni personne.

— Monsieur, nous avons un souci.

— Exactement ce que je disais.

Palmer s'éclaircit la gorge.

— Je crains qu'il ne se passe des choses qui nécessitent un traitement particulier.

Puisque Brandon restait planté là, Lowell choisit de l'ignorer.

— Faites comme si nous étions seuls, Palmer, et précisez.

Palmer joignit les mains dans son dos et se balança d'avant en arrière.

— Je n'ai pas vu M. McBain ni son assistant depuis un bon moment. Ils sont montés aux étages régler un problème, et la communication a été coupée. M. McBain possède un portable, mais je ne parviens pas à le joindre.

Lowell tiqua. Aaron McBain lui avait fait l'impression de prendre son travail très au sérieux : il n'aurait pas quitté son poste sans une bonne raison.

— Il faut fouiller le Centre de conférences sans interrompre la fête, ordonna-t-il.

— N'est-ce pas risqué ? s'étonna Brandon.

— Simple précaution, répliqua Lowell en lui lançant un bref coup d'œil. Je suis sûr que tout va bien.

Il reporta son attention sur Palmer.

— Aussi discrètement que possible, allez me chercher Mlle Troutman et mon conseiller financier, Mark Fineman. Vous reviendrez ensuite ici et placerez deux hommes dehors pour renforcer la protection.

— Bien, monsieur.

Sur un regard circonspect à Brandon, Palmer ressortit.

Au vu de l'humeur belliqueuse de son fils, Lowell lui adressa une nouvelle mise en garde.

— Je veux que tu te montres calme et poli lorsqu'ils seront là, tu m'entends ?

— Je n'ai pas entendu mon nom sur la liste des personnes invitées à rester.

— Encore un commentaire de ce genre et tu te débrouilleras seul dehors ! Comme n'importe qui d'autre.

Aaron regarda l'écran de son téléphone portable, regrettant de ne pouvoir le refaire fonctionner par la seule force de sa volonté.

— Je ne capte rien. Et, comme notre circuit de communication est coupé, nous sommes isolés.

Royal laissa filer un long soupir.

— De mieux en mieux.

Ils s'étaient un peu plus avancés dans la grande salle, près des fenêtres et loin du corps du malfrat gisant sur le sol. Risa avait vu assez de violence pour une vie entière, regrettait-il. Et lui-même n'avait rien contre quelques minutes sans que quelqu'un se jette sur lui ou tente de le descendre.

— Nous pouvons essayer le mien, suggéra-t-elle.

Elle se tâta les poches.

— Zut. J'ai laissé mon sac dans le bureau du directeur. Evidemment ! Pourquoi faudrait-il que quelque chose aille bien aujourd'hui ?

— Il ne fonctionnerait pas, de toute façon, intervint Royal. Le signal a été brouillé, on ne peut rien faire.

Le pourquoi de tout cela demeurait l'énigme principale pour Aaron. Les menaces récentes visaient Lowell Craft. Angie constituait un lien avec lui en tant que présumée maîtresse, mais pas plus. S'en prendre à elle quand la véritable cible se trouvait deux étages plus bas échappait à son entendement.

Mais il devait trouver une solution. Attendre les bras croisés, demeurer sur la défensive, ce n'était pas son style. La seule option était l'attaque.

— La mauvaise nouvelle… commença-t-il.

Risa arrondit les yeux.

— Pourquoi, ce que nous venons de vivre, c'était la bonne ?

— Sans plan précis, poursuivit-il, ignorant sa remarque, nous dépendons de mon souvenir de la configuration des lieux. J'ai étudié les documents d'architecte, et j'en ai retenu une bonne partie.

Du moins l'espérait-il.

Royal fixa le plafond.

— Si tu le dis.

— Je partage les réserves de Royal… ajouta Risa.

Le dos contre une fenêtre, elle penchait la tête en arrière, les yeux fermés.

— Sauf en ce qui concerne le maniement des armes.

— Je te demande pardon ?

— J'aurais préféré que tu sois avocat. Les avocats doivent mémoriser des centaines d'articles de loi. C'est une capacité qui pourrait nous aider ici.

Le moment était venu de distiller encore un peu de vérité.

— Je le suis.

Elle rouvrit brusquement les yeux.

— Quoi ?

— Avocat.

Il fronça les sourcils à l'adresse de Royal, l'enjoignant de faire au moins semblant de ne pas écouter. Certaines choses devaient rester privées.

Risa le regarda, puis Royal, puis de nouveau lui.

— Ce n'était pas un mensonge alors ?

Il se glissa à côté d'elle, le dos tourné à la fenêtre, les mains sur l'appui.

— Uniquement pour la mention fiscaliste. Sinon, je suis juge-avocat général dans l'U.S. Navy. « JAG », pour faire court. Et maintenant expert en sécurité. Mais comme je paie mes cotisations au barreau, toujours avocat.

Ces mots demeurèrent suspendus dans l'air, jusqu'à ce que Royal claque des doigts.

— Hé, mais n'auriez-vous pas dû le savoir, Risa ? Je croyais que vous sortiez ensemble, tous les deux.

Les yeux de Risa étincelèrent.

— Pour l'instant, je m'estime heureuse de connaître déjà son prénom. C'est Aaron, n'est-ce pas ?

Royal sourit d'un air béat. Aaron se sentit comme un enfant pris la main dans le pot de confiture. Cette aptitude naturelle de Risa à se laisser aller fissurait la carapace qu'il s'était échiné à construire autour de lui. Il l'avait déjà remarquée lorsqu'elle souriait devant un mail ou décrivait un parfait *latte*.

C'était pour ça qu'il était passé d'une rencontre informelle devant un café à une véritable invitation à dîner. Séduire les femmes devant des brioches au lait n'était pas dans ses habitudes. Pour elle, il avait fait une exception.

Elle se pencha vers Royal. Celui-ci approcha la tête, comme pour recevoir une importante confidence.

— Votre collègue…

— Techniquement, je suis son patron, intervint Aaron.

— … a un problème d'honnêteté dans ses rapports avec les femmes.

— Je ne crois pas que le moment soit le mieux choisi, lui répondit Royal.

Aaron approuva de la tête. Ils avaient un cadavre à trois mètres, plus deux blessés dans les toilettes. Les mondanités pouvaient attendre.

— Très juste, reprit-il. Il n'y aura d'ailleurs jamais de bon moment pour t'immiscer dans une conversation concernant ma vie privée.

Il prit la main de Risa.

— Et nous ne pourrons parler de rien si nous ne quittons pas cet étage vivants, ajouta-t-il.

Il détestait plomber une ambiance, mais le temps pressait. Quelqu'un les attendait peut-être quelque part. Les voyous de cette sorte ne travaillaient jamais en solo : il en restait au moins un.

Il se tourna vers Risa :

— En temps normal, je conseillerais de ne pas dramatiser, mais, vu que trois hommes s'en sont pris à toi en l'espace d'une demi-heure, nous sommes forcés de présumer que tu es une victime potentielle.

— Non, tu crois ?

Royal leva la main.

— Tu oublies les cartouches vides. Ça fiche en l'air le scénario.

— Elles ne l'étaient pas toutes.

A son grand regret, Aaron dut lâcher la main de Risa pour puiser dans sa poche l'une des cartouches récupérées. Il la présenta à Royal.

— Celle-ci provient de la seconde arme du premier type. Celle qu'il braquait sur nous. Elle semble vraie.

Royal l'examina.

— C'est insensé.

— Ne devrions-nous pas avertir Angie ? suggéra Risa. Je veux dire, c'est elle que veulent ces types, pas moi. Elle court peut-être un grand danger.

Aaron posa sur elle un regard embarrassé. Il voulait d'autant moins l'effrayer que durant les dernières minutes son taux d'adrénaline avait dû retomber. Mais elle devait être prête pour le prochain malfrat qui lui collerait son arme sur la tempe. Ce qu'il redoutait.

— Tant qu'ils te prennent pour elle, Angie ne devrait rien avoir à craindre.

— On dirait que j'ai tiré la courte paille sur ce coup.

Royal hocha la tête.

— Malheureusement.

— Il faut nous séparer, ordonna Aaron.

Aussi longtemps qu'il ignorerait ce qui se passait dans cet immeuble, sauter dans l'ascenseur et prier pour qu'au passage personne ne leur tire dessus n'était pas une option. Acceptable, tout au moins.

— Pour ta gouverne, je ne te lâche pas d'une semelle, lança Risa.

Ella planta son regard dans le sien, comme pour les mettre au défi l'un et l'autre de la contredire.

— Depuis que tu t'es précipité dans ces toilettes pour me sauver, nous sommes liés l'un à l'autre, ajouta-t-elle.

— D'accord. Tu restes avec moi.

Comment il en était passé de l'« oubli » d'un coup de fil au refus obstiné de la laisser seule, il l'ignorait. Mais cela allait au-delà d'une simple offre de protection.

Les épaules de Risa se détendirent.

— Qu'allons-nous faire ? demanda-t-elle.

Il pivota vers son assistant.

— Royal, essaie le toit. Vois si tu peux faire marcher le portable ou notre système de communication. De notre côté, nous allons inspecter l'étage pour vérifier qu'il est sûr.

Elle grimaça.

— Vraiment ? Parce qu'à ce stade je vote pour que nous nous cachions quelque part.

Il la dévisagea : elle avait besoin d'être rassurée et, ça, c'était dans ses cordes.

— Peut-être y serons-nous obligés, répondit-il, sibyllin.

6

Des yeux, Angie fit le tour de la table. Cinq personnes dans un local d'environ quatre mètres sur quatre, dont un jeune homme d'une vingtaine d'années, visiblement agité et qui ne cessait de la regarder. Pas vraiment son idée de la fête.

Etre seule dans une pièce avec Lowell était une chose. Ils avaient passé des heures dans des hôtels et même quelques nuits dans sa grande villa entourée de hautes clôtures quand Sonya n'y était pas. Dans son lit king-size et ces draps à mille dollars dénichés par madame lors de ses expéditions shopping.

Elle sourit au souvenir de ses déambulations en tenue d'Eve dans la résidence de campagne de Lowell. Au plaisir que lui procurait le fait de farfouiller dans la garde-robe de « l'autre », de toucher ses vêtements, d'essayer ses bijoux. Toutes ces heures d'exploration rendaient presque supportables les sautes d'humeur du maître des lieux.

Cela avait été si tentant d'emporter les rubis, de les glisser en catimini dans son sac. Elle les aurait mérités. Ecouter Lowell, être avec lui… Cette tâche était assurément bien plus dure, bien plus pénible que celle d'épouse.

Ah, si coucher avec le patron apportait le même bénéfice financier ! Mais elle avait l'intention de combler ce déficit dès qu'elle saurait ce qui se passait.

S'avançant vers elle, Mark Fineman lui tendit un verre de ce qui devait être du lait de poule.

— Vous semblez heureuse, pour une femme recluse dans une pièce lors d'un cocktail de fin d'année triste à mourir.

— J'ai vu pire.

Ça s'appliquait à la situation, mais aussi à lui. Il venait juste de franchir le cap de la quarantaine mais, grâce aux marathons dont il ne cessait de se vanter et à une intense fréquentation des salles de sport, il gardait une ligne mince et plutôt sexy. Ses cheveux châtains étaient tous les siens. Quant à son visage séduisant, il avait dû accrocher le regard de beaucoup de filles sur les campus universitaires.

Il avait du potentiel, mais également une ex-épouse à qui il payait une énorme pension alimentaire selon la rumeur. Apparemment, son goût pour la gent féminine lui avait coûté très cher. Il avait perdu sa maison, une bonne partie de ses ressources, et dépendait à présent des nouveaux sports à la mode pour engager une conversation avec une femme.

— Est-ce que ça va ? reprit-il.

Elle doutait de la sincérité de sa question. Plus vraisemblablement, il avait dû décider qu'il était temps de faire la cour à une femme détenant plus de pouvoirs dans les bureaux que ses cibles ordinaires. Il avait déjà deux internes et une assistante à son tableau de chasse. Elle respectait son désir de frapper plus haut, mais il devrait jeter son dévolu ailleurs. Loin d'elle.

— Pourquoi ça n'irait pas ? répliqua-t-elle tout en sirotant un peu de sa boisson.

Mark tourna les yeux vers Brandon.

— Eh bien, il y a de la tension dans l'air.

Angie le scruta : attendait-il qu'elle montre de la culpabilité ou de la honte ? Si c'était le cas, il se trompait de personne. Elle avait bâti sa vie en se servant des atouts que lui avait légués sa mère. Si cela signifiait ne pas être en odeur de sainteté dans les bureaux, peu importait. De toute façon, ces pimbêches l'agaçaient. Elles étaient jalouses parce qu'elle avait été la première à s'élever dans la hiérarchie.

A présent, ses choix de vie semblaient irriter un adolescent attardé qui ne comprenait rien aux réalités du désastre qu'était le mariage de ses parents, mais elle s'en fichait. Elle faisait ce qu'il fallait pour survivre. La fin justifiait les moyens. On avait toujours tout servi à Brandon sur un plateau. Elle, non. Elle ne faisait que rétablir l'équilibre.

— Est-ce que vous restez là parce que vous pensez que je pourrais avoir besoin de protection ? lança-t-elle.

L'idée était risible, mais les hommes tombaient souvent dans ces travers stupides.

— Vous avez un garde du corps beaucoup plus puissant que je ne le suis, répliqua Mark.

Il perdait de plus en plus d'intérêt à ses yeux.

— Je n'ai rien à cacher non plus.

— Très bien, murmura-t-il, dépité.

Lowell la regarda depuis l'autre côté de la table. D'un geste du poignet, il appela Mark auprès de lui. Ce dernier s'empressa de le rejoindre.

Pitoyable.

Pour sa part, elle ne rappliquerait pas sur un claquement de doigts, oh, non ! Elle n'était même pas censée être là. Elle aurait dû se trouver à un autre étage de l'immeuble, appliquant les phases du plan qu'elle avait mémorisé. Plan qui s'était effondré quand Aaron McBain était allé chasser là où il ne devait pas.

Dès qu'elle aurait procédé aux ajustements nécessaires, elle s'occuperait de lui. Pas question de lui donner une seconde chance de tout compromettre.

Risa se jura d'éviter à l'avenir tout cocktail de fin d'année. Quant au réveillon de Noël, elle pouvait le zapper cette année. Elle n'avait rien prévu, de toute façon. Avec ses parents décédés, le peu de famille qui lui restait perdu de vue, sa vie personnelle en mode rafistolage, il ne lui restait guère d'options.

En vidant leur compte joint et en la laissant avec un loyer qu'elle ne pouvait assumer, Paul l'avait mise dans une situation des plus précaires. Sans parler des cartes de crédit établies à son nom, dont il usait sans vergogne. Il avait ruiné sa solvabilité. Cela lui avait fait perdre son emploi à la banque… et de nombreux amis. Etonnant comme dans leur esprit elle était le problème, et non la victime. Ce qui la faisait s'interroger sur ce qu'avait pu leur raconter Paul dans son dos.

Buchanan Engineering lui avait donné la chance de repartir

à zéro. Elle l'appréciait, s'en réjouissait même, mais elle n'était pas prête à mourir pour ce job.

— Tu te débrouilles très bien.

Elle s'arracha à ses pensées. Aaron avait les yeux fixés sur elle. Des yeux qui trahissaient son inquiétude à son sujet. Il paraissait solide et sûr de lui, mais cette humanité qui affleurait sous la façade lui étreignait le cœur.

— J'ai l'impression d'être à deux doigts d'imploser, lui confia-t-elle.

Il lui caressa la joue de ses doigts repliés.

— Vu la situation, c'est normal.

Elle se laissa aller contre sa main. A sa grande frustration, il la retira après quelques secondes.

— Je ne comprends pas comment tu peux utiliser ce mot, répondit-elle, l'air pensif.

— Situation ?

— Normal.

— Ah, celui-là, dit-il avec un large sourire.

— Pourquoi m'as-tu menti ?

Elle n'avait pas eu l'intention de poser la question. Pas là, pas comme ça. Mais les dés étaient jetés.

Tout ce qu'elle désirait en cet instant, au-delà de rester en vie, c'était comprendre ses choix.

Il inspecta la pièce, la posture rigide et la bouche crispée. Allait-il laisser sa question sans réponse ?

Elle soupira.

— Combien de temps allons-nous attendre le retour de Royal ? reprit-elle.

— Tu avais l'air contente…

Il avait tourné le dos, se positionnant en bouclier humain, et parlé à voix basse.

Elle l'entendit, mais le sens de ses mots lui échappa.

— Que veux-tu dire ?

Il revint se placer à côté d'elle, épaule contre épaule, mais sans la regarder. Il fixait un point invisible devant lui.

— Je mène cette vie bizarre qui rime parfois avec danger, et tu étais là, dans ce coffee shop, à fredonner un air étrange que je ne connaissais pas tout en compulsant des papiers. Je ne voulais même pas t'approcher.

— Pourquoi l'as-tu fait ?

Il éclata de rire.

— Aucune idée !

— Donc, cette histoire de fisc n'est pas une de tes méthodes habituelles pour séduire les femmes.

Il la regarda enfin. L'un de ses sourcils se leva, et un sourire flotta sur ses lèvres.

— Si j'avais voulu te draguer, j'aurais trouvé quelque chose de plus sexy.

— Avocat spécialisé dans l'immobilier ?

— Pilote d'avion. Capitaine de pompiers. Astronaute, encore que tu paraissais trop finaude pour celui-ci.

— Très sexy, en effet.

Cela étant, un homme muni d'une arme et d'un talent avéré de sauveteur providentiel figurait en première place sur sa liste perso.

Le corps du sauveteur en question se raidit soudain.

— Nous avons un problème.

Elle se figea à son tour.

— Un autre ?

— Tu sais tirer ?

— Au pistolet ?

— Pas de temps pour la formation. Prends ça.

D'un holster de cheville, il sortit un petit modèle et le lui tendit.

Le contact de l'arme était bizarre dans sa main. Elle n'en avait jamais tenue, mais s'attendait à autre chose. Un objet léger, aux lignes épurées, qui lui procurerait un sentiment de puissance.

Quelque chose se contracta dans sa poitrine.

— Je ne crois pas que je pourrais tuer quelqu'un.

— Même s'il s'attaque à toi ?

« Cesse de faire ta mijaurée. Tu veux vivre, non ? » s'intima-t-elle intérieurement.

— Je presse juste la détente, c'est ça ?

Il lui indiqua le cran de sécurité, puis la plaça dans l'angle le plus proche, sans rien derrière elle et avec une vue dégagée devant.

— Ne tire pas sur moi ni sur Royal, mais ne laisse aucune chance à toute autre personne. N'hésite pas.

— A t'entendre, ça paraît facile.

Elle retourna l'arme dans sa main : la tenir et s'en servir étaient deux choses tout à fait différentes.

Il l'embrassa sur le front.

— Je reviens tout de suite.

— Tu as entendu quelque chose ?

— J'ai senti quelque chose.

Il fit quelques pas, se dirigeant cette fois vers la gauche et la partie du couloir qu'ils n'avaient pas encore explorée.

Surgi d'un angle, Royal apparut dans l'espace ouvert devant Aaron et les deux hommes s'immobilisèrent en même temps en position de tir. Le temps sembla soudain suspendu, comme si quelqu'un avait appuyé sur un bouton « stop ».

Leurs épaules se détendirent, et ils se remirent à respirer.

— Fausse alerte, se réjouit Royal.

— J'ai failli te tirer dessus, soupira Aaron en laissant retomber sa main tenant le pistolet.

— Je ne t'en aurais pas laissé le temps. Ce genre de duel, c'est ma spécialité, t'as oublié ?

— Qu'as-tu trouvé sur le toit ?

— Rien. La porte qui donne dessus est cadenassée.

Risa n'était pas experte en sécurité, mais elle connaissait les normes en cas d'incendie.

— Ce n'est pas sûr. Mais peut-être est-ce dû au fait que le Centre Elan n'est pas encore officiellement ouvert.

Royal grimaça.

— Ce cadenas ne devrait pas être là.

— Eh bien, reprit Aaron, nous savons à présent ce que ces porte-flingues faisaient ici.

Elle fronça les sourcils et il précisa :

— Bloquer les issues.

Tous ses espoirs s'évanouirent.

— Le doute n'est plus permis, reprit-il. Ils nous ont piégés. Royal, tu es sûr qu'il n'y a pas d'autre moyen de sortir d'ici ?

— Je ne suis pas novice dans ce job. Je peux faire sauter le cadenas d'une balle, mais il y a une baguette de soudure par terre, et la porte est soigneusement scellée tout autour. A moins que tu n'aies des explosifs sur toi, nous ne sommes pas sortis de l'auberge.

Pendant qu'ils discutaient taille de pistolets et vitesse de percussion, Risa posa sa joue sur la vitre froide. Elle ressentit un immédiat soulagement : sa peau était en feu, elle ne s'en était même pas rendu compte.

Elle regarda à l'extérieur. Depuis qu'ils étaient coincés là, le soleil avait baissé, et le ciel, viré à un gris pastel. Des flocons tournoyaient sous les lampes, donnant au paysage une douceur de carte de Noël.

Sur le parking et les pelouses, des gens allaient et venaient. Il y avait assez de lumière : elle distinguait le personnel d'Elan, rassemblé par petits groupes, et plusieurs invités se dirigeant vers leur véhicule, mais encadrés par des gens en costume noir.

Etant donné que les employés de Craft Industries étaient les seuls présents dans le Centre de conférences, en dehors de quelques personnes isolées comme elle, la conclusion s'imposait.

— Aaron ? Tout le monde est dehors.

— Quoi ?

Les deux hommes accoururent à la fenêtre.

Pour ce qu'elle en savait, ce rassemblement n'était que le nouvel événement incompréhensible d'une suite pour le moins confuse.

— La fête est finie ? s'étonna-t-elle. Et qui sont ces types habillés en croque-morts ?

Aaron plaqua la main sur la vitre.

— Les membres de mon équipe. Ils empêchent les gens de partir. Ce qui signifie qu'ils savent que quelque chose ne va pas et qu'ils protègent indices et témoins.

Royal baissa son arme.

— Pour cela, on peut leur faire confiance.

— Je ne vois pas Lowell Craft.

— Ni Palmer, observa Royal.

Risa n'avait jamais entendu mentionner ce nom-là. Ou peut-être ne s'en souvenait-elle pas. Tant de choses s'étaient passées en si peu de temps qu'elle ne pouvait tout retenir.

— Qui est-ce ?

— Le chef de la sécurité de Craft.

Cette nouvelle information lui donna le tournis.

— Je croyais que c'était toi.

— Je dirige une société de sécurité extérieure. Nous fournissons un appoint lors de situations telles que celle-ci, et chapeautons toutes les équipes.

Juste quand elle croyait avoir cerné le profil du personnage…

— Avocat, et chef d'entreprise.

Un petit grincement de gonds leur fit tourner la tête vers la porte de la cage d'escalier, celui-là même qu'elle avait emprunté pour accéder à l'étage.

Un doigt sur les lèvres, Aaron la fit passer derrière lui. Lorsqu'elle releva les yeux, deux larges dos formaient une muraille humaine devant elle.

— Stevens ?

Le murmure d'une voix masculine, flottant dans le couloir silencieux du plateau en chantier. Des bruits de pas.

— Bon sang, mais qu'est-ce que… ? s'écria l'homme.

Le type venait de découvrir la porte barricadée des toilettes, comprit-elle. Ç'allait être le début d'une nouvelle vague d'attaques. Le danger ne cessait de croître, entraînant avec lui son rythme cardiaque. Elle aurait donné n'importe quoi pour être dehors avec les autres, malgré le froid !

— Celui-ci, on le prend vivant.

Aaron avait parlé si bas qu'elle crut l'avoir imaginé.

Elle éprouva une furieuse envie d'agripper ses deux anges gardiens et de s'enfuir dans la direction opposée.

De nouveaux tirs. Peut-être un regain de violence. L'idée qu'Aaron soit blessé… ou pire. Son estomac se vrilla.

Il lui désigna le coin le plus proche.

— Attends là. Ne bouge que si je te le dis.

Elle lui saisit la manche avant qu'il ne s'éloigne.

— Aaron ?

— Oui ?

Elle voulait prononcer les mots justes, adaptés aux circonstances, pour le remercier de risquer encore une fois sa vie pour elle, mais en fut incapable. Aussi se contenta-t-elle de l'embrasser sur la joue. Elle aurait voulu dire ou faire davantage, mais le moment était mal choisi.

— Sois prudent.

Il lui répondit par un clin d'œil.

Progressant sans bruit, Royal et Aaron traversèrent la pièce. Ils se déplaçaient en tandem, leurs armes balayant l'espace devant eux, coordonnant leurs mouvements par de simples signes de la main. Non qu'ils eussent besoin de chercher à se protéger : le nouveau venu ne faisait aucun effort pour être discret.

Ils franchirent l'angle l'un après l'autre. Comment parvenaient-ils à être si silencieux ? se demanda-t-elle. Et comment le type aux toilettes pouvait-il ne pas les entendre venir ? Ils étaient tout sauf de frêles ballerines !

Lorsqu'ils disparurent de sa vue, sa panique lui revint à pleine force. Savoir qu'ils étaient des professionnels aguerris était une chose. Les voir contrôler la situation en aurait été une autre, bien meilleure.

Juste au moment où elle s'apprêtait à traverser la pièce en courant, un déclic se fit entendre.

— Ne bougez pas !

L'ordre d'Aaron claqua dans le bâtiment.

Elle ne pouvait pas rester là une seconde de plus. Il allait la sermonner, mais elle devait savoir ce qui se passait.

7

— Il faut sortir d'ici !

Cette exclamation de son fils n'arracha pas Lowell à l'examen des documents étalés par Palmer sur la table. Il étudia les plans des étages, la liste des attaques potentielles et les divers scénarios de sauvetage, chacun assis autour de lui dans une relative quiétude.

Chacun, sauf son impossible fils.

Brandon contourna la table jusqu'à se trouver de l'autre côté, soufflant et soupirant, comme pour s'assurer que tout le monde s'intéressait à lui. Ce gosse ne savait pas quand s'arrêter.

Voyant que personne ne lui parlait ni ne lui demandait son avis, il réitéra son numéro. Encore une heure ainsi, et il laisserait sa trace sur la moquette, songea Lowell.

— Pas maintenant, Brandon.

L'ordre fut sans effet. Son fils frappa sur la table.

— Ecoute, ce n'est pas si difficile ! Nous pouvons sortir par la grande porte et appeler la police.

Lowell n'était pas le moins du monde impressionné. A la façon dont Mark et Angie considéraient Brandon, eux non plus.

— Nous sommes coupés de tout, rappela-t-il.

— Nous n'y sommes pas obligés, répliqua son fils. Il y a beaucoup de monde au bout du couloir. Nous sommes dans un établissement avec des employés. Je suis sûr que la ville est dotée d'un poste de police. Cet isolement est de notre fait, et c'est beaucoup plus dangereux que si nous étions au sein d'un groupe.

— Tu oublies une pièce essentielle du puzzle, objecta Lowell. Nous avons du personnel de sécurité manquant. Jusqu'à ce que je sache où il est et ce qui lui est arrivé, tous les employés de Craft Industries doivent rester ici. C'est d'ailleurs l'opinion de Palmer, ajouta-t-il en se renversant dans son fauteuil.

Si Brandon voulait une scène publique, qu'à cela ne tienne ! Il avait besoin d'un exutoire pour évacuer la rage qui le consumait d'avoir été pris pour cible lors de son cocktail de fin d'année. Il avait pris toutes les précautions, engagé le personnel nécessaire, et pourtant quelqu'un était passé entre les mailles. Quelqu'un qui perdait son temps avec des bêtises.

— Ceci est une affaire d'adultes, Brandon. Une affaire où il faut analyser chaque paramètre, et non foncer tête baissée. Il faut prendre en compte les conséquences. Apparemment, je n'ai pas réussi à t'enfoncer cela dans le crâne. Nous ne sommes pas dans un jeu vidéo.

— Je n'y joue plus depuis des années. Tu le saurais si tu t'intéressais un tant soit peu à ma vie. Mais qu'est-ce que tout cela a à voir avec notre discussion ?

— Ta vie, tout le monde la connaît. Elle est dans les journaux et fait l'objet de tous les ragots en ville.

Brandon crispa la mâchoire.

— Nous sommes ici les bras croisés, attendant d'être attaqués, alors que nous devrions bouger, faire quelque chose.

Lowell accusa le coup : il lui en coûtait de l'admettre, mais sur ce point son fils avait raison. Il s'interrogea sur la stratégie adoptée. L'homme qu'il avait engagé pour sa protection travaillait-il contre lui ? Qu'Aaron ait pu être mis hors course était difficile à imaginer. Ce qui laissait peu d'options.

Depuis plus d'une demi-heure, il faisait mentalement l'inventaire des gens qui pouvaient tirer bénéfice de son éviction de sa société. Ils étaient très peu, mais c'était ce qu'exigeaient les messages. La théorie initiale d'Aaron était peut-être juste. Ce n'était pas une question d'argent. C'était personnel, comme si quelqu'un voulait le détruire.

Angie toussota, rompant le silence qui se prolongeait.

— Votre père sait ce qu'il fait, dit-elle.

— Personne ne vous a rien demandé ! répliqua Brandon.

— Comme je suis employée de cette société et que vous ne l'êtes pas, vous feriez mieux de surveiller vos paroles !

— Je n'ai pas à vous écouter, tonna Brandon en se penchant sur la table, la voix vibrant de colère.

— Votre père a raison. Vous êtes un gosse pourri.

— Fermez-la.

Angie se tourna vers Lowell, mais il ne voulait pas s'en mêler. Pour une fois, Brandon affichait un peu de fermeté devant les autres au lieu de se réfugier derrière son nom de famille.

Elle haussa le menton d'un air de défi. Toute sa fureur était canalisée sur Brandon.

— Comment osez-vous me parler ainsi ?

— Vous n'êtes rien d'autre que la...

— Brandon ! le coupa Lowell. Assez !

Son fils se redressa et s'écarta de la table.

— Tu as raison. Je m'en vais. Je ne suis plus un gamin. Je n'ai pas besoin d'attendre la permission.

Palmer se plaça devant l'unique porte de la pièce, bloquant toute sortie.

— Personne n'ira nulle part tant que je ne saurai pas qui est responsable de tout cela.

— Qu'est-ce que vous dites ?

— Exactement ce que vous avez compris.

— Vous croyez que c'est moi.

C'était une affirmation, pas une question.

— Pour le moment, tout le monde est suspect, alors asseyez-vous, ordonna Palmer en lui désignant un siège.

Risa n'attendit pas d'y être invitée. Elle courut jusqu'à l'angle de la pièce, puis avança la tête dans le couloir et regarda de chaque côté. Aaron et Royal avaient maîtrisé leur nouvel ennemi. Royal le tenait en respect de son arme, tandis qu'Aaron le maintenait plaqué au sol, un genou dans le dos.

— Tiens, dit Royal en sortant un collier de serrage de sa poche arrière.

Aaron sembla impressionné par sa préparation, mais ne fit aucun commentaire. Il entrava les poignets de l'homme et l'empoigna pour le remettre sur ses pieds, si brutalement que sa tête cogna deux fois le sol dans l'opération.

Tandis que Royal replaçait leur installation de fortune sous le bouton de la porte des W.-C., Aaron emmena son prisonnier vers la grande salle.

Prise de court, Risa tenta de plonger dans l'ombre, mais d'un regard Aaron lui fit regagner la place qu'il lui avait assignée.

— Trop tard, lui lança-t-il.

— J'ai, euh, entendu que vous l'aviez attrapé.

Ça n'expliquait pas pourquoi elle avait voulu se cacher. Il n'y avait nul endroit où aller dans cette vaste pièce, et du reste jamais elle ne se serait enfuie seule.

Aaron agenouilla de force le malfrat, lui arrachant un grognement.

— C'est le moment de parler.

Le type regarda autour de lui, et ses yeux s'arrêtèrent sur le corps gisant à quelques mètres.

— Qui est-ce ?

— L'un des vôtres.

— Les balles sont vraies, l'informa Royal après avoir examiné les armes de l'homme.

Risa aperçut la tête de l'inconnu et l'angoisse qui lui nouait les tripes s'allégea un petit peu. C'était un jeune homme séduisant. Il avait à peine plus de vingt ans, de grands yeux candides et un visage poupin. Hormis son arme, il n'avait rien d'impressionnant ni d'effrayant. Il ne collait absolument pas avec les autres.

Aaron se mit à marcher autour de lui sans un mot.

— Qu'est-ce que vous faites ? demanda le jeune malfrat au bout d'un moment.

— Je cherche l'endroit de votre corps où une balle fera très mal sans vous tuer. Mais pas tout de suite.

Risa plissa les yeux. Si elle se fiait à ce qu'elle connaissait d'Aaron, c'était du bluff. Mais que savait-elle de lui au juste ?

— Peut-être devrions-nous… avança-t-elle.

Elle était prête à lutter pour la vie du gosse, mais Royal lui fit signe de s'écarter.

— Je n'ai rien fait, couina le jeune homme en se balançant d'avant en arrière sur ses genoux.

Aaron s'arrêta derrière lui et lui colla le canon de son arme sur la nuque.

— Vous avez deux secondes pour me dire qui vous a engagé.

— Je… Je ne sais pas, bredouilla-t-il.

Aaron accentua la pression.

— Je commence à en avoir marre de cette réponse, tempêta-t-il.

Le gosse tressaillit mais ne fit pas un geste.

Risa serra les poings pour s'empêcher d'intervenir. Aaron avait certainement la bonne méthode pour obtenir des informations, mais elle haïssait les menaces et l'intimidation. Sa gorge contractée lui faisait mal. Tout cela devait se terminer. Maintenant.

— C'est ridicule, vous perdez du temps ! déclara-t-elle.

Elle s'attira un nouveau regard noir d'Aaron.

— Répondez-lui ! enjoignit-elle au jeune homme.

Sur un signe de Royal, elle le rejoignit, ce qui lui offrit une meilleure vue sur le visage de leur prisonnier. Le voir bien en face fit grimper sa tension.

Aaron se pencha sur lui et approcha la bouche de son oreille, tout en lui écrasant le mollet du pied.

— Ecoutez ce que dit la dame. Elle cherche à vous aider à vivre assez longtemps pour voir le jour se lever.

La bouche du jeune homme s'ouvrit plusieurs fois, avant qu'il ne réussisse à parler.

— Mon… mon oncle m'a engagé. Il est quelque part ici.

Royal s'approcha de l'agresseur mort et le déplaça de sorte à lui présenter son visage.

— C'est lui ?

Risa se détourna, mais pas assez vite pour ne pas voir le gosse verdir. Il se mit à tousser, ce qu'elle comprenait aisément.

Lorsque la quinte cessa, il vida enfin son sac. Les mots fusèrent de sa bouche dans un long flot ininterrompu.

— Non, je ne connais pas cet homme. Il y avait trois groupes de deux. Mon oncle faisait partie du premier, moi, du second. Au bout d'un moment, ne les voyant pas revenir, mon collègue et moi sommes allés voir ce qui se passait.

L'oncle était celui qui baignait dans son sang dans les toilettes, elle l'aurait parié. Ils avaient les mêmes yeux.

— Quelle était votre tâche ? demanda Aaron.

— Je ne…

Aaron augmenta la pression de son pied sur son mollet.

— Ecoute, petit. Ma patience est à bout. Tu as cinq secondes, ensuite, je commence à tirer.

Le gosse se tortilla sous la semelle. Sa voix se brisa tandis que la panique exsudait littéralement de lui.

— Je ne sais pas.

— Un.

Risa sentit quelque chose tressauter dans son ventre. Il fallait à tout prix qu'il réponde, avant que n'arrive l'irréparable. Aaron ne le blesserait pas délibérément, mais il ne jouait pas non plus.

Le gosse secoua vigoureusement la tête.

— Vous devez m'écouter…

— Deux.

— Je ne suis même pas censé être dans le coup, on m'y a collé au dernier moment.

Sur ces mots, il riva son regard sur elle, un regard qui la suppliait de mettre fin à sa torture. La tension était presque palpable dans la pièce vide.

— S'il vous plaît, répondez-lui, soupira-t-elle.

— Quatre, poursuivit Aaron.

Le gosse la suivit des yeux, jusqu'à ce qu'elle rompe le contact visuel et fixe un point sur le sol. Elle était déchirée.

— Je vous en prie, ne…, bafouilla le jeune homme.

— Cinq.

— Attendez ! cria Risa.

Elle se tourna de nouveau vers leur prisonnier, tandis qu'il écartait la tête en grimaçant. C'est à grand-peine qu'il parvint à déglutir.

A côté d'elle, Royal soupira.

— Dépêche-toi, petit. Ou ce sera mon tour.

— Nous devions nous trouver à cet étage à une heure

précise pour emmener cette femme, balbutia-t-il en jetant un coup d'œil à Risa. Nous ne devions pas lui faire de mal.

Ni excuse, ni justification, cette explication n'avait pas non plus beaucoup de sens.

— Vous vous trompez de femme, dit-elle. Et, même si j'étais la bonne, ça ne rendrait pas meilleur votre plan.

— Si vous… Quoi ?

Le gosse les dévisagea tour à tour, les yeux ronds.

— Pourquoi avez-vous cru que j'étais votre cible ? reprit Risa.

Il renifla, comme si c'était l'évidence même.

— Il ne devait y avoir qu'une personne sur ce plateau à cette heure-là, une femme brune. Elle y était. Ça paraissait si simple.

— Et maintenant ? fit Aaron, du dégoût dans la voix.

— Vous n'aviez pas une photo ? demanda Royal.

— Non. Juste une femme et un endroit précis. Nous devions la détenir un moment, puis la relâcher quand on en recevait l'ordre. Ça faisait partie d'un plan pour avoir du fric.

Aaron ôta son pied du mollet du garçon.

— Une otage pour une demande de rançon, c'est cela ? Je vais te dire, petit. Je ne crois pas du tout que les choses soient aussi simples que tu nous les présentes.

— Tout ce que je sais, c'est que nous devions éviter de la malmener, mais…

Le gosse leva les yeux vers le plafond, puis les baissa vers le sol, évitant le regard des autres.

— Quelque chose est allé de travers, dit-il enfin.

Risa sentit sa compassion s'envoler. Elle le considéra d'un air blasé.

— Non, vous croyez ?

— Vous ne comprenez pas ! protesta-t-il.

Il tenta de s'approcher d'elle, mais Aaron le tira en arrière.

— Ce n'était pas un vrai kidnapping.

— Qu'est-ce que c'était, dans ce cas ?

— Une blague, je pense. Je ne sais pas au juste. Mais il était clair qu'il n'y avait rien d'illégal dans ce que nous faisions.

— Un enlèvement non illégal ? ironisa Aaron. J'ignore quels

ouvrages de droit vous avez consultés, mais je n'ai jamais rien entendu de plus absurde.

Royal semblait prêt à exploser. S'il se dandinait encore d'un pied sur l'autre, un coup de feu risquait de partir par accident.

— Et pourquoi avez-vous des armes chargées ?

— C'était au cas où il y aurait un pépin.

Aaron se tourna vers Risa.

— C'est bon d'être préparé, dit-il.

— Je commence à détester les fêtes de Noël, marmonna-t-elle entre ses dents.

— Que se passe-t-il en bas ? demanda Aaron en contournant le gosse pour se planter devant lui, l'œil glacial.

Cette fois-ci, il ne se fit pas prier.

— La plupart des gens ont été évacués de l'immeuble, mais un groupe est resté dans une petite salle de conférences, au premier.

— Et ? demanda Royal.

La colère de ce dernier semblait autant l'écraser que celle d'Aaron. Chaque fois que l'un des deux ouvrait la bouche, il se recroquevillait un peu plus sur lui-même.

Une fois encore, Risa fut sur le point d'intervenir lorsqu'il se décida à répondre.

— Nous attendons de nouvelles instructions.

— De qui ?

La voix d'Aaron était létale.

— Je ne sais pas.

Un silence sépulcral tomba dans la salle. Personne ne dit un mot, personne ne bougea. Le teint du jeune homme avait viré à un étrange jaune verdâtre, comme s'il réprimait une envie de vomir.

— Tu sais ce que ça signifie ? demanda enfin Aaron, se tournant vers Royal.

— Oui, acquiesça celui-ci.

Risa attendit la suite. Qui ne vint pas.

— Quelqu'un aurait-il l'obligeance de m'informer ?

— Ça signifie qu'il y a un loup dans la bergerie.

Les mots résonnèrent un moment dans la pièce, lourds de

sens. Puis le hululement d'une alarme se déclencha et tous trois se plaquèrent les mains sur les oreilles.

Des lumières clignotantes bleues s'allumèrent dans les angles du plafond, tandis que l'alarme gagnait en intensité pour émettre un « bip-bip-bip » à crever les tympans.

Une voix synthétique leur enjoignit de quitter l'immeuble.

— Que se passe-t-il ? cria Risa à travers le bruit.

— On dirait que quelqu'un a décidé de passer au plan B, lui répondit Aaron.

8

Lowell observa Palmer qui actionnait la poignée de la porte, puis il se tourna vers les autres. Au premier éclat de lumière bleue, une véritable pagaille s'était déclenchée dans la petite salle. Les six personnes présentes faisaient autant de bruit que cinquante. Hormis l'adjoint de Palmer, tout le monde hurlait des questions et demandait à sortir.

— L'immeuble est peut-être en feu, avança Mark.

Brandon se leva.

— Je vous ai dit qu'il fallait partir d'ici. Rester nous met en plus grand danger encore.

— Etant donné ce qui se passe, pour une fois, je suis d'accord avec lui, concéda Angie.

Palmer leva la main.

— Que chacun garde son calme. Il n'y a pas lieu de s'inquiéter. C'est ici que nous sommes le plus en sécurité.

Brandon tenta d'accéder à la porte.

— Comment pouvez-vous dire ça ? Il se passe quelque chose de grave. Que ce soit le feu ou un attentat, nous ne pouvons pas rester ici comme du bétail à l'abattoir.

— Je veux que chacun s'assoie, tonna Palmer. Notre premier ennemi, ici, c'est le désordre.

Saisissant Brandon par le bras, il le força à se rasseoir.

— Monsieur Craft, puis-je vous parler un instant ?

Lowell rejoignit Palmer à la porte. Dans une pièce de la taille d'une petite chambre, trouver un peu d'intimité n'était pas facile, et personne n'y mettait du sien. Les autres se bousculaient, l'assaillant de questions. Face à son mutisme, ils s'interrogèrent mutuellement, rivalisant de suggestions dans le hurlement entêtant de l'alarme.

Lowell se protégea l'oreille d'une main, afin de mieux entendre ce que son collaborateur avait à lui dire.

— Que se passe-t-il ?

— Le diable si je le sais.

— Permettez-moi de m'interroger sur votre crédibilité. Ce que vous me dites là est aux antipodes du message que vous venez de nous servir.

Lowell connaissait Palmer depuis des années. Plus précisément depuis qu'il avait lancé un lucratif business d'entrepôts sécurisés, qui avait prospéré jusqu'à devenir une entreprise pesant plusieurs millions de dollars. D'une société de services destinée à une petite clientèle locale, il était passé à une ambitieuse structure commerciale réputée pour sa discrétion et ses solutions à long terme aux problèmes de stockage. Il était leader dans sa branche, et l'argent coulait à flots dans les caisses.

Mais créer un empire signifiait aussi se faire des ennemis. Des membres de sa famille pestaient contre son refus de les intéresser à l'affaire ou de leur servir de banquier. D'anciens employés qui croyaient que leur loyauté suffisait à garantir leur job apprenaient qu'ils étaient virés pour manque de résultats, et priés *ipso facto* de faire leurs paquets.

Il exigeait l'excellence et se débarrassait sans états d'âme de ceux qui ne pouvaient la fournir. Si cette stratégie lui avait permis de s'entourer des meilleurs, elle lui avait valu nombre de menaces au fil des ans. La dernière, qui exigeait qu'il se retire, sentait plus la revanche que la volonté d'élimination.

Mais pas question de céder un pouce de terrain.

Et, pendant qu'il développait son business, Palmer, lui, perdait une épouse qui eût préféré des horaires de travail allégés à un gros salaire, subissait de plein fouet le décès de leur fils et, au bout du compte, se retrouvait seul. Malgré ces épreuves, son engagement chez Craft Industries n'avait jamais faibli.

En entendant sa voix trembler d'inquiétude, Lowell avait d'autant plus de mal à garder confiance.

— Appelons la police, dit-il tout de go.

— Nous ne pouvons toujours pas communiquer avec l'extérieur, lui rappela Palmer.

— Trouvez un appareil satellitaire s'il le faut.

L'alarme continuait à hululer. Lowell tendit l'oreille pour épier le conciliabule entre Angie et Mark par-dessus le bruit, mais ne parvint qu'à saisir un mot ici et là. A moins d'être nez à nez avec un interlocuteur, il était impossible d'entendre quoi que ce soit.

Et Angie et Mark semblaient soudain très proches. Il ne se souvenait pas les avoir jamais vus bavarder ensemble, en dehors des réunions d'entreprise. C'était son nouveau truc, à Angie. La semaine précédente, déjà, il l'avait surprise à flirter avec un employé d'un autre bureau. Elle cherchait soudain à séduire des cadres, alors que jusque-là elle les jugeait inférieurs à elle. Tout se passait comme si elle cherchait maintenant à se faire aimer, mais il ignorait pourquoi.

Durant les quelques jours qu'ils avaient passés ensemble à l'occasion de Thanksgiving, sa famille étant absente, elle l'avait harcelé pour qu'il lui achète un appartement. Devant son refus, elle lui avait brisé sa carafe à vin préférée et fait une scène dans sa bibliothèque. Il avait fallu qu'il la menace de l'expulser de la propriété pour qu'elle se calme.

Il était peut-être temps de passer à autre chose. Après tout, les belles femmes n'étaient pas difficiles à trouver. Le pouvoir les attirait comme un aimant, et du pouvoir, il n'en manquait pas…

Mais larguer Angie allait être difficile. Elle avait du talent et savait écouter. Au travail, elle gérait d'une main de maître les questions épineuses, et l'aidait à évacuer son stress durant la journée. Elle lui donnait quelque chose dont il avait besoin, et le savait.

Peut-être devrait-il lui payer cet appartement, finalement.

— Monsieur ?

Lowell reporta son attention sur Palmer, mais le dégoût que soulevait en lui cette nouvelle et peu discrète tentative de le rendre jaloux lui faisait bouillir le sang.

— Eh bien, Palmer, nous ne pouvons pas attendre ici qu'on nous attaque sans rien faire !

Au diable la femme, au diable sa rancœur. Il jura entre ses dents tandis que la gravité de la situation s'imposait à lui. Cette attaque n'était pas un test. Elle était bien réelle.

— Nous ne pouvons pas non plus sortir et servir de cible à celui qui est derrière tout ça, protesta Palmer.

— C'est la raison pour laquelle j'ai fait appel à McBain, répliqua Lowell. Il était censé empêcher ce genre d'incident. A la minute où la fête a commencé, il a disparu. Avons-nous entendu quelque chose ?

— Non.

— Il a intérêt à neutraliser cette attaque.

Palmer plongea la main dans ses cheveux.

— Je crois qu'il nous faut envisager que McBain soit le cerveau de cette opération. Tout colle. Les choses se sont accélérées après qu'il est venu chez vous.

Lowell tiqua. Cette idée l'avait effleuré un peu plus tôt, mais il l'avait écartée. Son instinct n'avait pas pu le fourvoyer à ce point. Qu'en faisant confiance à Aaron il ait introduit son ennemi dans sa propre maison était inenvisageable.

— Je crois qu'il reste une éventualité à laquelle nous n'avons pas pensé, reprit-il. McBain et ses hommes sont peut-être les premières victimes. Qu'allez-vous faire pour savoir s'il n'y en a pas d'autres ?

Palmer se dressa de toute sa hauteur.

— La situation est sous contrôle.

— Comment pouvez-vous dire cela ?

Palmer échangea un regard avec son adjoint.

— Nous sommes enfermés dans cette pièce. Quoi qu'il se passe dehors, personne ne peut franchir cette porte.

— C'est le scénario en cours depuis près d'une heure et, pour autant que je puisse en juger, nous ne sommes pas plus en sécurité.

L'homme de Palmer, Max quelque chose, s'approcha d'eux. D'un hochement de tête, Palmer l'invita à parler.

— Nous ne sommes plus dans une situation de réclusion volontaire, les informa-t-il. Pour tout dire, la porte est bloquée.

— Que nous chantez-vous là ? demanda Lowell.

— Nous sommes prisonniers, confirma Palmer en essayant doucement la poignée, sans résultat.

Il secoua le battant, qui claqua contre le montant mais demeura obstinément fermé.

— On dirait que la porte a été verrouillée de l'extérieur. Je peux faire sauter les paumelles, ou du moins essayer, mais j'ignore ce qu'il y a de l'autre côté.

— Ils nous ont piégés ici, dit Max.

Puis il se tourna vers Lowell :

— Sauf votre respect, monsieur, pour moi, il est clair que c'est un membre de votre personnel, partie prenante de votre opération et assez proche de vous pour connaître vos projets, qui veut vous éliminer. C'est la seule explication, derrière les menaces.

— Non, ce n'est pas la seule, déclara Palmer d'un ton sec en fixant Brandon.

Celui-ci soutint son regard.

— Mais encore ? s'enquit Lowell.

— Il y a ici quelqu'un qui tirerait les marrons du feu si son père était gommé du tableau.

Lowell tourna les yeux vers son fils. Affaissé contre son dossier, ce dernier pianotait des doigts sur la table tandis qu'Angie et Mark poursuivaient leur conversation entre eux.

Aaron aussi s'était intéressé à cette piste. Lowell écarta cette idée aussi rapidement qu'il l'avait fait cette fois-là.

— Il n'a aucun droit de regard dans la société, et l'argent qu'il pourrait gagner est bloqué sur un compte en fidéicommis. Il n'a donc aucun marron à tirer du feu.

Max s'éclaircit la gorge.

— Il existe d'autres raisons pour tuer un père.

Le manque de respect filial de Brandon n'était un secret pour personne. Mais de là à en faire un parricide…

— Et des moyens plus faciles, ajouta Max.

Lowell fit non de la tête. Brandon n'avait pas les tripes pour entreprendre un tel projet. C'est de justesse qu'il avait eu ses examens à la fac, et il n'avait pas su garder le seul emploi qu'il avait pu décrocher. Au bout d'un mois il avait été renvoyé. L'imaginer menant une opération de cet ordre était une pure vue de l'esprit.

Non que sa haine ne fût pas assez forte. Même à présent, la rage qui l'habitait se lisait sur chacun de ses traits et lui crispait la mâchoire. Exemple type de sa génération inutile, il voulait que tout lui tombe tout cuit dans le bec, avec ancrée en lui la conviction d'y avoir droit.

Si seulement, un jour, il pouvait transformer cette colère mal placée en véritable énergie, espérait Lowell.

— Qu'en pensez-vous, Palmer ? reprit-il.

— J'en pense qu'une personne proche de vous souhaite vous voir mort, et a choisi ce jour pour que ça arrive.

Cela, Lowell l'avait déjà compris.

— Alors vous feriez mieux de vous mettre au boulot.

Aaron descendait en tête l'escalier métallique. Trois paires de pieds frappaient les marches, tandis que l'espace réduit amplifiait le bruit des respirations et le froissement des vêtements.

Le gosse, quant à lui, était bâillonné et ligoté sur le sol de l'étage au-dessus d'eux. Aaron avait voulu l'assommer, mais Risa avait insisté pour qu'ils le laissent conscient : il s'était montré coopératif et en avait déjà assez subi comme ça. Alors qu'il était venu pour la kidnapper, elle s'était faite son avocat.

Aaron mettait cela sur le compte de la différence entre hommes et femmes. Une fois qu'il avait découvert que l'apprenti malfrat visait Risa, il se fichait bien de ce qui pouvait lui arriver.

Mais ce mélange de douceur et de fermeté en Risa l'intriguait. Elle ne cédait pas à la panique alors qu'elle en avait toutes les raisons. Elle demeurait solide, avançait et fonctionnait comme un membre à part entière de l'équipe.

Et puis, elle se battait bec et ongles dès qu'il s'agissait de faire valoir son point de vue. En cet instant, elle essayait encore. Et, si elle continuait ainsi, sa tête allait exploser.

— Certainement pas, dit-il, l'interrompant.

— Je peux être d'une aide précieuse, protesta-t-elle. Je peux accéder à des endroits où vous ne pourrez pas passer à cause de votre gabarit.

Il refusait de lui donner gain de cause.

— Non.

Elle s'accrochait au dos de sa veste tout descendant les marches. Devant elle, il faisait office de bouclier, prêt à se jeter sur elle en cas de besoin. Royal fermait la marche, son arme et ses yeux veillant au grain.

L'idée était que tout attaquant potentiel devrait passer par eux deux pour l'atteindre. S'il y parvenait, elle avait une arme. Elle avait promis de s'en servir avant qu'ils ne s'engagent à la hâte dans l'escalier pour sortir dans la nuit froide, mais plus sûre.

— Quel choix avons-nous ?

C'était la quatrième fois qu'elle posait la question.

Il lui avait servi le même raisonnement justifiant le risque de quitter le dernier étage, où ils étaient piégés. Il avait besoin de savoir ce qui se passait avec Lowell et d'emmener tout le monde hors du bâtiment.

Ensuite, il interrogerait chacun, à l'intérieur comme à l'extérieur, jusqu'à ce que quelqu'un craque.

— Il y a diverses possibilités, répondit-il.

A condition qu'elles n'incluent pas de la mettre davantage en danger.

— Une autre équipe arpente les couloirs, observa Royal. Ce que nous a dit le gosse est vrai : il n'y a plus d'autres attaquants.

Aaron eut envie de le virer sur-le-champ.

— De quel côté es-tu, Royal ?

— J'énonce juste une évidence.

Aaron persista dans son argument et dans son plan.

— Nous couvrons les étages jusqu'à ce que nous soyons à cette salle de conférences dont il nous a parlé. Risa restera en arrière, et nous entrerons par surprise.

— Nous serons peut-être morts à ce moment-là, objecta-t-elle, ses doigts se crispant sur sa veste.

— Sans parler du problème que représente le fait d'intervenir à l'aveugle, fit remarquer Royal. Il y a d'autres victimes potentielles. Nous pourrions déclencher une fusillade sans savoir qui est derrière tout ça.

Arrivé au second étage, juste au-dessus de la salle de conférences et de celle du cocktail, Aaron hésita.

— On dirait que la plupart des gens sont sortis du bâtiment, observa-t-il.

— Ils ont pu être escortés dehors pour isoler les véritables cibles, remarqua Royal.

Sans se donner la peine de discuter ce point, Aaron entrouvrit la porte du palier et jeta un œil dans le couloir : pas de matériel de chantier. Le sol était moquetté, prêt à l'usage, et il régnait un silence rassurant.

Quittant la cage d'escalier, ils pénétrèrent à l'étage. Ni Risa ni Royal n'ouvrirent la bouche tandis qu'il les conduisait vers le local de maintenance, où ils se glissèrent en silence. Celui-ci abritait des placards, du matériel de nettoyage, une armoire électrique, des conduits d'aération et de la tuyauterie. Depuis cet endroit, on pouvait accéder au cœur de l'immeuble. Le circuit d'aération passait d'étage en étage jusqu'au sous-sol.

On pouvait également traverser les pièces par le double-plafond, les caches des lampes permettant de voir au-dessous. Il avait commis la bêtise d'en parler lorsqu'ils étaient en haut, et Risa s'était muée en commando d'élite.

Il allait y mettre tout de suite le holà.

— J'y entre, je rampe jusqu'au-dessus de la salle de conférences, et je regarde ce qui s'y passe. Ensuite, nous décidons de notre prochain mouvement.

Glissant une main sur le conduit, Risa jeta un coup d'œil à l'intérieur par la grille d'accès.

— A moins de vous couper les deux bras, vous ne pourrez pénétrer là-dedans ni l'un ni l'autre.

— N'insiste pas.

— Trop larges d'épaules. Le conduit supportera-t-il seulement votre poids ? Et, même si vous parvenez jusque-là, je doute que vous ayez assez d'espace pour rebrousser chemin sans faire de bruit. On vous entendra immédiatement. Je suis votre seul choix.

— C'est toujours non.

— C'est soit ça, soit faire irruption à l'aveugle au premier.

Voilà qu'elle parlait comme Royal. Il se souciait déjà assez de la sortir de là sans avoir à trouver le moyen de l'extirper de l'équivalent d'un tube de dentifrice quand les choses tourneraient mal.

Car elles tourneraient mal.

— Et s'ils t'entendent, ou que tu tombes ? Tant de choses peuvent aller de travers. Les risques de te faire prendre sont trop importants.

— Allons, fais-moi confiance, répliqua-t-elle.

Royal poussa un énorme soupir.

— Vous ne l'aurez pas avec cet argument. Il n'est pas prêt à mettre votre vie en péril.

Elle fronça les sourcils.

— Mais pourquoi ?

Associée à sa mine étonnée, cette question naïve mit Aaron hors de lui.

— Ne sois pas idiote !

— Pardon ?

Le ton était plus celui d'une institutrice en colère que celui d'une victime qui demande à comprendre.

Royal s'avança d'un chouia, se plaçant discrètement entre les deux.

— Euh, Aaron…

Aaron parla moitié à côté de lui, moitié à travers lui. Le but était d'obtenir l'attention de Risa.

— Tu le sais, pourquoi ! Nous sortons ensemble.

Un silence brutal suivit. Bercé par le chuintement de l'air dans le conduit, mais par rien d'autre.

Après quelques brûlantes secondes, Royal reprit la parole.

— Laissons-la essayer. Elle connaît les risques, et cette option est celle qui en comporte le moins.

— J'ai dit non.

Mais les arguments de Risa et sa détermination l'avaient quelque peu ébranlé.

— Il est possible que l'alarme alerte la police et les services d'urgence, reprit Royal, mais je n'y compte pas trop. Nous ne sommes pas exactement prioritaires sur les autres bâtiments, et le Centre Elan n'est pas officiellement ouvert.

Ah, s'il n'était pas aussi convaincant, songea Aaron. Décidément, ce ne devait pas être son jour de chance.

— Nous devons donc considérer que nous sommes seuls, conclut Royal.

— Exactement, renchérit Risa.

Aaron sentait la direction des choses lui échapper.

— De quel côté es-tu, dis-moi ? lança-t-il à Royal.

— De celui qui nous sort d'ici et identifie l'ennemi avant que quelqu'un d'autre ne se fasse tuer. Je sais qu'il y a des fausses cartouches et que le gosse a parlé d'une blague, mais il y a déjà un cadavre, peut-être trois. Nous ne pouvons pas compter sur l'espoir qu'il s'agit d'un exercice de sécurité un peu tordu.

— Autrement dit, il est temps d'agir, lança Aaron.

Il se tourna vers Risa : elle était leur meilleur atout.

— Très bien, soupira-t-il.

— Merci, répondit-elle, le visage éclairé d'un large sourire.

— Pourquoi ?

Il bougonnait, incapable de s'exprimer autrement. Au fond de lui, il se sentait écartelé, les nerfs à vif, anxieux pour elle.

— Pour me laisser faire cela. Je sais que tu es contre, et que ça te coûte énormément d'accepter.

— Je suis un imbécile de t'écouter sur ce coup.

Elle se débarrassa de sa veste de tailleur, ne conservant qu'un fin chemisier blanc, et ôta ses chaussures.

— Et merci pour n'avoir pas fait de mal au gosse, là-haut.

— Tu ne m'aurais pas laissé le tuer, de toute façon.

Glissant les doigts dans la grille de protection du conduit, il la fit sauter d'une torsion, puis la déposa sur le sol.

Il considéra les mesures de l'ouverture et l'obscurité à l'intérieur de la gaine : comment allait-elle pouvoir s'y faufiler ? Elle était mince, certes, mais l'espace était très étroit. Sur ce point, elle avait raison. En admettant que lui-même réussît à y entrer, au moindre faux mouvement, il faudrait un forceps géant pour l'en extraire.

— Tu ne tues pas les enfants, sauf pour te défendre, observa-t-elle, en secouant la tête. Seigneur, quels horribles mots. J'espère que je n'aurai plus jamais à les prononcer. Ni même à les penser.

Qu'elle tînt absolument à voir « leur gosse » comme une victime déclencha en lui une vive émotion qu'il ne chercha pas à analyser.

— Il est plus âgé que tu ne le crois.

— Et plus jeune que tu ne veux le voir, répliqua-t-elle.

Royal gloussa.

Aaron rendit les armes.

— O.K., tu as gagné ce round.

— Et j'ai l'intention de gagner aussi le prochain, alors autant nous y mettre.

Elle lui prit les mains, les plaça sur ses hanches et se retourna. Il s'approcha d'elle. Et s'arrêta. Le but était de la soulever, mais il hésita. Sentir son corps sous ses doigts, la chaleur de sa peau contre sa chemise, humer le parfum de coco de ses cheveux, tout cela le transportait… ailleurs.

— Je t'en prie, sois prudente, murmura-t-il contre sa nuque.

Elle le regarda par-dessus son épaule : devinait-elle combien il lui était difficile de demander quelque chose à quelqu'un ? Tout en fouillant son visage, elle lui pressa la main.

— Et toi, veille sur ma sécurité.

— Une minute ! les interrompit Royal.

Il lui glissa une corde autour de la taille et la noua.

— C'est pour quoi ? s'enquit-elle.

— En cas de besoin, nous tirerons dessus pour vous ramener rapidement en arrière. Si cela arrive, ne résistez pas, O.K. ?

Aaron se serait donné des gifles pour n'y avoir pas pensé lui-même. Elle lui mettait la tête à l'envers. Dès qu'il posait les yeux sur elle, tout son bon sens s'envolait. La placer au cœur du danger lui rongeait l'estomac et lui pourrissait lentement le cerveau.

Baissant les yeux sur la corde, elle passa un doigt dessus.

— Elle est rugueuse. Ça va m'arracher la peau.

— C'est juste une mesure de précaution, répondit Aaron. Concentrons-nous sur notre tâche.

Glissant les doigts sous son menton, il lui leva la tête et plongea les yeux dans ses prunelles sombres.

— Vas-y en douceur, mais aussi vite que tu le peux.

— Compris, murmura-t-elle.

— Je veillerai à ce qu'il ne t'arrive rien.

— Je sais, répondit-elle en souriant.

Avant qu'il ne perdre tout contrôle ou fasse quelque chose de stupide comme gâcher un premier baiser par précipitation, il la hissa vers l'ouverture du conduit. Elle s'y introduisit sans le moindre bruit. Quelques secondes plus tard, ses pieds nus disparaissaient à l'intérieur.

— Tu en pinces pour elle, hein ? souffla Royal après un moment.

Aaron s'abstint de répondre. Son assistant avait vu juste.

— Ton silence parle pour toi, ajouta Royal.

— Apparemment.

9

Angie se frotta le front, assommée par l'alarme. Juste quand elle se taisait, leur offrant un silence béni, elle repartait de plus belle. Elle n'avait pas compté sur ce bruit incessant. Elle n'avait pas compté sur un tas de choses.

Le plan était si simple. Forcer Lowell à bouger. Voir si elle comptait pour lui et combien il était prêt à payer pour sa vie. Le pousser dans ses retranchements, mettre à l'épreuve ses précieuses règles. Si, derrière l'illusion de protection qu'il prétendait lui offrir, sa détermination était ébranlée, cela prouvait qu'elle avait gagné, qu'il l'avait dans la peau.

McBain avait tout fichu en l'air. Cette réclusion imprévue, les portables défectueux et le reste — la liste ne faisait que s'allonger — ruinaient son plan. Elle commençait à se faire vraiment du souci.

Elle n'avait pas prévu cette succession d'incidents. Ça ne pouvait vouloir dire qu'une chose. Quelqu'un avait dévoyé son schéma directeur pour imposer le sien. Le nouveau jeu se révélait infiniment plus dangereux que celui qu'elle avait conçu.

L'un de ses pions avait peut-être décidé de faire cavalier seul, mais elle ne voyait pas à quelle fin. Ils étaient bien payés et lui étaient redevables.

Oh ! Comme elle regrettait de ne pas avoir subtilisé les rubis et disparu quand elle en avait la possibilité ! Il y avait d'autres hommes. D'autres sources d'argent. La prochaine fois, elle en prendrait un non marié. Et moins craint.

— Quelqu'un a décidé que je devais mourir cette nuit, dirait-on.

Lowell avait émis sa remarque juste derrière elle, son haleine tiède lui caressant le cou.

En temps normal, elle aurait trouvé cela sexy. Mais il y avait autre chose en jeu. Quelque chose d'obscur, de menaçant. Elle ne se retourna pas. Elle ne voulait pas voir son visage, pas maintenant.

— Je suis sûre que ce n'est rien. Ce doit être l'idée un peu spéciale que se fait McBain d'un exercice d'alerte. Je le vois bien profiter d'une occasion de ce genre pour montrer combien il est indispensable.

Mais il s'agissait d'autre chose qu'un test de sécurité, fût-il limite. Elle le savait.

— Comment peux-tu en être aussi sûre ?

— Personne ne nous a encore attaqués, répondit-elle, s'efforçant de faire bonne figure malgré l'angoisse qui la taraudait. L'alarme qui se déclenche, la pièce verrouillée, McBain n'aura eu aucun mal à faire cela pour ta sécurité.

— Il y a deux secondes, tu pensais que c'était lui, le problème. Et tu dis maintenant qu'il veut me sauver ?

Percevant une pointe d'amusement dans sa voix, elle se retourna.

— Je, euh, j'émets juste des suggestions. Ce pourrait être une sorte de protocole dont nous ignorons tout.

— Il ne s'agit pas d'une simulation, Angie. Ce qui se passe est pour de vrai, et tu le sais.

A ces mots, une onde électrique lui traversa le corps. Il s'approchait beaucoup trop de la vérité pour son confort interne.

— Si tu es réellement en danger, comment peux-tu être aussi calme ?

— Il ne m'arrivera rien.

Elle était désarçonnée par la tournure nouvelle de la conversation, mais n'en montra rien. Lowell méprisait la faiblesse, sous quelque forme que ce fût. C'était pour cela qu'il rejetait sa femme et trouvait son fils aussi lamentable.

Elle, si elle était restée aussi longtemps dans sa vie, c'était parce que jamais elle ne pleurait ni ne jouait les petites choses fragiles. Elle était forte, sûre d'elle, et respectait les règles qu'il imposait sans jamais se plaindre. Même si ce dernier point était plutôt épuisant.

Faisant appel à ses talents de comédienne, elle lui donna ce pour quoi il la payait.

— Tu es un être humain, Lowell. Si quelqu'un veut ta peau, tu risques de mourir.

Il balaya la pièce du regard, s'arrêta brièvement sur Brandon, puis reposa les yeux sur elle.

— Ce n'est pas ainsi que se terminera la nuit.

— Je ne comprends pas.

— Oh ! Cette absurdité finira par s'arrêter. Je l'ai tolérée assez longtemps. Entre nous, si j'ai fait venir McBain, c'est uniquement parce que Palmer était farouchement contre. J'ai pensé qu'il avait besoin d'être un peu secoué.

Seul Lowell pouvait voir dans une menace de mort un agaçant contretemps. Elle avait cru qu'il prenait la seconde lettre plus au sérieux, mais peut-être en réalité jouait-il avec tout le monde, depuis un bon bout de temps.

— Tu n'as pas appelé la police quand tu as reçu ces courriers de menace, reprit-elle.

A ce moment-là, elle lui en avait été reconnaissante : elle ne tenait pas à ce que l'on mette le nez dans sa vie. Certains de ses anciens patrons seraient ravis de lâcher quelques informations.

— Les menaces, ce n'est pas le genre de publicité que je souhaite. Cela laisserait entendre que je ne suis pas capable de surveiller ma famille ni mes proches.

Sa bouche semblait danser en prononçant ces mots.

— Tu ne crois quand même pas que quelqu'un dans cette pièce puisse être impliqué ?

Au prix d'un gros effort de volonté, elle parvenait à conserver un ton posé.

— Avant de rentrer chez moi, je te garantis que je saurai qui m'a envoyé ces lettres et qui a monté ce coup.

L'avertissement était formulé de la même voix chaude et sexy que lors des confidences sur l'oreiller.

Sa cage thoracique l'oppressa soudain.

— J'aimerais avoir ta confiance, dit-elle, peinant à respirer.

— Tu n'en manques pourtant pas, d'habitude.

— Qui a ourdi tout cela, d'après toi ?

Il se fendit d'un sourire de fauve qui s'apprête à bondir sur sa proie.

— J'y travaille.

« Il sait. »

D'une manière ou d'une autre, il savait. Elle ne voyait pas qui avait pu le renseigner ni pourquoi, mais cette évidence lui sautait aux yeux.

— Tu parles sans cesse par énigmes.

Brandon s'approcha d'eux, coupant court à leur conversation. En temps normal, ce comportement l'aurait agacée. Cette fois-ci, elle en remercia le Ciel.

Il ne la regarda même pas, toute sa grogne et sa mauvaise humeur concentrées sur son père.

— Je me porte volontaire pour sortir.

Lowell roula des yeux.

— Cette porte est verrouillée de l'extérieur.

— Nous sommes cinq hommes ici. Je suis sûr que nous pouvons la défoncer. En nous servant de la table comme bélier, par exemple. Si nous unissons nos forces, c'est possible.

Angie ressentit malgré elle une pointe d'admiration. Il montrait plus d'esprit d'à-propos et de courage qu'elle ne lui en avait jamais vus. Plus que Palmer et son bras droit, en tout cas.

Mais elle ne voulait pas le voir mourir pour autant. Elle ne contrôlait pas ce jeu, ignorait tout de ses tenants et aboutissants, mais il n'était pas question qu'une des pièces permette de remonter jusqu'à elle. Qui savait ce que diraient ses gros bras à la police en cas d'interrogatoire ?

— Et s'il y a un tireur de l'autre côté ? demanda-t-elle, espérant en revenir à plus de bon sens.

Il garda les yeux fixés sur son père.

— Je suis prêt à prendre le risque.

Palmer leva soudain les deux mains pour obtenir le silence.

— Personne n'a entendu un bruit bizarre ? Comme un grattement ou quelque chose ?

— Dehors ? s'enquit Brandon.
— Non. Au-dessus de nos têtes.

Risa rampa des coudes et des genoux dans la luminescence bleutée des tunnels. Comme la stratégie conçue par Aaron la faisait démarrer relativement près de la salle de conférences, elle avait peu de distance à parcourir. Chaque fois que l'alarme marquait une pause, elle entendait un bruissement de conversations au-dessous d'elle.

La principale difficulté était de progresser sur le ventre sans heurter les parois du conduit. Elle devait faire le moins de bruit possible : chaque mètre gagné prenait plus de temps que prévu, mais elle aperçut bientôt devant elle un halo de lumière plus vive.

Profitant du hululement strident de l'alarme, elle accéléra ses mouvements. Une paroi de métal claqua lorsqu'elle la heurta du genou. Elle se figea, s'attendant à des cris, des coups de feu ou autre chose. Au lieu de cela, c'est un bruit de dispute qui lui parvint aux oreilles.

Ils se chamaillaient au sujet du moyen de quitter la pièce et d'une porte verrouillée. Quelqu'un les tenait prisonniers. Quant à savoir qui, personne ne le mentionna.

Elle risqua un coup d'œil par la grille d'aération et compta six personnes : une femme et cinq hommes, dont deux étaient armés. La femme devait être la fameuse Angie, seule et unique raison pour laquelle elle se trouvait dans cette affreuse situation.

Si elle pouvait avancer encore un peu, elle accéderait à la partie située au-dessus du couloir, découvrirait ce qui s'y passait et pourquoi la porte était bloquée.

Alors qu'elle déplaçait le bassin, son genou cogna de nouveau la paroi au moment même où l'alarme s'arrêtait. Le bruit se répercuta autour d'elle, noyant celui de son pouls dans ses tympans. Les visages se tournèrent vers le plafond et les armes se levèrent vers elle.

— Qui est là, qui est là ? ânonna une voix masculine, tendue. Regardez, il y a une ombre !

— Tirez, quelqu'un !

Elle recula aussitôt, sans se soucier du bruit, et tira sur la corde pour avertir Aaron qu'elle avait besoin d'aide. Les cris se déclenchèrent une seconde plus tard.

Rampant en arrière, elle bougea trop vite et heurta des fesses une plaque en saillie, à un angle qu'elle avait oublié. Ramenant ses jambes, elle se tortilla pour se dégager et tenta de se retourner.

Le « bang » d'un coup de feu fit s'envoler ce qui lui restait de calme. Se protégeant la tête des deux bras, elle s'aplatit de tout son long. Le claquement d'une balle sur du métal retentit autour d'elle. Elle voulait bouger, mais la terreur la paralysait.

Aaron, lui, n'en avait cure.

La brusque traction de la corde sur sa taille la fit basculer et tousser, et de nouveaux coups de feu résonnèrent dans le conduit. Elle tâcha de recouvrer son équilibre, de centrer son poids sur ses jambes, mais celles-ci jaillirent vers l'arrière en réaction à une nouvelle traction.

La corde lui brûlait la peau à travers son chemisier. Sa respiration se bloqua, et c'est avec le flanc en feu que son corps glissa en couinant dans le conduit. Elle tenta de se raccrocher à quelque chose, une aspérité, n'importe quoi pour ralentir sa progression douloureuse avant qu'elle ne se retrouve coupée en deux.

Tout se brouillait autour d'elle. Lorsque son esprit se mit enfin au diapason de son corps, sa vue s'éclaircit. Les éclats de voix devant elle s'étaient amenuisés, Aaron criait son nom. La panique dans sa voix l'apaisa. Elle cessa de s'opposer à sa traction, laissant son corps filer entre les parois métalliques.

L'air frais lui caressa les pieds lorsqu'ils émergèrent du conduit. Des mains solides la saisirent par les chevilles et la tirèrent vers le bas. A peine ses orteils eurent-ils touché le sol qu'Aaron la palpait de haut en bas.

— Nous avons entendu tirer. Tu as été touchée ?

Sa voix si stable d'habitude tremblait, mais ses mains poursuivaient leur examen.

— Aaron, laisse-la au moins reprendre son souffle.

La voix de Royal.

Aaron se mit à genoux pour lui tâter les jambes. Elle posa les mains sur ses épaules. Sans cet appui, ses genoux se seraient dérobés, et elle se serait effondrée. Le fait de le toucher, de le sentir sous ses mains, ramena bientôt son esprit à la réalité.

Ses tremblements internes cessèrent lorsqu'il glissa ses doigts dans ses cheveux. Même son odeur la calmait.

— Je n'ai rien.

Elle tanguait. Avec la chute du pic d'adrénaline, l'épuisement s'abattait sur elle. Elle n'était même pas sûre de pouvoir encore bouger. Si des agresseurs armés l'attaquaient de nouveau, elle se réduirait à une masse inerte sur le sol.

Aaron se redressa et la considéra avec, sur le front, un pli sévère.

— Il semble que les balles t'aient ratée. As-tu mal quelque part ? Même si tu n'as pas été touchée, tu as peut-être besoin de soins ?

— Je ne crois pas. En fait, je ne sens rien du tout. Du moins pour le moment.

Elle lui passa la main sur la joue, adorant le contact piquant du poil naissant. Mais ses doigts tremblaient si fort qu'elle les ôta plus vite qu'elle ne l'aurait voulu.

Il lui saisit le poignet et posa un baiser sur sa paume. Le frémissement de ses lèvres se communiqua à son ventre tandis que leurs yeux se rencontraient.

— Je suis désolé d'avoir accepté de te laisser faire ça. Tellement désolé. Ça n'aurait jamais dû arriver.

— Pendant une minute je me suis vue mourir, moi aussi. J'ai vraiment pensé qu'une des balles allait m'avoir. Elles ricochaient partout.

— Plus jamais ça, lui promit Aaron.

— Oh, non. Il n'y aura pas de deuxième fois.

Elle voulait le réconforter. La pâleur de son visage et de ses lèvres témoignait de l'angoisse qu'il avait éprouvée.

Royal toussota pour attirer son attention.

— Je sais que je choisis le mauvais moment, mais pouvez-vous nous faire un topo sur ce que vous avez vu ?

De toute évidence, il intervenait pour donner à Aaron

le temps de recouvrer sa maîtrise de soi. Elle-même avait besoin de quelques minutes pour se remettre de ses émotions et parler lui permettait de penser à autre chose qu'à l'horreur des dernières heures : elle obtempéra.

— Il y a six personnes enfermées dans une pièce.

— D'où venaient les tirs ? demanda Royal.

— De cette même pièce, indubitablement. Ils venaient tous à peu près du même endroit.

Elle se massa la taille et lâcha un gémissement au frottement du tissu sur sa peau.

— Je suis surpris, murmura Royal. On dirait qu'il n'y avait qu'un tireur, et non un groupe de malfrats comme nous l'avions supposé. Palmer, peut-être ?

Ignorant la question, Aaron fronça les sourcils et se tourna vers Risa.

— Ça ne va pas ?

— Si, si, tout va bien.

— Je ne te laisserai pas en paix, alors autant me le dire.

Il baissa de nouveau les yeux sur son ventre. Quelques minutes de plus, et il risquait de lui arracher son chemisier d'autorité, lui semblait-il.

Mais elle évacua sa question d'un revers de main, regrettant toutefois de ne pas disposer de pommade contre les brûlures.

— Rien de grave. La corde m'a un peu râpé la peau.

Il ôta sa veste, la posa derrière lui et retroussa ses manches de chemise.

— Laisse-moi regarder.

Avait-il perdu la tête ? Elle le regarda d'un œil rond.

— Tu plaisantes ?

— Non.

— Royal est…

Il posa la main sur son bras.

— Marié.

— Mais pas mort, ajouta l'intéressé en souriant.

Elle peina à digérer l'information. Il ne portait pas d'alliance.

— Vous êtes marié ?

Il leva sa main gauche.

— Je ne porte pas de bague pour des raisons de sécurité. Elles ont tendance à s'accrocher partout, ça pose des problèmes de précision pour le tir.

Elle voulait chasser la main d'Aaron. Ce n'était pas comme s'il l'avait déjà vue en petite tenue. Se déshabiller devant lui était hors de question. Et puis le danger était toujours là, quelque part.

— Allez, déboutonne ce chemiser et enlève-le, lui enjoignit-il en tirant sur le bas pour l'extraire du pantalon.

La friction du tissu enflamma sa peau meurtrie. Elle ravala sèchement son souffle, mais c'était trop tard.

— C'est bien ce que je pensais… reprit-il. Ça pourrait s'infecter si ce n'est pas soigné. Et le contact d'un vêtement sera insupportable pendant un moment.

Il se remit à la tâche, mais en redoublant cette fois de douceur et d'attention. Une fois les boutons défaits, il écarta délicatement les pans du chemisier.

La mâchoire de Royal s'affaissa.

La réaction d'Aaron fut plus vocale.

— Bon Dieu.

Vu leur mine, elle eut peur de baisser les yeux.

— C'est moche ?

— Ça vous fait mal, hein ? demanda Royal.

Aaron effleura de l'index la chair de part et d'autre de la plaie. Même cela lui fit monter les larmes aux yeux.

— Oui, très.

— Il faut t'emmener voir un médecin. Il te faut au moins des premiers soins. Nous n'avons même pas notre trousse de secours. Elle est en bas.

L'expression d'Aaron était un mélange de peine, de compassion, de colère et de désir de vengeance. Qu'il se souciât autant d'elle l'émouvait au plus haut point. Comment étaient-ils passés d'une troisième rencontre avortée à une si grande proximité ?

En tout cas, sa blessure devrait attendre.

— La priorité, c'est d'entrer dans cette pièce, et de sauver ces personnes en veillant à ce qu'il n'y ait pas de nouveaux morts. Nous aurons tout le temps de nous occuper de mon petit bobo après.

Les plis soucieux s'estompèrent autour des yeux d'Aaron.

— Et tout cela dans la même journée, souffla-t-il.

10

Le vacarme s'arrêta et Angie regarda autour d'elle. Les occupants de la petite salle de conférences émergeaient peu à peu de leur cachette sous la table ou derrière les sièges. L'un après l'autre, ils se relevaient et reprenaient leur position autour de la table.

Un couinement de semelle les fit tous replonger vers leur abri. Mais cette fois, pas de coups de feu ni d'ombre au-dessus de leurs têtes. Fausse alerte.

Chacun se réinstalla à sa place, écrasant sous ses pieds des débris de verre. Des plaques pendaient au plafond autour de fils électriques découverts. La pièce bruissait de grognements et de murmures.

Angie s'éclaircit trois fois la gorge avant de réussir à articuler un mot.

— Qu'est-ce que c'était ? Une attaque ? Mais dans ce cas pourquoi étions-nous les seuls à tirer ?

— Qui était-ce ? demanda Mark, en se laissant choir dans le siège le plus proche.

— Vous me croyez maintenant, quand je disais qu'il fallait sortir d'ici ? s'écria Brandon.

Il se dirigea vers la porte, pour être aussitôt arrêté par un non catégorique de la tête de Max.

— Nous avons assez attendu, protesta-t-il. La prochaine fois, ce pourrait être une véritable attaque, et pas uniquement quelqu'un venu en éclaireur. Si nous défonçons la porte…

Palmer prit position à la tête de la table.

— Nous ignorons ce qui nous attend de l'autre côté.

Angie observa sans rien dire le renversement de leadership. Des arguments encore solides quelques minutes plus tôt échouaient maintenant à convaincre qui que ce soit, y compris elle. Entre la peur qui hurlait en son for intérieur et sa responsabilité dans toute cette pagaille, elle n'en pouvait plus.

Elle avait commis une erreur, une terrible erreur. Elle allait se secouer, se remettre les idées en place, mais il fallait d'abord qu'elle sorte d'ici, et elle n'avait pas le moindre début d'idée quant au moyen d'y parvenir.

Se mordant les lèvres, elle balaya de nouveau la salle du regard. Tant de désarroi, tant d'inquiétude. Ses compagnons d'infortune avaient les traits marqués et les yeux dilatés.

Jusqu'à ce que Lowell entre dans son angle de vue. Pas une mèche de ses cheveux n'avait bougé. Contrairement à son habitude, il s'était assis au milieu de la table. Et il contemplait le chaos autour de lui, un petit sourire satisfait sur les lèvres.

L'espace d'une demi-seconde, elle eut une idée folle : et si c'était lui le *deus ex machina* ? Son attitude calme et son absence de panique le faisaient sortir du lot. C'était à ces traits de caractère qu'il devait sa réussite, aurait-il dit. Ils lui permettaient de prendre de la hauteur face aux petits ennuis qui rebutaient le commun des mortels.

Ce discours, elle l'avait entendu des dizaines de fois, et n'y avait jamais cru… jusqu'à maintenant. Face aux catastrophes, il possédait ce détachement grâce auquel il demeurait stoïque tout en calculant le profit qu'il pouvait en tirer.

— Bien, c'est le moment.

Sa voix tonna, puissante, dans la pièce.

— Tout à fait, approuva Brandon avec un visible soulagement. Sortons d'ici et risquons le tout pour le tout. Si nous restons groupés, la tâche sera plus difficile pour nos agresseurs.

Lowell joignit les mains devant lui comme s'il tenait sa réunion exécutive hebdomadaire.

— Je voulais dire : c'est le moment pour l'auteur de cette sinistre plaisanterie de lever la main. Nous ne quitterons cette pièce que lorsque je saurai qui est derrière tout ça.

La bouche d'Angie s'assécha.

— Qu'est-ce que vous dites ? demanda Mark.

— Quelqu'un dans cette pièce a fomenté cette machination, déclara-t-il en posant lentement son regard sur chacune des personnes présentes. Il est temps d'avouer les faits, que chacun puisse ensuite rentrer chez soi.

Mark fronça les sourcils.

— Vous n'êtes pas sérieux.

— Oh ! si. Je vous le garantis.

Se renversant contre son dossier, il épousseta son pantalon des débris tombés du plafond.

— J'ai bien réfléchi. C'est la seule explication.

Palmer se pencha en avant, son arme rangée.

— Et qu'avez-vous décidé ?

— Brandon m'a attiré ici, et vous m'y avez retenu, répondit-il en les pointant du doigt l'un après l'autre.

Palmer cacha mal sa contrariété. Une expression de totale incrédulité lui plissa le front.

— Moi ?

— Mark n'a pas paru le moins du monde inquiet. Quant à toi, reprit-il en pivotant vers Angie, tu es celle qui a le plus à gagner dans cette histoire.

Elle se creusa les méninges pour trouver le moyen de se sortir de là.

— Je ne sais absolument pas de quoi tu parles.

— Ma patience est à bout, lança-t-il en avisant le plafond crevé. Quel que soit le coupable, je lui demande de se dénoncer et je me contenterai de le renvoyer. Qu'il me fasse attendre cinq minutes de plus, et je serai beaucoup moins arrangeant.

— Ce n'est pas moi, dit Mark en reniflant.

Brandon tendit ses deux mains ouvertes devant lui.

— Ce n'est personne d'entre nous. Il est en train de jouer à une sorte de jeu du pouvoir.

— Monsieur, intervint Palmer. Pardonnez-moi cette liberté, mais je crois que le moment est mal venu pour vous livrer à de telles intimidations. Nous avons un véritable danger, dehors.

Sa voix retrouvait son calme à mesure qu'il parlait.

— Si je me fie à ces coups de feu, répliqua Lowell, je dirai que le véritable danger est ici.

Il consulta sa montre.
— Quatre minutes.

Aaron retira sa chemise, tandis que Royal restait sur le pas de la porte. La plaie de Risa nécessitait un pansement. Et puis s'occuper les mains l'empêchait de céder à une furieuse envie de la prendre dans ses bras. Avoir entendu ces coups de feu sans pouvoir être auprès d'elle avait raccourci sa vie d'au moins dix ans. Ses tempes battaient encore de savoir qu'elle aurait pu y rester.

Puis il considéra la peau éraflée autour de sa taille, et ses idées partirent en vrille. Deux ans plus tôt, sa fiancée l'avait quitté à cause des risques inhérents à son travail. Il lui était insupportable, disait-elle, de rester chez eux à attendre un coup de fil l'informant d'une mauvaise nouvelle. Elle voulait qu'il se trouve un boulot tranquille derrière un bureau, avec un plan retraite et tutti quanti.

Bref, quelque chose de sûr et d'ennuyeux. Plus d'armes, et encore moins d'enquêtes et de courses-poursuites.

Ce qu'elle voulait, c'était un autre Aaron, totalement à sa convenance. Il avait refusé, elle était partie. Il revoyait l'appartement vide, éprouvait encore le douloureux sentiment de manque qui l'avait saisi lorsqu'il avait ouvert la porte ce soir-là. Elle avait laissé une note : elle préférait rompre avec lui plutôt que de l'enterrer.

Ce jour-là, il avait appris le sens du mot éloignement. Et s'était juré de ne plus jamais devoir choisir entre cette vie qu'il adorait et la femme qui partageait son lit.

Raison pour laquelle il n'aurait jamais dû venir s'asseoir face à Risa dans ce coffee shop. Elle était de celles que l'on retrouve le soir à la maison. Celles qui ne s'adaptent pas aux planques interminables et aux blessures par balles. Elle avait une vie normale et paisible, sauf pour les heures qu'elle passait avec lui.

Perdu dans ses pensées, il fit passer son maillot de corps par-dessus sa tête.

— Que fais-tu ? demanda-t-elle, l'arrachant à ses réflexions.

— Je vais te le placer autour de ta taille. Il protégera ta plaie et l'empêchera de s'irriter davantage.

Ses yeux — déjà naturellement grands — s'écarquillèrent, et elle le fixa sans ciller, s'autorisant néanmoins quelques écarts vers son ventre nu, ce qui ne le gênait pas le moins du monde.

Pliant le maillot dans le sens de la longueur, il le noua autour de sa taille, veillant à ne pas trop serrer. Ce n'était pas l'idéal, mais cela assurait un minimum de protection, faute de quoi au moindre coup elle verrait des étoiles.

Ramassant ses chaussures, il les lui tendit.

— A présent, nous allons descendre. Mes hommes sont dehors. Nous te confierons à eux, puis forcerons l'entrée de la salle de conférences.

Ses clignements d'yeux signalèrent un retour à des préoccupations plus immédiates.

— C'est trop dangereux !

Il renfila sa chemise, puis sa veste.

— Nous n'avons pas le choix. Au moins, grâce à toi, je sais qu'il s'agit d'un espace confiné avec un nombre limité de personnes.

— Mais, et les gens dehors ?

Royal rentra la tête dans la pièce.

— Nos hommes les surveillent. Ils seront interrogés, puis libérés.

Risa parut à court d'arguments.

— Je trouve toujours que…

— La voie est libre, annonça Royal en leur faisant signe de le suivre. Aaron prit Risa par le coude et se dirigea avec elle vers la porte.

— Nous sortirons au rez-de-chaussée. Si tout se passe bien, tu iras directement dehors, sans te retourner.

— Dois-je comprendre que tu ne m'accompagneras pas ?

Il ne prit pas la peine de répondre : elle n'aimerait pas ses raisons. Il concentra donc son attention sur le couloir. Ils s'y engagèrent, Risa en sandwich entre eux. Plus personne ne s'approcherait d'elle.

Une fois devant l'ascenseur, elle regarda les lumières au-dessus des portes.

— Il fonctionne ? s'enquit-elle.

Royal poursuivait sa surveillance du couloir, l'arme au poing, prête à servir.

— Dans les nouvelles constructions, les ascenseurs sont connectés au système d'urgence. Tu restes dehors en cas d'incendie. C'est le seul problème que nous n'ayons pas encore rencontré.

Elle grimaça.

— Tu es vraiment obligé de dire ça ?

Aaron sauta dans la cabine. Il était temps de mettre en œuvre le nouveau plan.

— Tu prends l'escalier, indiqua-t-il à Royal.

— Bien, répondit celui-ci. On se retrouve en bas.

Alors qu'il pivotait vers la porte de l'issue de secours, Risa lui saisit le bras.

— Vous ne venez pas avec nous ?

— Il nous couvre, s'empressa d'expliquer Aaron.

Il fit signe à son assistant d'y aller, avant qu'elle ne puisse discuter chaque point de l'opération et les retarde par de vaines arguties.

Les numéros d'étage changèrent au-dessus de la porte. Poussant Risa de côté, Aaron la plaça d'autorité derrière lui. Prêt à tirer, il se cala de côté contre le mur, hors de portée d'un éventuel tireur.

La cloche tinta et les portes s'ouvrirent.

Risa sursauta. Lui ne bougea pas, tous les sens à l'affût d'un bruit ou d'un mouvement. Mais il n'y avait personne et, lorsque les portes commencèrent à se refermer, il avança le pied pour les bloquer. Prenant Risa par la main, il la poussa au fond de la cabine et laissa cette fois les portes se fermer.

Puis il pressa le bouton du rez-de-chaussée et se plaça de nouveau devant elle.

Elle lui secoua l'épaule jusqu'à ce qu'il se retourne.

— Et les gens dans la salle de conférences ?

Décidément, elle ne laissait rien passer.

En temps ordinaire, il trouvait sexy les femmes intelligentes. Mais les circonstances étaient tout sauf ordinaires.

— Nous allons jusqu'au hall d'entrée, où je te remets entre les mains de mes agents. Je remonte ensuite avec Royal au premier, et nous voyons ce qui s'y passe. Il est possible que la porte de la pièce soit piégée. L'un de mes hommes y remédiera. Pendant ce temps-là, un autre t'emmènera en lieu sûr, et reviendra avec la police.

Risa sembla accuser le coup.

— Tu vas m'abandonner.

— Juste le temps de mettre fin à ce mauvais film.

Il consulta les chiffres des étages. Il ne lui restait que quelques secondes avant de se tenir prêt.

— Risa, je veux que tu saches une chose.

— Laquelle ?

Il ne la toucha pas, parce qu'il ne le pouvait pas. Un simple effleurement, et sa maîtrise de soi s'effondrerait. Pour le moment, il avait besoin d'avoir toute sa tête et les mains loin d'elle.

Plus tard, les choses seraient différentes.

— Quand tout sera fini, je t'embrasserai.

— O.K.

— Non, pas juste O.K. Ce sera l'un de ces longs baisers sensuels, pleins d'ardeur et de passion.

Elle sourit, tout en se déplaçant dans la cabine d'un pas qui ressemblait à de la danse, mais qui, plus vraisemblablement, trahissait son état de nervosité.

— Je ne discute pas.

— Mais tu ne comprends pas non plus.

Elle s'arrêta de bouger et haussa les sourcils.

— Ce sera le baiser du siècle, insista-t-il. Du genre qui te fait décoller du sol et te fait te demander comment tu as pu t'abaisser à embrasser d'autres hommes avant moi.

Risa s'approcha tellement que tout ce qu'il avait à faire était de pencher la tête. Il s'écarta, hors de portée de ses lèvres.

Elle bascula la tête de côté, ses cheveux retombant sur son épaule.

— Tu es bien sûr de toi.

— C'est le résultat d'un long processus partant d'un simple rendez-vous et s'achevant par une Berezina. Ajoute à cela un sulfureux mélange d'adrénaline et d'excitation, et tu obtiens quelque chose qui échappe à tout contrôle.

Elle posa une main sur son torse.

— Ça ne te fait pas peur ?

— Quoi ?

— De perdre tout cela, l'adrénaline, l'excitation…

Elle ferma les paupières et se rapprocha jusqu'à ce que son souffle lui effleure les lèvres. Lorsqu'elle rouvrit les yeux, ils étaient embués par ce qu'il espérait être du désir.

— C'est le moment parfait, soupira-t-elle : quand il n'y a plus que cet air électrique que l'on inspire, cette délicieuse attente.

— Oui.

Il aligna sa bouche sur la sienne.

— Et quand on le perd, c'est pour toujours, ajouta-t-elle. On ne peut pas rattraper ce pré-baiser, et c'est dommage parce que c'est la meilleure partie. Je pense parfois qu'il est plus agréable que le baiser lui-même.

— Si tu crois vraiment cela, c'est que tu n'as jamais bien embrassé.

— Tu m'apprendras, souffla-t-elle.

Ces mots murmurés le touchèrent directement au bas-ventre. Elle était si sexy, si parfaite… et en même temps si peu faite pour lui.

— Oui, promit-il.

Soudain, les lumières clignotèrent et s'éteignirent. Il faillit ne pas s'en apercevoir : il avait baissé la tête et fermé les yeux. Mais il entendit clairement le choc imprimé à la cabine et le crépitement créé par la rupture de courant.

L'arrêt fut brutal. Refermant les bras sur Risa, il pivota sur lui-même et vola vers la paroi qu'il heurta avec violence. Si son dos encaissa le coup, Risa gémit contre lui.

Se souvenant de ses plaies, il tendit la main devant eux pour amortir un éventuel nouveau choc. Les lampes se rallumèrent au même moment. Ils étaient collés contre la paroi dans la cabine immobile. Risa tourna son visage vers lui et l'enfouit au creux de son épaule. Il cligna plusieurs fois des yeux pour recouvrer une vision nette, la secousse lui ayant brouillé la vue.

Risa releva alors la tête, les sourcils froncés.

— Je hais ce Centre de conférences.

— Et moi donc !

Elle poussa un soupir exagéré, soufflant sur les cheveux qui lui retombaient devant les yeux.

— Que se passe-t-il maintenant ?

Aaron avisa la trappe au-dessus de leurs têtes : elle allait certainement s'ouvrir d'un instant à l'autre.

— Rien de bon, murmura-t-il.

11

Risa n'eut pas le temps de respirer qu'un homme tombait au milieu de la cabine, en parfait équilibre et l'arme au poing.

L'identifier fut aisé. Comme ses amis, il était habillé de noir, et son faciès sinistre était tout sauf celui d'un enfant de chœur. C'était comme si leur ennemi invisible avait une réserve inépuisable de ces brutes. Sauf pour le gosse en haut, ils semblaient tous sortis d'un magazine de petites annonces pour mercenaires.

Refusant de se laisser prendre de nouveau par surprise et d'obliger Aaron à se battre pour elle, elle se rencogna dans l'angle. Personne n'allait la saisir par-derrière et se servir d'elle comme monnaie d'échange. Pas cette fois.

Tâtonnant sur les boutons d'étages, elle pressa celui de l'ouverture des portes. Seul un petit clic se produisit. Elle grimaça.

L'assaillant secoua la tête.

— Vous fatiguez pas, dit-il. Je contrôle l'ascenseur.

Aaron avait sorti son revolver. Leurs armes braquées, les deux hommes se mesuraient du regard. Le canon de celle du malfrat s'orienta lentement vers le cœur d'Aaron. En fonction de la vitesse de tir, il pouvait tomber sans même avoir fait feu, songea Risa.

Cette idée lui glaça le sang.

Ses doigts se refermèrent sur le petit pistolet qu'il lui avait donné. S'il le fallait, elle tirerait. Jamais elle n'aurait imaginé faire ça un jour, mais une femme pouvait se retrouver poussée à agir, et elle avait atteint ce stade-là.

— Laissez-moi deviner, reprit Aaron d'un ton las. Vous êtes venu pour la femme.

— Je suis venu pour vous stopper.

— Tiens. Le plan a changé, dirait-on. C'est un progrès.

Il dissimulait une seconde arme dans son dos, sous sa veste, elle le savait. A eux deux, ils avaient la capacité de prendre le dessus sur l'assaillant. Mais celui-ci paraissait très confiant, ce qui la glaçait d'appréhension.

A l'exception du jeune homme, en haut, ces types arrivaient par paires et attaquaient par vagues. Voir l'un d'eux seul ici ne signifiait pas qu'il n'y en avait pas un autre à proximité. Mais celui-ci était peut-être l'acolyte du gosse. Et Aaron s'était très certainement fait la même remarque. Il devait être sur ses gardes et anticiper l'irruption d'un second attaquant.

Sauf que le champ d'action était limité. L'intérieur de la cabine ne devait pas faire plus de un mètre cinquante de côté.

Elle leva les yeux, évaluant le risque qu'un individu fût planqué au-dessus, à même de tirer à travers le toit. Si cela arrivait, Aaron serait la cible probable. C'était lui le plus dangereux. N'était-elle pas devenue la pièce de trop ? se demanda-t-elle soudain. Ce ne serait pas une position des plus rassurantes.

— C'est quoi, l'idée ? lança Aaron. On se canarde à bout portant en espérant que l'angle de tir nous permettra de partir d'ici avant de nous vider de notre sang.

Un frisson désagréable parcourut le dos de Risa.

— Vous pourriez nous laisser partir, suggéra-t-elle.

— Tss-tss, fit l'homme d'un air agacé. Ce n'est plus une option.

— Parce que nous avons gâché votre plan A, répliqua Aaron.

— J'ignore de quoi vous parlez. Tout ce que je sais, c'est que ma prime a augmenté quand j'ai accepté de m'occuper de vous.

Aaron et Royal avaient raison, en conclut Risa. Il y avait un loup dans la bergerie, et ce loup était là, aux aguets, modifiant sa stratégie en fonction des événements. Savoir qu'il bénéficiait d'un angle de vue multiple et qu'il n'avait aucun scrupule à l'ajouter à sa liste de cibles lui noua l'estomac. Elle, une innocente qui avait eu le malheur de se trouver au mauvais endroit, au pire moment possible.

Une onde glacée l'envahit : se sentirait-elle bien de nouveau un jour ?

— Jetez votre arme ou je descends la fille.

Aaron ne s'embarrassa ni à négocier ni à émettre un avertissement.

— Non.

Elle aurait voulu que son dos s'élargisse d'un chouia pour qu'il la protège un peu plus encore. Elle se cala dans l'angle de la cabine. Les boutons entraient dans sa chair, sa plaie la brûlait, mais elle les ignora, l'œil rivé sur les deux hommes.

— Quoi, vous vous fichez de ce qui lui arrivera ? reprit le malfrat.

— Non, je dis que, si quelqu'un la menace ou la regarde juste d'une façon bizarre, je le tue. Je vous conseille d'y réfléchir avant de faire le moindre geste.

L'assaillant secoua la tête.

— Je crois que vous devriez…

Aaron frappa. Son coude toucha le menton de l'homme. La tête partit en arrière mais, au lieu de tomber, l'homme recouvra aussitôt son aplomb. Son arme avait à peine bougé.

Aaron plongea sur lui. Avec un grognement, il le percuta au ventre, puis d'un solide coup de poing le projeta contre la paroi. La main qui tenait l'arme claqua sur la surface de métal. Voyant qu'il ne la lâchait pas, Aaron lui agrippa le poignet et le cogna à plusieurs reprises sur la paroi.

Immobilisant l'homme du bas de son corps, il continua à attaquer, d'un coup de genou dans le ventre d'abord, puis de coude à la mâchoire.

Risa crut qu'il avait gagné la bataille, à relativement bon compte, mais le malfrat contre-attaqua. Il beugla de nouvelles menaces tandis que les poings volaient. L'un d'eux toucha Aaron à l'estomac, le faisant se plier en deux.

Puis les deux hommes furent à terre. Bras et jambes battaient l'air tandis que chacun essayait de saisir le poignet de l'autre.

Des os craquèrent, des mains et des pieds frappèrent le sol. Une arme jaillit soudain de l'amas humain.

Avec un pincement de satisfaction, Risa la bloqua sous son pied. Elle tenta de déterminer à qui elle appartenait, mais elle n'y connaissait rien. En comptant celles qui devaient encore être cachées, les risques d'un bain de sang étaient bien réels.

Surpris par son adversaire, Aaron tomba sur le dos pour être immédiatement cloué au sol. Risa chercha autour d'elle un objet, n'importe quoi, pouvant assommer le type. En vain. Elle songea à l'arme récupérée, mais le gaillard ne cessait de bouger et elle craignait de le rater.

Restait le petit modèle en sa possession, dont il ne soupçonnait pas l'existence. Entre celui-là et celui coincé sous son pied, ses chances de sauver Aaron étaient doubles. Mais elle refusait de les gaspiller.

Cela étant, elle n'avait plus le choix. Le bassin d'Aaron immobilisé entre les cuisses de son agresseur, ce dernier le gratifia d'un puissant crochet à la joue. Elle tressaillit au bruit mat qu'il produisit.

Un revolver apparut soudain dans la main du malfrat, qui le pointa sur la tempe d'Aaron. Celui-ci s'arc-bouta pour le renverser, mais sans résultat. Usé par cette dépense d'énergie, il retomba inerte, les épaules affaissées, du sang coulant de sa bouche.

Sa tête bascula sur le sol. Il n'était pas K.-O., mais Risa était terrorisée : la prochaine étape serait la bonne.

Si elle ne faisait rien, il risquait de mourir sous ses yeux. Cette éventualité l'horrifia à tel point qu'elle manqua de s'effondrer comme une poupée mécanique cassée. L'image d'Aaron mort refusait de quitter son esprit. Tremblante, en proie à un mélange de rage et de terreur, elle sortit son arme et s'avança vers les deux belligérants.

Le pouls grondant dans ses tympans, elle se prépara à tirer une balle dans la nuque d'un parfait inconnu. Tous ses idéaux sur la sacralité de la vie s'envolaient. C'était « tuer ou être tué ». Pire, c'était un jeu sans vainqueur où elle n'avait qu'un seul choix. Un choix terrible : regarder un être cher disparaître ou sacrifier une partie de son âme.

Si seulement sa tête pouvait cesser de tourner, et la bile, quitter sa gorge…

Alors que son index se posait sur la détente, Aaron passa en un éclair d'une apparente inconscience à l'action. Il sortit une seconde arme de sa poche, la colla sur le torse de l'homme et tira.

— Aaron !

La déflagration fit vibrer l'air de l'étroite cabine tandis que l'homme s'affaissait sur Aaron, qui expira dans un grand « woouf » l'air retenu dans ses poumons. Il demeura un instant sans bouger, puis renversa le type pour se dégager.

Risa vint aussitôt s'agenouiller à côté de lui.

Il se redressa avec peine sur son séant. Sa main se porta à son flanc, et le sang reflua de son visage.

— Ça va faire mal, demain matin.

Des taches rouges maculaient le sol ainsi que sa chemise blanche. Suivant son exemple, elle le palpa à la recherche de blessures. Apparemment, le sang n'était pas le sien.

Une main glissée sous son bras, elle l'aida à se relever. Leurs grognements se mêlèrent à des craquements suspects. Les ecchymoses guériraient-elles jamais ? Et combien de douches lui faudrait-il, à elle, pour se sentir de nouveau propre ?

Jurant sous l'effort, il se pencha pour ramasser deux armes, puis, du pied, retourna l'agresseur. Le sang coulait de sa poitrine, et ses yeux sans vie les regardaient.

Risa sentit son corps se désensibiliser. Alors que quelques instants plus tôt elle souffrait et espérait voir cette folie cesser, l'engourdissement la gagnait à présent tout entière. Mais son esprit tournait à cent à l'heure.

La mort était tout autour d'eux. Fermant les yeux, elle vit les cadavres s'accumuler. Lorsqu'elle les rouvrit, son cerveau lui joua un mauvais tour et elle vit le corps brisé et ensanglanté d'Aaron surmonter le tas.

Elle voulut hurler, mais aucun son ne sortit de sa gorge.

Aaron réapparut à ses côtés.

— Que se passe-t-il, ça ne va pas ?

— Comment peux-tu vivre ainsi ?

Il redressa son dos, gagnant ainsi cinq bons centimètres.

— Ce n'est pas une journée normale.

— Je l'espère.

Mais quelque chose l'avait inquiété, elle le sentait. Curieux, comme une simple phrase pouvait le perturber, alors qu'un combat à mort lui faisait à peine perdre son sang-froid. Il y avait en lui, dans sa vie, tant de choses qu'elle ne comprenait pas.

Il fouilla longuement son visage des yeux, sans rien dire. Puis, lorsque le silence devint trop oppressant, il tendit la main vers l'Interphone de l'ascenseur.

— Allô ?

Pas de réponse.

Il réitéra son appel, toujours en vain. Le système d'urgence ne fonctionnait pas. Ce n'était pas une surprise. Rien ne fonctionnait, de toute façon.

Ils étaient piégés. Encore une fois.

— Recule-toi, lança-t-il.

Avant qu'elle ne puisse demander pourquoi, il frappa du coude la petite plaque au-dessus de l'Interphone. Elle ne bougea pas. Au second essai, un morceau de paroi tomba.

Il écarta alors la plaque, qui révéla des faisceaux de fils électriques.

— Tu t'y connais en électricité ? demanda-t-il.

— J'espérais que toi oui.

— Bon, essayons ça.

Il sortit deux fils. Avec précaution, il les plia jusqu'à dénuder sur chacun une petite section de cuivre.

— Prête ?

— Non.

— Moi non plus, dit-il en approchant les deux sections l'une de l'autre.

Le voir ainsi jouer avec le feu lui fit sortir les yeux de la tête. Son cœur se pétrifia.

— Attends, tu es sûr ?

Il mit en contact les deux sections de cuivre, et un craquement aigu se fit entendre. Une seconde plus tard, l'électricité était rétablie dans la cabine. Les lampes bleues de l'alarme se rallumèrent, et un bourdonnement signala le réveil des machines au-dessus de leurs têtes.

Elle s'attendit presque à ce qu'un deuxième type leur tombe dessus. Aaron dut avoir la même pensée, car il s'écarta du centre de la cabine et la plaqua contre les portes.

Pour la deuxième fois, il enfonça la touche du rez-de-chaussée, et la cabine reprit sa descente.

— Voyons si nous allons y arriver cette fois.

— Royal doit devenir fou, soupira-t-elle.

— A moins qu'il n'ait lui-même eu des ennuis, je le devine arpentant l'escalier dans les deux sens, cherchant un moyen de remettre l'ascenseur en marche.

Elle l'imaginait aisément. Aaron plaisantait peut-être, mais elle se les représentait aussi bien l'un que l'autre fulminant de rage à l'idée que leur partenaire fût en danger. Ils étaient de ce bois-là. Ils fonçaient, quand d'autres se réfugiaient sous une table. Sauveteurs de nature et de cœur.

— Voilà un gars sur qui l'on peut compter, observa-t-elle.

Il vérifia le chargement de ses deux armes.

— Je sais choisir mes assistants.

— Tu devrais le prendre comme associé après cette mission.

— J'aime être celui qui décide.

La cabine s'arrêta au moment où il terminait sa phrase. D'autorité, il se plaça devant elle.

Elle ne lui donna pas de coup dans les côtes, ne déclara pas qu'elle refusait qu'il meure pour elle. Il agissait par instinct, et contre cela elle ne pouvait rien.

A l'ouverture des portes, Royal se tenait face à la cabine, son arme braquée devant lui. Il ne tira pas, mais tout autre que lui l'aurait fait. De par son entraînement, il était capable de prendre une décision en une milliseconde. S'était-il déjà trompé ? se demanda-t-elle.

— Hé ! s'écria Aaron. C'est nous.

Mais il avait déjà baissé son arme.

— Content de vous voir.

Se penchant en avant, il regarda le cadavre derrière eux. Presque rien ne changea dans son expression.

— Le voyage a été difficile ?

Aaron haussa les épaules.

— J'ai connu pire.

C'était certainement vrai, songea Risa. Un bain de sang et une bagarre de saloon dans un ascenseur en panne semblaient être un jeudi ordinaire pour Aaron.

— Qui est-ce ? s'enquit Royal.

Aaron baissa les yeux sur la dernière victime de cette étrange journée.

— Je ne lui ai pas demandé. Mais il y a de fortes chances qu'il ait un alter ego non loin d'ici. Tu as vu quelqu'un ?

— Nos hommes sont dehors. Ils ont placé tout le monde dans un bâtiment séparé. Pour ton information, avec l'enclenchement du système d'urgence, les portes de l'immeuble se sont verrouillées automatiquement. Une mesure de protection totale, je suppose. En attendant, nous sommes bloqués dans ce maudit Centre de conférences, et ils sont enfermés dehors.

— Où est le problème ? Il y a tout ici, persifla Risa dans un accès d'humour aussi aigre que son humeur.

— Sauf un moyen de sortie viable, dit Aaron, agacé.

Par les immenses portes vitrées, il contempla les ombres à l'extérieur.

— Ce verre est fumé, n'est-ce pas ?

— Nous trouverons bien un moyen d'attirer leur attention, répondit Royal. Quelqu'un peut aller chercher de l'aide, si ce n'est pas déjà fait.

Ses partenaires dans la lutte contre le crime oubliaient le plus important, songea Risa. Pendant que les gens dehors devaient maudire le ciel pour le froid mordant, elle se souciait davantage de ceux qui étaient toujours au chaud ici, dans l'immeuble.

Surtout ceux qui avaient une arme et une grosse envie de s'en servir. Maintenant qu'ils étaient passés de ce que leur jeune prisonnier avait présenté comme une blague à une implacable chasse à l'homme, ses priorités avaient quelque peu changé.

— Y a-t-il une chance qu'il n'y ait plus de méchants ici ? leur demanda-t-elle.

Aaron poussa un long soupir.

— J'ai rarement vu ce cas de figure. Le monde semble rempli de voyous et d'assassins.

— Ce n'est guère réconfortant.

— Non, mais c'est honnête.

C'était une vérité qu'elle ne connaissait que trop bien.

La leçon lui était entrée de la manière forte dans le crâne, et se rappelait à elle chaque fois qu'elle se voyait refuser la carte de crédit qu'elle sollicitait. Même l'obtention d'un prêt pour son petit studio avait été un véritable parcours du combattant. Comme si elle était marquée au fer rouge une fois pour toutes.

Mais, alors qu'elle croyait le pire derrière elle, voilà qu'elle se retrouvait mouillée jusqu'au cou dans une affaire avec mort d'homme. Ces choses-là n'arrivaient qu'à la télévision, et non à des femmes qui menaient une vie où jamais la police ne venait frapper à leur porte.

Seigneur, comment aurait-elle pu imaginer que sa journée se terminerait de cette façon ? Avec Aaron, qui plus est ?

— Vu mon expérience des hommes, ça fait du bien d'entendre une vérité de temps en temps, ironisa-t-elle. Mais un mensonge fleuri ne m'aurait pas déplu, en l'occurrence.

Elle ne faisait pas spécialement allusion à ses mensonges sur sa profession ni aux bases fausses sur lesquelles s'était établie leur relation. Il s'était passé tant de choses depuis lors… Mais le mal était fait.

Aaron fronça les sourcils.

— De quoi parles-tu ?

Le besoin de s'excuser fut si fort qu'elle faillit ne pas résister. Elle lui avait pardonné pour ce qu'il lui avait dit et pour ce qu'il lui avait caché. Elle tâcherait de s'en accommoder, de comprendre. Cela n'ôtait rien au fait qu'il lui avait menti, et elle voulait le faire ramper pour cela.

Mais elle venait d'ouvrir une petite fenêtre sur son propre passé.

Elle hésita à lui répondre. S'il avait négligé sa remarque, elle serait passée à autre chose sans plus y penser. Mais comme il continuait à la fixer d'un œil inquisiteur, elle chercha le meilleur biais pour lui parler de son affligeante vie sentimentale…

— Désolé d'interrompre ce charmant tête-à-tête, intervint Royal en pointant le doigt vers l'extérieur, mais nous avons de la visite. Les gentils, cette fois.

Des gyrophares rouges et bleus brillaient au loin. Bientôt, des véhicules de police remontèrent l'allée menant au Centre de conférences, le hurlement de leurs sirènes se mêlant à celui de l'alarme dans l'immeuble. Risa avait presque occulté celle-ci.

L'expression d'Aaron se détendit.

— On dirait que mes hommes ont pris la décision qu'il fallait.

— Ça veut dire que c'est fini ? demanda-t-elle, se tournant vers lui.

Mais il avait levé les yeux vers un chandelier derrière elle. Ses éléments de cristal s'entrechoquaient, faisant danser des éclats de lumière.

Elle songea d'abord à un tremblement de terre, mais ça n'avait pas de sens. Elle entendit alors un grondement sourd.

— A plat ventre ! cria Aaron en plongeant sur elle.

L'explosion aveuglante survint une seconde plus tard.

12

Aaron avait senti le danger avant de l'avoir physiquement perçu. Pour avoir survécu à des séismes, il savait que le sol se préparait à trembler.

Lorsque ça arriva, il se jeta sur Risa. Il la saisit par la taille, et tout en plongeant se tourna de côté pour amortir le choc sur le carrelage. Les bras refermés sur elle, il se laissa rouler, emporté par leur poids. Leur course s'arrêta brutalement contre une table de l'entrée, qui bascula sur eux.

L'air se mit à siffler dans un formidable bruit de succion. Puis vint la déflagration. Les fenêtres soufflées éclatèrent en milliers d'échardes tandis que les murs vibraient de multiples secousses.

Dans un craquement sinistre, un pan s'effondra de l'autre côté du hall pour se fracasser en petits morceaux sur le sol.

En façade, les impressionnantes baies vitrées explosèrent, et une pluie de verre s'abattit sur eux. Ils ne durent leur salut qu'au fait que les panneaux se décomposèrent en minuscules fragments qui leur tombèrent dessus comme de la grêle.

Des cris, des hurlements, se firent entendre. Il fut incapable de déterminer de qui et d'où ils provenaient, ni comment ils pouvaient être aussi puissants.

L'alarme s'était enfin tue, mais l'immeuble était tout sauf silencieux. Le bureau d'accueil brûlait dans un crépitement sec. Des tableaux et éléments de mobilier tombaient l'un après l'autre avec fracas.

Un grondement provint de l'étage supérieur, comme si les murs allaient s'effondrer autour d'eux, et des chocs sourds indiquaient des chutes probables de débris.

Les installations de plomberie et d'électricité devaient avoir été dévastées, car de l'eau coulait en abondance quelque part vers sa droite, sans qu'il ne puisse en déterminer l'origine.

Enfin, il leva les yeux : ils gisaient au milieu de piles de gravats. Des papiers et des particules de plâtre retombaient en tournoyant dans le hall. La scène était un cauchemar d'apocalypse. Tout était recouvert d'une fine pellicule blanche, et une brume âcre saturait l'air.

Ce n'était pas un tremblement de terre. Une bombe avait explosé. Dans son rayon de puissance, elle avait détruit les murs et le reste de ce qui était auparavant un centre de conférences immaculé et flambant neuf.

Comme préouverture, c'était réussi, pensa-t-il, ironique.

Le plafond se mit à gémir et à craquer. Il redressa la tête. Un trou d'une dizaine de mètres de large avait éventré l'immeuble. D'un rapide calcul, il situa l'épicentre de l'explosion. C'était la salle de la réception. Des cliquetis se produisirent juste avant que le sapin de Noël ne tombe dans le trou et s'écrase sur le dallage de marbre du rez-de-chaussée, non loin d'eux.

Presque aussitôt, une nouvelle série de bruits se fit entendre. Le bar s'était renversé, laissant s'échapper verres et bouteilles : ils dégringolaient les uns après les autres par l'ouverture pour éclater plusieurs mètres plus bas, projetant partout leur contenu.

Il se redressa sur les genoux. Risa gémissait derrière lui. La soulevant avec délicatesse, il la retourna en évitant tout geste brusque. Si elle avait de nouvelles blessures, il ne voulait pas aggraver son état. Mais il ne pouvait pas non plus la laisser allongée là.

Ses mains reposaient inertes près de sa tête. Il l'examina, et tressaillit à la vue de coupures et de sang. Il pensait l'avoir protégée du pire en se jetant sur elle, mais n'en était pas totalement sûr et s'inquiétait de ce que ses quatre-vingt-cinq kilos avaient pu lui faire subir.

Il passa doucement les doigts sur ses lèvres. Ses yeux ne s'ouvrirent pas. La panique lui serra la gorge, ce fut comme si des couteaux se plantaient dans sa chair.

— Risa ? appela-t-il en lui secouant l'épaule.

Sa tête remua, et un gémissement rauque s'échappa de sa gorge. Jamais il n'avait entendu plus beau son.

— Aaron ?

Sa voix se brisa immédiatement dans une quinte de toux.

— Je suis là, mon cœur. Nous sommes tous deux sains et saufs. Tu peux te lever ? Il va falloir bouger d'ici.

Du plâtre continuait à tomber des murs, tandis que des débris de toute sorte jonchaient le sol et flottaient dans l'air. Il devait la conduire dehors, au grand air.

Elle se redressa soudain sur les coudes.

— Où est Royal ?

Une pointe de culpabilité le transperça. Il s'était fait tellement de mauvais sang pour elle qu'il avait oublié son compagnon. Royal avait une famille, et il excellait dans son job. Gail avait besoin de lui, et en dépit de toutes ses taquineries il était le meilleur des amis. Sans lui, il manquait quelque chose à sa vie.

Alors qu'il s'approchait à genoux de Risa, elle se releva toute seule. Soulagé, il chercha Royal des yeux. Son ami était coincé sous un morceau de plafond et une table renversée. Du sang coulait de sa tête, et il ne bougeait pas.

Il s'approcha de lui, terrorisé. Risa s'avança à ses côtés, le visage couvert de suie et de poussière, des particules de matière blanche parsemant ses cheveux. Son chemisier était déchiré, laissant apparaître une épaule ensanglantée. Elle avait essuyé une nouvelle attaque et s'en était sortie par miracle. Royal n'avait peut-être pas eu cette chance.

— Il s'en tirera, il s'en tirera, répéta-t-elle comme une litanie.

Elle oscillait sur ses talons, la main du blessé dans la sienne.

Aaron chercha le pouls et faillit hurler sa joie en le trouvant. Faible, mais net. Royal ne semblait pas avoir de fractures mais, vu ce qui lui était tombé dessus, il pouvait souffrir d'hémorragies et de lésions internes. Il était jeune et au top de sa forme, mais pas invincible.

Une bourrasque d'air froid lui fit reporter son attention sur le hall. Les secours arrivaient. Très vite, les lieux furent envahis par la police et par ses hommes.

Retenus à distance par la bande jaune légale, les convives

du cocktail considéraient, stupéfaits, le spectacle qui s'offrait à eux.

Les voix enflèrent jusqu'à un insupportable brouhaha. Chacun voulait savoir ce qui était arrivé et où se trouvaient Lowell et son groupe. Les questions fusaient, et certains se plaignaient de ne pouvoir prendre des photos avec leur téléphone portable. Aaron s'interrogeait sur les mêmes points, mais dans l'immédiat il avait d'autres priorités.

— Il faut une ambulance !

Personne ne verrait de médecin tant que Royal ne serait pas chargé dans une ambulance et conduit dans un hôpital.

Risa serait la suivante, quelles que fussent les objections qu'elle pourrait lui opposer. Elle n'était même pas censée se trouver là. Si elle était venue au Centre Elan, c'était à cause de lui. C'était donc à lui de l'en sortir.

Lorsque enfin il voulut se lever, sa jambe gauche le lâcha, et il tomba à genoux. Le choc fut si brutal qu'il grogna de douleur.

— Aaron ! s'écria Risa en contournant le corps de Royal pour venir à son secours.

Se glissant sous son épaule, elle l'aida à se hisser de nouveau sur ses pieds.

— Ça va, ça va, ce n'est rien.

Il était sonné et éprouvait un soudain vertige, mais ses blessures n'étaient rien à côté de ce qu'ils risquaient encore de découvrir.

Du reste, il n'était pas homme à montrer sa faiblesse. Certes, aucune blessure n'était à sous-estimer, mais il ne pouvait se permettre d'être extrait de l'immeuble en ambulance. Il avait trop de questions en tête et besoin d'être sur la scène de crime. Tout au moins pour le moment.

Et puis, ce n'était pas grave. Un petit ennui passager plutôt qu'un problème à long terme. Depuis des années, son genou le faisait souffrir ici et là. C'était bien sa veine qu'il se manifeste à ce moment-là.

Deux policiers arborant des galons d'officier se dirigèrent vers eux.

— Que s'est-il passé ici ? demanda le premier en prêtant main-forte à Risa pour l'emmener plus loin.

Son collègue fit alors un bond de côté pour éviter un siège qui tombait du premier étage par le trou causé par la bombe.

— Il y a au moins six personnes piégées dans une petite salle de conférences à l'étage au-dessus, et trois autres au quatrième, répondit Aaron. Vous trouverez aussi des blessés sans lien avec la bombe, dont vous pourrez vous charger une fois les victimes sorties. Blessés par balles, je précise.

Il voulait en dire plus, mais ses yeux venaient de se poser sur Royal. Trois hommes étaient en train d'ôter le morceau de plafond de son ventre, et des urgentistes accouraient avec une civière équipée d'un masque à oxygène et d'une poche à perfusion accrochée à une potence.

Royal n'avait toujours pas bougé.

Risa, qui avait suivi son regard, porta aussitôt la main à sa bouche. Alors qu'elle ne le connaissait que depuis quelques heures — dans un terrible huis clos, certes, mais quelques heures seulement —, elle semblait avoir déjà établi un lien affectif avec lui.

Elle avait beau évoquer sa méfiance des hommes, elle n'hésitait pas à leur accorder sa pleine confiance, nota Aaron. Un homme pouvait aisément s'habituer à cet altruisme et cette loyauté. Il en avait rarement rencontré jusqu'ici.

— Il s'en sortira, dit-il en la prenant par les épaules, et puisant du réconfort dans ce contact. Il faut qu'il s'en sorte.

Une fois Royal placé sur la civière, les urgentistes l'emmenèrent vers l'ambulance à travers le champ de gravats et les portes éventrées. Des pompiers s'engouffraient dans l'escalier de secours, une équipe médicale sur leurs talons.

Tandis que la police se déployait, le directeur d'Elan prenait la mesure des dégâts dans le hall d'entrée et considérait, la mine atterrée, le trou béant au-dessus de lui.

Les idées d'Aaron s'éclaircirent enfin, et son expertise en matière de sécurité lui revint aussitôt.

— Il faut faire sortir tout le monde ! Il y a peut-être une deuxième bombe.

L'officier fit évacuer le personnel tout en dégageant la zone placée sous l'énorme trou.

— Vous êtes certain qu'il s'agissait d'une bombe ? s'enquit-il. Je veux dire, ça y ressemble, d'accord, mais, d'après ce que nous ont expliqué vos hommes lorsqu'ils nous ont appelés, il semble que vous ayez rencontré de sérieux problèmes en inspectant l'immeuble ces dernières heures.

— C'est le moins que l'on puisse dire. Mais, hormis une bombe, je ne vois pas ce qui aurait pu occasionner de tels dégâts.

A ses yeux, la seule question importante était l'identité de celui… ou celle qui l'avait posée.

— Et faire autant de bruit, ajouta Risa en glissant sa main dans la sienne.

Au milieu de toute cette apocalypse, ce petit geste le revigora. C'était juste, naturel. Lui qui n'avait jamais eu besoin de réconfort comprenait à présent ce qu'entendait Royal lorsqu'il disait apprécier celui que lui offrait Gail.

— Mes oreilles en résonnent encore, renchérit-il.

Et tous les sons lui parvenaient assourdis.

Risa secoua la tête.

— Je n'ai jamais rien entendu de tel. Ça grondait, grondait… On aurait dit qu'un monstre géant s'approchait de l'immeuble pour le piétiner. J'imagine que c'est l'impression que l'on a lors d'une tornade ou d'un cyclone.

— Une idée de qui a fait ça ? demanda l'officier.

Aaron avait quelques noms. Six, précisément. Certains plus plausibles et évidents que d'autres. Il avait en main les pièces du puzzle, mais elles refusaient de s'ajuster entre elles. Cette opération portait les signes d'un plan millimétré, en même temps que ceux d'un cafouillage d'amateur.

L'explosion ne collait pas avec le faux kidnapping. Il pouvait y avoir plusieurs actions concomitantes, mais leur nombre importait peu. Il les décortiquerait et en découvrirait la signification. Le gosse en haut lâcherait le morceau. Quelqu'un de sa liste parlerait. Il connaîtrait le fin mot de l'histoire.

— L'une des personnes dans cette pièce, au premier, devrait savoir, répondit-il.

Et, très bientôt, lui aussi…

Angie tenta d'ouvrir les yeux, mais n'y vit rien. Clignant de nouveau des paupières, elle tenta de se lever. Quelque chose craqua sous elle, et une vive douleur naquit dans son poignet pour se propager le long de son bras, jusqu'à son crâne où battait une lancinante migraine.

Elle n'avait pas la moindre idée de ce qui s'était passé. La dernière chose dont elle se souvenait, c'était que Lowell était en train d'effectuer son compte à rebours lorsque le monde s'était effondré sur leurs têtes. Elle chercha une explication dans sa mémoire mais n'en trouva pas. Elle n'avait pas perdu connaissance, du moins lui semblait-il. Mais le monde n'était plus celui qu'il était cinq minutes plus tôt.

Après plusieurs nouvelles tentatives et un vigoureux frottage des paupières, elle les ouvrit enfin. Une brume grise était tombée dans la pièce, de la couleur d'un ciel d'été juste avant un orage. Mais comme ils étaient à l'intérieur, cette soudaine obscurité n'avait aucun sens.

Prenant appui sur sa main valide, elle se hissa en position assise. Le monde vacilla et sursauta encore un moment, puis se stabilisa.

Mark était allongé juste à côté d'elle, les yeux grands ouverts. Elle commença à lui parler, jusqu'à ce qu'elle se rende compte que son cou était incliné à un angle bizarre.

— Il est mort.

Palmer prononça ces horribles mots en se redressant sur les genoux devant elle.

Sa veste déchirée révélait une blessure sanglante à l'épaule. Il était coupé un peu partout, et de sa main gauche soutenait son bras droit. Il n'avait pas lâché son arme.

Elle se massa les tempes dans une vaine tentative pour calmer les élancements sous son crâne.

— Que s'est-il passé ?

— Si je devais deviner, je dirais qu'une bombe a explosé

dans la salle de la réception, qu'elle a détruit une bonne partie de l'étage et que nous nous trouvions dans son rayon d'action.

C'était invraisemblable. Elle n'avait pas posé de bombe ni payé personne pour le faire. Elle n'y connaissait même rien en explosifs. Pour elle, c'était trop dangereux. Tant de choses pouvaient aller de travers dans le timing et dans l'exécution.

Elle ne comprenait pas pourquoi quelqu'un avait choisi ce procédé pour atteindre Lowell. Il existait des moyens plus faciles pour tuer un homme, dont la plupart ne vous faisaient pas tomber un immeuble sur la tête.

Tout avait pourtant commencé par un simple test. Le but était de jauger la solidité des sentiments de Lowell à son endroit, et peut-être obtenir un petit bonus financier.

Mais les choses avaient basculé dans le chaos. Comment, elle l'ignorait. Mais si un détail permettait de remonter jusqu'à elle, elle aurait à endosser bien pire qu'un simple canular entre amants. Elle allait avoir du mal à se blanchir.

— Et les autres ? reprit-elle. Tous les participants au cocktail ?

Elle ne pouvait quand même pas être tenue pour responsable de leur mort.

— J'espère qu'ils étaient sortis, répondit Palmer.

— Sortis ? Quand, comment ? Il y aurait eu une évacuation massive sans qu'on le sache ?

— Le mur n'est plus là. Nous y voyons maintenant plus clair que pendant ces longues heures de réclusion. Cela étant, ce n'est pas parce que nous sommes désormais libres que nous devons baisser notre garde. Nous ignorons qui a survécu à l'explosion, et surtout ce que veut son auteur.

Il pointa le doigt derrière elle.

Elle se retourna, et pour la première fois découvrit l'ampleur des dégâts. Une bonne partie du couloir apparaissait de l'autre côté du mur éventré et, là où il y avait des meubles et une porte, des gravats poussiéreux s'amoncelaient.

— Où est mon père ?

Brandon titubait comme s'il était ivre. Le sang coulait d'une blessure à son front. Il était vraiment mal en point. Puis le sens de sa question percuta son cerveau.

Palmer et elle se levèrent et explorèrent à sa suite le capharnaüm qu'était devenue la pièce. Palmer retourna un corps, mais c'était celui de Max. Après une vérification du pouls, il secoua la tête.

Un mouvement dans un coin accrocha leur attention. Une fois écartés quelques débris, ils trouvèrent Lowell sous une table renversée, totalement couvert de cendres.

Il remuait la tête de droite et de gauche, comme pour vérifier s'il pouvait encore bouger.

— Papa ?

Lowell s'essuya les yeux du dos de la main, puis les regarda fixement.

— Eh bien ?

Palmer fronça les sourcils, décontenancé.

— Monsieur ?

— J'attends toujours une réponse, déclara Lowell en les dévisageant tour à tour.

Angie craignit une commotion cérébrale. Il se comportait comme si aucune bombe n'avait explosé et poursuivait la conversation engagée auparavant.

— Il te faut un médecin, jugea-t-elle.

— Je vais très bien.

Sa voix était claire, mais Angie n'était pas convaincue.

— A quoi faites-vous allusion ? s'enquit Palmer.

— Je veux savoir qui est derrière tout ça, répondit Lowell. Tant que je n'aurai pas la réponse, personne ne sortira.

A l'exception de sa tête, il était toujours immobile.

Angie s'assit sur ses talons, à la fois confuse et soulagée. Il était vivant, mais c'était toujours le même enfant de salaud.

Brandon se mit à marcher de long en large, de plus en plus chancelant.

— Il a perdu la tête, bredouilla-t-il.

Lowell le cloua du regard. Puis cette expression dure qu'il affichait chaque fois qu'il voyait son fils s'estompa, et il ferma les yeux.

Palmer avança aussitôt la main pour lui tâter le pouls.

— Monsieur ?

Lorsque ses paupières se rouvrirent, la morgue qu'il revêtait avec autant d'aisance que ses costumes de luxe marquait de nouveau ses traits.

— Je crois que j'étais arrivé à « un ».

Un silence plombé tomba dans la pièce.

Puis il s'évanouit.

13

Jamais Risa n'aurait cru éprouver autant de joie à se trouver dans une chambre d'hôpital. L'odeur d'antiseptique. Les bips des machines. Tout l'apaisait. Lorsqu'un appel retentit par un haut-parleur, elle faillit crier de soulagement.

Des infirmières entraient et sortaient d'un pas affairé. On l'avait examinée, et ses pansements avaient été changés. A plusieurs reprises on lui avait proposé un en-cas, mais chaque fois son estomac avait regimbé.

Elle tira sa couverture jusqu'au cou et ferma les yeux. Rester pelotonnée entre les draps avait quelque chose de très réconfortant. Et dormir, d'absolument divin.

Pour la première fois depuis des heures, l'air qu'elle inspirait lui paraissait à peu près propre. Mais il avait surtout le parfum de la liberté.

Lorsqu'elle rouvrit les yeux, la chambre baignait dans une douce lumière tamisée. Un souvenir lui revint à la mémoire. En dépit du fait qu'elle se trouvait en sécurité, quelque chose n'allait pas.

Elle se redressa en position assise.

— Aaron ?

— Je suis ici.

Sa voix était sourde et bougonne.

Elle se laissa retomber sur les oreillers, soulagée et gagnée par un sursaut d'énergie. L'épuisement la tarabustait, mais elle le combattit. Se trouver avec Aaron sans les balles qui volaient et les murs qui s'effondraient valait bien quelques minutes de lutte pour garder les yeux ouverts. Le besoin de le voir était plus fort que tout.

Elle tourna les yeux et le vit. Assis à son chevet. Dépenaillé, les cheveux en bataille et les bords de sa chemise roussis par le feu. Sa cravate avait disparu, et les premiers boutons de son col étaient défaits. Ses mains élégantes pendaient de ses accoudoirs, et ses jambes étaient allongées devant lui. Les paupières lourdes, il était rien de moins qu'affalé dans son siège d'hôpital.

Il avait la tête de quelqu'un qui n'a pas dormi depuis un mois, et pourtant il n'avait jamais été aussi craquant. Ou moins prêt au combat.

A le voir ainsi, songea Risa, personne ne croirait qu'il avait mis plusieurs types dangereux hors d'état de nuire et l'avait sauvée. Le pauvre ne semblait même plus capable de soulever un crayon.

— Tu es là, dit-elle en soupirant.

Il la dévisagea, un petit sourire étirant la commissure de ses lèvres. Puis il avança la main et mêla ses doigts aux siens.

— Où voudrais-tu que je sois ?

Des larmes lui piquèrent de nouveau les yeux. Elle avait tant de choses à dire.

Prenant son courage à deux mains, elle posa la question sensible.

— Comment va Royal ?

Il poussa un soupir rauque.

— Plus chanceux, ça n'existe pas. Je veux dire, il ne pensera sans doute pas la même chose demain à son réveil, vu qu'il ne pourra quasiment pas bouger, mais il s'en sortira.

— Excellente nouvelle, souffla-t-elle. Je craignais que… Enfin, il paraissait…

— Je sais.

Le regard d'Aaron s'éclaira un peu tandis qu'il redressait le dos, grimaçant à chaque petit mouvement.

— Tu es sûr que ça va ? s'inquiéta-t-elle.

— Comme un punching-ball après un entraînement.

Elle se rappela sa chute inattendue au Centre Elan. Il lui faudrait sans doute des semaines pour ne plus revoir cette scène chaque fois qu'elle fermerait les yeux.

— Ta jambe ? reprit-elle.

— Mon genou me fait mal, mais je peux marcher. L'état de Royal est bien pire. Trois côtes brisées et un collapsus pulmonaire. Des broutilles par rapport à ce qu'il a connu à l'armée, mais il est hors-service pour plusieurs jours.

Risa se mordit la lèvre inférieure.

— Sa femme est ici ?

— Elle tourne en rond et s'inquiète, répondit-il. Elle se faisait du souci pour toi et moi. Elle a glissé une tête dans la chambre, mais tu dormais et elle ne voulait pas te déranger. Je lui ai assuré que tu allais bien, et que tu la verrais dès que tu pourrais t'asseoir sans tomber dans les pommes.

— Mais… elle ne me connaît même pas !

— Ce genre de considération ne l'arrête pas. Gail est ainsi. C'est quelqu'un de génial, qui ferait n'importe quoi pour toi.

— Comme Royal, donc.

— En plus féminin, et beaucoup plus joli.

Se penchant en avant, il emprisonna sa main dans les siennes.

— Je suis si heureux que tu n'aies rien.

Quand il s'ouvrait à elle de la sorte, c'était comme si un papillon voletait dans sa poitrine, se réjouit Risa. D'habitude — c'est-à-dire avant les dramatiques événements de la nuit —, il parlait de travail, de sa fausse profession d'avocat fiscaliste et de sujets généraux. Rarement des gens. En ce qui concernait Royal et Gail, un lien particulier les unissait clairement à lui.

D'une certaine manière, cela lui donnait de l'espoir. Il était capable d'attachement pour autrui. Peut-être aussi, qui sait ? pour la femme avec qui il prétendait sortir.

— Tu l'aimes beaucoup, Gail, n'est-ce pas ?

Aaron lui souleva la main et en baisa chaque doigt.

— C'est toi que j'aime beaucoup.

Son cœur rata un battement, et elle éprouva des difficultés à respirer.

Embarrassée, elle plongea sa main libre dans ses cheveux mais s'arrêta en sentant un obstacle. Elle préférait ne pas penser à ce que c'était. Elle se les laverait quinze fois s'il le fallait.

— Je dois avoir la tête d'une femme qui a été renversée

par un train, un train qui aurait ensuite fait marche arrière pour revenir à la charge.

Il fit mine d'examiner son visage, puis haussa les épaules.

— Presque.

— Oh. Tu pourrais au moins faire preuve de compassion.

— Comment ? En te disant qu'il ne t'a renversée qu'une fois ?

— Peut-être aimes-tu le look grande blessée.

La lueur d'amusement qui dansait dans ses yeux disparut.

— Y a-t-il quelqu'un à contacter ? J'ai appelé mon père…

Elle se figea.

— Ton père ?

Elle tenta de refouler le feu qui lui envahit les joues.

— Je… je ne t'imaginais pas avec des parents.

— Ah bon, s'étonna-t-il.

— Je sais que c'est ridicule.

Mais quelque chose d'aussi normal que des parents ne collait pas avec son personnage de surhomme.

— Ma mère est depuis longtemps décédée, mais j'ai un père qui tient absolument à m'avoir au téléphone dès qu'il est question d'hôpital. Je me suis dit que tu avais peut-être le même genre de problème.

La réponse était simple.

— Non.

— Tu es nouvelle dans ton travail, d'accord. Ce n'est pas pour autant que tu n'as ni collègues, ni amis, ni famille.

Il s'éclaircit la gorge, puis poursuivit :

— Tu as fait allusion à un petit ami. Veux-tu que je le fasse venir ?

— Ex-petit ami, corrigea-t-elle. Et j'ai perdu mes parents il y a longtemps.

— Je suis navré.

Ils auraient l'occasion de parler de cela plus tard, aussi en vint-elle directement à son sujet.

— Etant donné que je repars à zéro et que je suis nouvelle dans mon job, tu es mon seul proche. Toi et moi sortons ensemble, tu te rappelles ?

Cette fois, il lui adressa le plus sexy des sourires.

— Ouaip. Mais je voulais être sûr que toi aussi. Souvent femme varie, a dit un roi de France. Elles se réveillent après une explosion, et voilà qu'elles veulent un nouveau compagnon. N'était-ce pas le sujet d'un film ?

Même avec la coupure au coin de sa bouche et le léger coquard à l'œil, il était l'homme le plus séduisant qu'elle eût jamais rencontré. O.K., peut-être n'était-elle pas objective, mais quand un mec se jette sur vous pour vous sauver la vie… Eh bien, existe-t-il quelque chose de plus sexy ?

— Que fait-on, maintenant ? lança-t-elle.

Quittant son siège, il s'assit face à elle sur le matelas. Celui-ci se creusa sous son poids, la poussant vers lui.

Il posa la main sur sa joue et, du pouce, lui caressa la lèvre inférieure.

— Je t'ai promis un baiser.

Elle le fixa. Traîtreusement, son cœur se remit à faire des cabrioles. Elle en perçut chaque coup, chaque battement fou dans ses veines.

— Tu n'es pas trop crevé ?

Sa bouche était à deux centimètres de la sienne.

— Pour ça ? Jamais.

Alors que son haleine lui chatouillait encore la joue, il s'empara de ses lèvres. Faisant fi des préliminaires, il alla droit au but. Sa bouche était chaude, sa langue, exigeante. Le baiser explosa, incendiant chaque parcelle de son être jusqu'aux extrémités de ses doigts et de ses orteils. Un étrange murmure prit naissance au fond d'elle, et tout son self-control l'abandonna tandis que sa nuque s'abandonnait à sa main.

Au moment où elle crut qu'il s'écartait, il revint en force.

Elle lança les bras autour de son cou. Il la serra davantage contre lui.

Tandis que leurs deux corps se collaient l'un à l'autre, leurs bouches se cherchaient, se fouillaient mutuellement. Le baiser se prolongea jusqu'à la suffocation, jusqu'à ce que leur instinct de survie réclame une pause.

Elle venait de décider de l'attirer avec elle sur le matelas, lorsqu'une voix féminine émit une annonce par le haut-parleur.

Il s'écarta et appuya son front contre le sien.

— N'était-ce pas plus fort cette fois ? Je te jure que c'était à nous qu'elle s'adressait. Pendant une seconde, j'ai cru être revenu au lycée.

Les épaules de Risa s'affaissèrent.

— Je commence à en avoir ma claque, des alarmes, des sirènes et de tout ce qui sort d'un haut-parleur.

— Peut-être, mais tu ne m'as toujours pas donné ton avis.

— A quel propos ? demanda-t-elle.

— Tu penses encore que l'anticipation est meilleure que le baiser lui-même ?

Il avait tenu promesse.

— J'étais idiote avec cette théorie. A présent, je sais.

— Disons qu'il te manquait juste un peu d'expérience.

Il piqua un chaste baiser sur ses lèvres, puis se renversa sur les coudes, laissant un air bienvenu circuler entre eux.

— Je dois dire que celui-ci m'a pris par surprise, confessa-t-il. Je m'attendais à quelque chose de sexy, mais j'ai eu droit également à une bonne dose de lubricité.

— C'est mal ?

— La lubricité ? Ce n'est jamais mal.

Le beau parleur.

— Imagine de quoi nous serons capables une fois sortis d'ici.

A peine eut-elle prononcé ces mots qu'elle les regretta. D'accord, il lui avait parlé d'un autre rendez-vous, mais elle avait de la mémoire : c'était le même Aaron McBain qui avait « omis » de l'appeler après leur dîner.

Un rendez-vous par pitié, c'était désolant en soi. Mais qu'il fût uniquement lié au fait qu'ils avaient survécu ensemble à des événements tragiques, ça ne l'emballait pas, mais alors pas du tout.

Elle se força à rire.

— Oublie ça.

— Certainement pas. Les tests de baisers ne sont pas terminés, et j'irai jusqu'au bout, crois-moi.

Elle lui jeta un regard latéral. Elle pouvait jouer les godiches ou attendre son prochain mouvement. Elle voulait appliquer tous les conseils prônés par les magazines féminins pour attraper un homme, conseils qui d'ordinaire la faisaient éclater de rire. Marrant, comme ils paraissent ridicules lorsqu'on vit une relation de couple, et pas si idiots que ça dans le cas contraire, songea-t-elle.

Mais une femme forte disait ce qu'elle voulait.

— D'un point de vue technique, tu me dois un rendez-vous.

— Ainsi que des excuses, et un certain nombre d'explications. Nous en parlerons. Je ne suis pas assez bête pour croire que tout est pardonné et oublié.

— J'allais y venir, renchérit-elle.

— Bon à savoir.

Il lui ôta un bout de papier coincé dans ses cheveux et le laissa tomber par terre.

— Mais avant de faire quoi que ce soit je vais t'embrasser de nouveau.

Il baissa sa tête vers la sienne, elle ne discuta pas.

14

Lowell observait son fils sur son lit d'hôpital. Endormi, le garçon ne pouvait créer aucun problème. Il semblait si calme, si paisible.

A le voir couché dans ces draps blancs, avec ces tubes qui lui sortaient du corps et ces machines qui bipaient autour de lui, un souvenir lui revint à la mémoire. Enfant, Brandon avait subi une opération.

Comme cette fois-là, ses cheveux noirs formaient à présent une auréole sur l'oreiller, et un cathéter diffusait un analgésique dans son bras.

Lowell n'assumait guère les tâches parentales. Dans sa conception du partage du travail, elles revenaient d'office à Sonya. Mais les événements médicaux les concernaient aussi bien l'un que l'autre. Si les bâtons que son fils lui mettait ces derniers temps dans les roues le rendaient furieux, sa place était là, à l'hôpital, quand bien même il n'avait pas de temps à perdre.

Sonya les avait rejoints, mais elle n'avait cessé de faire les cent pas dans la chambre et de gémir sur le terrible coma qui frappait leur fils, à tel point qu'il avait fini par l'envoyer chercher du café à la cafétéria. Il n'y avait qu'elle pour transformer un simple chevet auprès d'un patient en chapelle des lamentations.

Un traumatisme crânien, quelques fractures et un refus obstiné de se réveiller : après examens, les médecins avaient assuré que c'était normal et qu'il était prématuré de se faire du souci. A l'âge qu'avait Brandon, et avec sa santé, il n'y avait guère de raisons de s'inquiéter. Vu ce qu'il avait subi, c'était un coma de protection ordinaire généré par le corps.

Non que Lowell fût homme à s'inquiéter facilement.

— Comment va-t-il ?

Palmer venait d'entrer dans la pièce, un bras plâtré en écharpe et des pansements sur le visage.

— Nous attendons qu'il sorte de son coma.

Ils avaient eu de la chance, se réjouit Lowell. Mark, lui, était resté sur le carreau. Les officiers de police avaient évoqué d'autres victimes, mais il n'en avait pas encore eu la liste. Il avait répondu aux questions dans l'ambulance. Ils en avaient beaucoup, à commencer par la raison pour laquelle il n'était pas allé les trouver avec les lettres de menaces.

Qu'auraient-ils pu y faire ? D'un autre côté, McBain et son équipe n'avaient pas non plus été très efficaces. Peut-être Palmer avait-il eu raison d'affirmer que recruter des gens à l'extérieur avait été une erreur.

D'ores et déjà, il avait décidé d'une réunion le lendemain pour tirer au clair ce qui était arrivé. McBain avait certainement beaucoup à dire, et il n'était pas le seul. Quelqu'un avait déclenché cette opération hostile, et il se faisait fort de régler la question.

De l'autre côté du lit, Palmer considéra Brandon.

— Sa première préoccupation, c'était vous.

Lowell releva les yeux.

— Que voulez-vous dire ?

— Alors qu'il était blessé et au bord de l'évanouissement, il s'est enquis de vous. Une partie de la salle brûlait, tout s'effondrait autour de nous, et il était le seul à vous appeler. Pas Mlle Troutman. Pas même moi. Mais lui, Brandon.

— Il comptait sans doute me subtiliser mon portefeuille avant qu'un autre ne le fasse.

Un lourd silence accueillit sa réponse. Il dressa la tête.

— Eh bien, quoi ?

Palmer ouvrit la bouche comme pour dire quelque chose, mais se contenta de secouer la tête.

— Rien, monsieur.

— Vous pouvez parler librement. Vous n'aurez pas d'autre occasion, alors utilisez-la à bon escient.

Palmer hésita, puis se jeta à l'eau.

— Ce que j'essaie de vous dire, c'est que sa première réaction a été de s'inquiéter de vous. Je ne l'ai pas entendu parler d'argent, de business ou de quoi que ce soit. Il voulait juste vous retrouver, et a failli mourir en le faisant.

— Vous trouvez que je ne suis pas un bon père, c'est ça ?

Ce qui rétablissait l'équilibre, vu que Palmer n'était pas à ses yeux un bon chef de la sécurité.

La veille, son cocktail de fin d'année avait tourné à la catastrophe et coûté des vies humaines, vies pour lesquelles il serait sans doute poursuivi. Et il était bien décidé à trouver un responsable. Si ce devait être cet homme en face de lui, ce collaborateur qu'il avait depuis si longtemps à ses côtés, eh bien, tant pis !

Palmer eut un geste embarrassé de la main.

— Je suis navré. Ça ne me regarde pas.

— Vous avez l'air de penser que si.

Palmer sembla un instant sur le point de rendre les armes, mais s'obstina.

— C'est juste que durant quelques minutes, cette nuit, dans toute cette pagaille, j'ai vu Brandon tel qu'il allait devenir, et non plus l'adolescent capricieux et immature qu'il est.

Sujet sensible s'il en était, observa Lowell. Le seul enfant de Palmer, un fils, était mort en Irak. Déployé avec son unité dès la première semaine, il n'en était pas revenu. Palmer en avait développé une tendresse agaçante pour Brandon. Qu'une autre personne dorlote son fils était la dernière chose dont il avait besoin.

— C'est noté, Palmer.

Celui-ci rougit, mais eut le bon sens de ne pas insister.

— Oui, monsieur.

Il tourna les talons pour partir, mais Lowell l'arrêta.

— Je veux tout le monde demain au bureau. Vous, Aaron, Angie. Il est temps de mettre un terme à tout ça.

— C'est tout, monsieur ?
— Oui. Vous pouvez disposer.

Aaron referma la porte derrière eux.
— C'est bien, chez toi, lança Risa.
Immobile près du placard de l'entrée, elle avait l'air d'un chiot transplanté dans une nouvelle maison. Si elle demeurait plus longtemps dans cet état de stupeur, il serait obligé de la ramener à l'hôpital.
Etait-ce la peur ou le contrecoup de ces affreux événements ? Elle avait vu beaucoup de sang et de morts. Les médecins n'avaient pas diagnostiqué d'état de choc, mais celui-ci pouvait survenir à tout moment.
L'avoir ici, chez lui, aurait dû suffire. Depuis qu'à l'hôpital il avait refusé son propre lit pour rester à son chevet, elle avait été sa seule préoccupation. Mais il la voulait en bonne santé, détendue, et non terrifiée et prête à se cacher au moindre bruit.
Peut-être aurait-il dû insister pour qu'elle y passe une nouvelle nuit… Après qu'ils se seraient tous les deux reposés, et assurés que ce qui crépitait entre eux était davantage qu'une réaction à des moments de stress intense.
L'hôpital lui avait fait cadeau de sa blouse verte de patiente. Trop grande, informe, celle-ci pendait sur ses minces épaules, la faisant paraître frêle et vulnérable. Elle avait encore de la poussière sur la joue et des petits débris dans les cheveux. Comme lui, elle avait grand besoin d'une douche et de deux jours au lit pour récupérer de tout ce qu'ils avaient vécu.
S'il avait pu supporter d'être loin d'elle, il l'aurait déposée à son studio et laissée se reposer en toute quiétude. Mais cette idée lui nouait la gorge, et il s'était bien gardé de l'évoquer. Elle aussi, du reste.
— C'est un appartement basique. Rien d'extraordinaire.
Il s'y était installé après que sa fiancée avait décrété qu'il se porterait mieux sans elle. Pam ayant presque tout emporté de leur ancien logement, il s'était contenté du peu qu'elle lui avait laissé.
Promenant son regard autour de lui, il essaya de voir son

antre de célibataire avec les yeux de Risa. Moquette beige, murs beiges, canapé beige. En matière de décoration, il n'avait pas fait preuve d'imagination. Il n'y avait même pas de sapin de Noël ni rien qui évoquât les fêtes, simplement parce qu'il ne possédait rien.

Il existait d'autres façons d'utiliser son temps, et de plus agréables. Il aimait le mobilier confortable et appréciait le désordre étudié, mais c'était à peu près ses seules règles.

Un balcon agrémentait l'un des côtés du vaste séjour, sur lequel s'ouvrait une cuisine équipée. Un couloir permettait d'accéder à deux chambres jumelles. Hors de vue depuis le séjour, le salon était encombré de papiers et n'obéissait à aucune organisation particulière.

Il avait fait trois pas dans l'appartement lorsqu'il s'aperçut que Risa ne l'avait pas suivie. Il se retourna, s'apprêtant à la taquiner gentiment, mais se retint en voyant sa tête.

— Qu'est-ce qu'il y a ?

Elle battit plusieurs fois des paupières.

— Rien.

— Allons, ne me raconte pas d'histoires.

Sa mine bouleversée parlait pour elle.

Il n'avait aucune intention de lui sauter dessus, si c'était à cela qu'elle pensait. Bon sang, il n'était pas un animal. Il pouvait attendre. Pour le moment, il n'avait qu'un désir : être près d'elle. C'était un sentiment inédit, et il se refusait à trop l'analyser.

Risa détailla de nouveau l'appartement.

— Pour quelqu'un qui a perdu une maison, déclara-t-elle d'une voix douce, je peux te dire que rien n'est moins basique qu'avoir un endroit confortable, où l'on peut décompresser. Avoir un chez-soi est quelque chose de très important. Le perdre est dévastateur. Je ne le souhaite à personne. Mais ne fais pas attention, je suis un peu perturbée.

— Je comprends.

— Ce n'était pas un palace, mais j'y étais attachée. Etant casanière de nature, je ne me suis rendu compte de sa vraie valeur que lorsque je l'ai perdu.

Ce n'était pas la première fois qu'elle évoquait son passé. Elle avait déjà parlé d'un ex-petit ami. Et de mensonges. Ce qui les ramenait au sujet ô combien délicat de leur relation. A priori, il n'était pas le seul à avoir péché de ce côté-là.

— Que veux-tu dire par perdu ?

Il craignait la réponse.

Elle baissa les yeux.

— Nous aurons l'occasion d'en discuter plus tard.

Mais certaines choses avaient besoin d'être dites. Et puis, il voulait en apprendre le plus possible sur elle. Tout savoir, bien ou mal. Et s'il s'avérait que quelqu'un la faisait souffrir, il s'empresserait d'y mettre bon ordre.

— Je suis assez réveillé pour t'écouter, tu sais.

En réalité, il tombait de sommeil.

— D'accord. Une fois que nous en aurons terminé avec moi, ce sera ton tour. Mais tu veux vraiment mettre le nez dans mon passé ?

— Non.

Son intérêt pour le sujet était retombé comme un soufflé, au profit d'une certaine appréhension. Quand une femme est prête à fournir des informations sur les aléas de sa vie sentimentale, le mâle en sort rarement grandi.

Elle se décida enfin à bouger. Elle s'avança dans la pièce, et ne s'arrêta qu'une fois devant lui.

— Pourquoi continuons-nous à parler, dans ce cas ? lança-t-elle.

Entendre ces mots accéléra brutalement son rythme cardiaque. Il fouilla ses grands yeux sombres, étudia son émouvant visage. Elle dégageait une telle douceur, une telle tendresse… Aux antipodes de ce qu'il brûlait d'envie de lui faire.

Il n'existait qu'une seule réponse. Reculer.

Au lieu de cela, il posa les mains sur ses épaules, laissant le contact tiède de sa peau aiguillonner son désir.

— J'ai commis beaucoup d'erreurs avec toi, Risa. Mais j'essaie de toutes mes forces de ne pas en commettre d'autres.

— C'est gentil.

Cette fois, elle le toucha. Elle glissa les bras autour de son cou, et il dut réciter l'alphabet pour s'empêcher de l'attirer à lui et couvrir de baisers la chair meurtrie de son ventre.

— Très gentil… reprit-elle.

Seigneur. Se rendait-elle compte de ce qu'elle faisait ?

Elle se mit à lui caresser le torse, puis à descendre plus bas… Et il la stoppa en s'emparant de ses mains. Si elle continuait ainsi, ils ne parleraient plus du tout.

— Je me sens tout sauf gentil, en cet instant précis.

Elle releva la tête, l'air triste. Une tristesse poignante. Il ne savait absolument pas ce qu'elle signifiait, et cela le perturbait. Jusqu'à ce qu'elle parle.

— Je te propose un marché.

Sa main effleurait à présent la ceinture de son pantalon.

— Plus tard cette nuit, ou demain, nous nous pencherons sur nos biographies respectives et verrons pourquoi nous sommes aujourd'hui ce que nous sommes…

Si elle voulait tuer dans l'œuf les promesses de ses doigts, c'était gagné.

— Puis-je voter pour l'annulation pure et simple de cette partie-là ?

— Pour le moment, poursuivit-elle, imperturbable, je crois qu'il faut savourer le bonheur d'avoir survécu aux événements de cette nuit, d'avoir fait un bond en avant dans notre relation, et oublier le reste.

Il ne sut quoi répondre. Le désir hurlait littéralement dans ses veines. Il n'avait jamais connu un tel appel de sa libido auparavant.

Puisque l'option chevaleresque ne lui réussissait pas, il opta pour la franchise.

— Ecoute, je suis en train de me faire violence pour ne pas t'emmener dans ma chambre. Je… je ne voudrais pas que tu aies des regrets.

— Des regrets ? Je n'imagine pas pouvoir détester une chose que j'aurais faite avec toi.

— Je suis très touché. Mais je me demande si cela n'accentue pas la pression plus que de raison.

— Au risque de paraître trop directe, répliqua-t-elle en

descendant dangereusement sa main, je te suis acquise, Aaron. A toi, et personne d'autre.

— Si tu essaies de réduire en bouillie ma maîtrise de moi-même, continue à parler de la sorte.

— Je pourrais trouver une façon plus flatteuse pour moi de le dire, et qui paraisse moins désespérée, parce que désespérée je ne le suis pas, mais j'ai pensé qu'après ce que nous venons de vivre il était peut-être bon de jouer cartes sur table. Il y a forcément un enseignement à tirer de ces émotions fortes.

— Forcément.

— Alors laissons tomber les politesses et faisons ce que nous désirons tous les deux. Tu as mon respect. Tu l'as gagné, et mes sentiments ne vont pas s'envoler subitement.

Le dernier fil qui le reliait à sa volonté cassa.

— Dans ce cas, que faisons-nous encore à parler ?

15

Angie plongea dans l'ombre du bâtiment de briques. Le vent froid tournoyait, traversant son manteau de flanelle et la pénétrant jusqu'aux os.

Humide et glaciale, c'était le genre de nuit où une personne sensée reste calfeutrée chez elle pour n'en sortir qu'au printemps.

La neige tombait par vagues. Les flocons étaient assez gros pour recouvrir le sol et lui obscurcir la vue.

Après tout ce qui était arrivé cette nuit, elle aurait dû être confortablement installée chez elle, un verre à la main, remerciant le Ciel de n'avoir pas pris le siège choisi par Mark dans la petite salle de conférences. En dehors de ses pauvres tentatives de drague et de sa situation financière, qu'elle avait épluchée, elle le connaissait à peine. A présent, il était mort. Tué lors d'un cocktail de fin d'année où personne ne voulait se rendre, mais dont elle avait absolument tenu à ce qu'il se fasse.

Fallait-il qualifier l'enchaînement des faits d'ironique ou de tragique ? En tout cas, elle ne regarderait plus jamais un sapin de Noël de la même façon. Avoir vu celui-là à moitié brûlé, écrasé par sa chute, lui donnait envie de jeter aux ordures le faux qu'elle avait acheté pour égayer sa salle à manger.

C'était sans doute aussi la dernière fois qu'elle insistait pour que soit organisée une réception d'entreprise. A la liste des éléments qui avaient gâché sa fête — querelles internes, récriminations, coût — elle devait maintenant ajouter le fait d'avoir failli perdre la vie dans l'explosion.

*
* *

Elle aurait pu passer la soirée à pleurer et à se demander comment les choses se seraient déroulées, si… Mais elle devait agir. Les heures passées à imaginer le scénario du pire n'étaient rien à côté de devoir trouver une solution au chaos qu'elle avait elle-même engendré.

C'était la seule raison pour laquelle elle se trouvait devant chez Aaron à plus de 3 heures du matin. Elle avait quitté le poste de police après un interminable et fastidieux interrogatoire, et laissé son chauffeur de taxi rouler au hasard durant près de vingt minutes. Les clés de son appartement n'avaient pas quitté son sac.

Ce n'était pas du tout ainsi qu'elle avait envisagé sa soirée. Si le cocktail s'était déroulé selon son plan, elle aurait dû être avec Lowell, dans un hôtel cinq étoiles, appelant le service de chambres. C'était censé être leur nuit. Quant à la présence de Sonya, Lowell avait parié qu'elle se plaindrait d'une migraine et partirait tôt. C'était ainsi que sa femme fonctionnait. Il lui faisait faire quelque chose qu'elle détestait, et elle le punissait en se gavant de médicaments.

Angie réprima un soupir. En définitive, elle se retrouvait seule, sans Lowell.

Elle avait espéré un appel de sa part, mais celui-ci n'était jamais venu. Oh ! elle lui avait trouvé des excuses au début. Brandon avait besoin de lui. Lowell avait des priorités, comme celle d'offrir au public l'image d'une famille unie. Cela lui avait fait mal, mais elle comprenait. Après tout, elle n'était qu'une pièce rapportée dans sa vie.

Elle aurait pourtant apprécié un peu de considération. Ils couchaient ensemble depuis plus d'un an. Quand il avait besoin de se plaindre du comportement de Brandon ou de la folie de Sonya, c'était vers elle qu'il se tournait. Quand il devait virer un employé, c'était à elle que revenait la corvée. Mais lorsqu'un immeuble lui tombait sur la tête, elle redevenait la cinquième roue du carrosse.

Un coup de fil à l'hôpital lui avait appris qu'il était rentré chez lui. Sans l'avertir. Pas même un texto ni une note pour lui demander si elle avait besoin de lui. Il l'avait laissée tomber, comme les deux dernières femmes de sa vie.

Et ces insinuations dans la salle de conférences. Son regard, lorsqu'il avait exigé de savoir qui était coupable de cet attentat.

Il savait.

Elle devait couper court à toute tentative de lui faire porter le chapeau. Pour cela, elle ne voyait qu'une personne à qui s'adresser, et elle se trouvait là-haut, dans cet appartement où la lumière brillait encore.

Elle avait l'adresse d'Aaron, car le rapport d'enquête de son agence de sécurité la mentionnait. Mais découvrir l'immeuble où il résidait avait constitué une surprise. S'il demandait cher pour ses services, il habitait dans un endroit des plus modestes.

Ce qui en disait long sur son caractère. Angie soupira : elle n'avait jamais compris cela. Pour elle, la noblesse de cœur et l'esprit de sacrifice ne faisaient que gâcher une vie qui sans cela serait merveilleuse. Avec tout ce qu'il y avait à acheter, à voir et à faire, pourquoi se contenter d'une existence banale de gagne-petit ?

Relevant son col pour se protéger du vent, elle descendit sur la chaussée pour traverser la rue, déserte à cette heure. Elle ne savait pas encore ce qu'elle allait faire, mais elle devait se le rallier… par quelque moyen que ce soit.

Elle était à mi-chemin lorsque les silhouettes de deux hommes débouchèrent de l'allée voisine. Ils regardaient droit devant eux, vers le hall où elle-même se dirigeait.

Quelque chose dans la démarche de celui de droite lui parut familier. La lourdeur du pas, et une légère claudication. Lorsqu'il se tourna vers son voisin pour lui parler, elle distingua ses traits malgré la distance. Elle le connaissait. Elle avait passé plusieurs heures enfermée dans la même pièce que lui.

Il était sous ses yeux quand Palmer avait tâté son pouls.

Max.

C'était impossible. Il était mort dans cette salle de conférences, et l'ambulance avait emporté son corps… Ou n'avait-elle emporté que celui de Mark ? Elle n'aurait su le dire, tant ces minutes étaient confuses dans sa mémoire.

En tout cas, si quelqu'un était moins en droit qu'elle de se trouver près du domicile d'Aaron, c'était Max. Sauf s'il travaillait pour lui.

Son cerveau passa à la vitesse supérieure, tandis que Max semblait bricoler quelque chose au niveau de la porte. Celle-ci s'ouvrit, et son compagnon et lui disparurent à l'intérieur.

Elle accéléra le pas et atteignit le bâtiment. Par la vitre de l'entrée, elle vit les deux hommes passer devant l'ascenseur. Elle recula et se plaqua contre le mur, tâchant de rassembler ses pensées.

Cette fois, son timing était parfait. Elle aurait pu grimper à l'étage, et se retrouvée piégée à l'endroit même où se trouvait la seule personne qui avait plus à perdre qu'elle-même concernant les événements de la nuit.

Ses crampes d'estomac s'atténuèrent. C'était comme si une lumière magique pénétrait en elle et éliminait sa panique et son désespoir.

Max travaillait pour Aaron. Aaron était le cerveau de toute l'opération. Il n'y avait pas d'autre explication. Elle avait désormais un nouvel angle à partir duquel travailler. Et un moyen de survivre au scandale.

Tout mettre sur le dos d'Aaron.

Risa avait absolument tenu à prendre une douche, et le jet d'eau chaude l'avait réveillée. Sa peau la chatouillait, et grâce à quelques comprimés sa plaie à la taille ne provoquait plus que des picotements. Elle éprouvait un grand besoin d'y appliquer la crème fournie par l'hôpital, mais comme son parfum n'avait rien de sexy elle laissa de côté le tube qu'Aaron était allé chercher pour elle.

Ses orteils s'enfonçaient dans l'épaisse moquette tandis qu'elle contournait le lit extra-large, attendant qu'Aaron sorte à son tour de la douche. Ils auraient pu la prendre ensemble, mais elle avait voulu se décrasser de la tête aux pieds avant qu'il ne la touche.

Son doigt était bleui par la ceinture de son peignoir, qu'elle entortillait dessus.

Mais non, elle n'était pas nerveuse.

— Risa ?

Elle pivota si vite sur elle-même qu'elle en perdit l'équilibre. Lançant le bras pour faire contrepoids, elle parvint *in extremis* à ne pas s'étaler sur le matelas, mais s'y laissa finalement choir.

Le voir vêtu en tout et pour tout d'une serviette blanche autour des reins y était peut-être pour quelque chose. Dénudées, ses épaules semblaient encore plus larges. Et la manière dont son torse plongeait vers des abdominaux en plaque de chocolat lui donnait des soubresauts à l'estomac.

Pas surprenant qu'il fût aussi à l'aise dans la course que dans le tir. Chaque centimètre carré de son corps était parfait. Parfait et létal.

Sa gorge se dessécha.

— Est-ce que ça va ? s'enquit-il.

Sa voix rauque fit courir des petits frissons sous sa peau, et ses joues s'enflammèrent. Elle inspira plusieurs fois pour les rafraîchir, mais sans résultat notable.

— D'habitude, je suis plus gracieuse.

C'était faux, mais il aurait peut-être l'occasion de s'en rendre compte à leur dixième rendez-vous.

Il lui présenta le tube de pommade.

— Je voulais parler de tes écorchures.

Ses tripes refusaient de se détendre.

— Oh. Eh bien ?

— Il faut que tu y mettes ça.

Mouais. Et il ne lui resterait plus qu'à enfiler des collants de laine pour être tout à fait irrésistible.

— Je peux m'en passer, protesta-t-elle.

— Non. Allonge-toi.

Elle haussa les sourcils. Il éclata de rire.

— Pas très délicat, je sais. Mais les soins médicaux passent avant le plaisir.

— On peut changer l'ordre des priorités. Je me ferai un plaisir d'en établir une liste avec description détaillée.

— Tu veux que je m'évanouisse ?

Elle fit mine de réfléchir.

— Hmm, défaillir ne figure pas sur ma liste.

Il secoua la tête.

— C'est vrai, j'oubliais. Les femmes défaillent.

— Ah bon ? Et que font les hommes ?

— Ils s'effondrent.

— Je vérifierai.

Et elle le ferait. Parce qu'il lui racontait certainement des bobards.

— Après, souffla-t-il.

Posant les mains sur ses épaules, il l'étendit sur le lit, puis déposa une noisette de crème sur son doigt.

— Tu vérifieras quand j'en aurai fini.

Elle se laissa faire. S'il existait des jeux Olympiques du ridicule, elle serait médaille d'or, songea-t-elle.

Sans prévenir, il embrassa un point particulièrement sensible de son cou. Elle inclina la tête en arrière. Ses lèvres se mirent à voyager, et il parsema sa clavicule de baisers, tout en défaisant la ceinture de son peignoir.

Lorsqu'elle fut totalement allongée, il s'installa auprès d'elle sur le matelas. Sa bouche glissa vers la tendre dépression entre ses seins, et sa main vers son ventre. La douceur de ses caresses lui fit oublier qu'il s'agissait d'abord et avant tout d'une intervention médicale. Elle n'était plus capable de penser, sauf à ce qui allait suivre. Elle mourait d'envie de faire l'amour avec lui.

Elle déploya les mains sur son dos, tandis qu'il passait ses doigts enduits de crème sur la chair à vif de sa blessure. La douleur s'atténuait petit à petit. Lorsque sa bouche revint s'emparer de la sienne, il pouvait bien lui couvrir tout le corps de cette pommade, elle s'en fichait.

Le sien était chaud et ferme. L'énergie bourdonnait entre eux, et elle se perdit bientôt dans le vertige sensuel de ce que lui faisaient ses mains et sa langue.

Il releva la tête.

— Tout ce que je veux, c'est que tu te sentes mieux.

— Alors continue comme ça.

Délaissant ses lèvres, sa bouche descendit explorer ce que révélaient les pans écartés de son peignoir. Les seins, d'abord, qu'il taquina l'un après l'autre, puis plus bas, toujours plus bas, et elle dut se faire violence pour ne pas se jeter sur lui et le supplier de la prendre là, tout de suite.

Elle baissa les yeux sur ses doigts, qui appliquaient la crème par petits cercles, tandis que ses lèvres mettaient le feu au reste de son anatomie. La conjugaison de ses gestes délicats et de l'avidité de sa bouche formait un cocktail érotique en diable.

Lorsqu'il laissa tomber le tube par terre, elle le repoussa d'une main sur le torse, et le regarda bien en face.

— Merci, Aaron.

— Attends, ce n'est pas fini, rétorqua-t-il.

Ses cuisses chevauchèrent ses hanches étroites. Son impressionnante érection s'appuyait sur son pubis, contre sa vulve, la taquinant et les préparant tous les deux à ce qui allait suivre.

Il tendit le bras et attrapa un préservatif sur la table de chevet. Toute trace d'épuisement avait quitté son visage. Ses yeux brillaient de désir, et ses mains parcouraient ses bras, ses seins, ses fesses, comme animées d'une vie propre…

— Je ne veux pas que ce soit fini, chuchota-t-elle.

Elle l'embrassa sur le menton. Il releva légèrement la tête. Elle fit de même sur le cou.

— Je veux brûler tout entière… Pour toi.

Elle souda alors sa bouche à la sienne, et son corps s'embrasa. Le tissu-éponge de la serviette frotta sur sa taille lorsque son peignoir glissa. Chaque parcelle de sa peau prit feu sous ses mains expertes. Les extrémités de ses doigts la soumirent à la plus délicieuse des tortures lorsqu'il se mit à jouer avec la perle si sensible de son sexe.

Plaquant les mains sur ses fesses, il l'attira à lui et la pénétra enfin. Un cri faillit lui échapper tandis que, tendue à l'extrême, sa virilité brûlante l'investissait jusqu'à la garde. Sa tête tomba en avant. Son souffle s'accéléra.

Elle voulait parler, prononcer son nom, mais l'instinct fut

le plus fort : son corps se mit à bouger, lentement d'abord, jusqu'à ce qu'il impose son rythme et que ses muscles internes se contractent pour l'accompagner dans leur union.

Puis elle ne fut plus capable de penser.

16

Une heure plus tard, Aaron ne parvenait toujours pas à dormir. Les scénarios, plus contradictoires les uns que les autres, se bousculaient dans son esprit. Il avait mis à plat toutes les pièces du puzzle Elan et ne parvenait toujours pas à obtenir un schéma d'ensemble cohérent.

Lorsqu'elles n'étaient pas accaparées par les stratégies et les complots, ses pensées le ramenaient invariablement à Risa. A la douceur de sa peau, la magie de ses mains…

Si ce bouillonnement dans son travail et dans sa vie privée se prolongeait, il risquait de ne plus beaucoup dormir avant longtemps.

Tandis que l'un de ses bras était replié sous sa nuque, l'autre enlaçait Risa, blottie nue contre lui. La caresse de sa respiration taquinait sa peau encore hypersensible. Il n'aurait aucun mal à s'habituer à cela.

Elle avait été aussi libre et généreuse au lit qu'il l'avait imaginé. De sa bouche et de ses mains, elle l'avait vidé de son énergie, pour la lui restituer au centuple. Elle l'avait enveloppé jusqu'à ce que tout ce qu'il avait été à même d'éprouver, de voir ou de sentir, ce soit elle et seulement elle.

Les heures de violence qui avaient précédé leurs ébats n'avaient pas atténué son désir d'un iota. A dire vrai, dès qu'elle était entrée chez lui, dans la sécurité de son appartement, il n'avait plus eu qu'une idée en tête : lui arracher ses vêtements et la prendre.

Ce n'était sans doute ni très noble ni très héroïque, mais elle ne s'était pas plainte lorsqu'il était passé à l'acte.

Lui non plus. Leurs étreintes avaient détendu ses muscles et comblé un besoin qui fermentait en lui depuis beaucoup plus longtemps qu'il n'osait s'en souvenir. Il songea aux raisons pour lesquelles il n'avait pas tenu sa promesse de la rappeler après leur rendez-vous au restaurant, une semaine plus tôt.

Il avait de bonnes excuses. Les exigences de son métier, le contrat avec Craft Industries. Mais en réalité, dès qu'il était avec elle, comme en cet instant, il avait les plus grandes difficultés à s'imaginer ailleurs.

La dernière fois qu'il avait pris ce chemin-là, il avait fini seul, regardant le canapé qu'il possédait depuis des années être chargé dans le fourgon de déménagement de son ex. Un événement qu'il n'avait pas particulièrement envie de revivre.

— Tu ne dors pas ?

Vibrant contre son torse, la voix de Risa balaya sur-le-champ le souvenir de Pam et de l'échec lamentable de leur relation. Elle effaça presque les questions qui le taraudaient sur ce qui s'était passé au Centre de conférences. Presque.

— Encore tendu, je suppose. Pas facile d'arrêter la pompe à adrénaline une fois qu'elle est lancée.

Et, pour son esprit, ça l'était encore moins.

— En ce qui me concerne, je pourrais dormir un mois entier, répondit-elle entre reniflement et grognement.

— Je veux bien rester au lit avec toi, si c'est ce que tu proposes.

Il glissa la main vers le bas de son dos et la peau douce qu'il avait tant de fois embrassée une heure plus tôt.

— Ou ai-je mal interprété tes paroles ? poursuivit-il.

— En une heure, tu m'as vidée de mes dernières forces. Si je reste ici, il me faudra une assistance médicale.

Se redressant sur un coude, elle baissa les yeux, et de son index dessina des cercles autour de son téton.

Même dans le noir, il la vit sourire. Bavarder ainsi avec elle, voir son visage s'éclairer atténuait les piques sournoises de sa frustration.

— Exactement ce qu'un homme aime entendre.

— Alors tu devrais bondir de joie, répliqua-t-elle en posant un baiser sur sa poitrine.

— Si nous continuons comme ça, il nous faudra d'autres préservatifs.

— Demain…

Elle se lova contre lui, ses cheveux glissant sur sa peau. Il y plongea les doigts et joua avec les mèches dont les pointes étaient encore humides de sa douche.

— Je te prendrai au mot, sois-en sûre.

— Sommes-nous d'accord sur le fait que cette soirée était le pire cocktail de Noël de toute l'histoire de l'humanité ?

Il se mit à rire jusqu'à ce que ses zygomatiques lui fassent mal. Elle dut lui pincer le biceps pour qu'il parvienne à retrouver sa concentration.

— Tu comptes toujours organiser le tien là-bas ? reprit-il.

Levant une jambe derrière elle, elle se dérouilla la cheville par des mouvements circulaires du pied. La voir faire cela raviva la douleur dans son genou.

— Comme le Centre Elan est à présent à ciel ouvert, j'en doute fort !

Cette fois, c'est elle qui ne put s'empêcher de rire, et il sentit son corps vibrer contre lui.

— Désolé.

— Pourquoi donc ? Ce n'est pas toi qui as fait entrer ces malfrats, ni provoqué tous ces incidents, sans parler de la bombe.

Son pied s'immobilisa.

— Nous ne savons toujours pas qui l'a posée, n'est-ce pas ?

— Non, répondit-il. Le capitaine des pompiers doit encore faire son enquête. Les composants étaient rudimentaires et mal cachés, aussi je pense qu'elle sera vite bouclée.

— Ce sera également bon pour Elan.

— Je doute que les propriétaires voient les choses du même œil, mais ils veulent une remise en état rapide, ce qui nécessite une enquête pointilleuse et le remboursement des assurances.

Elle laissa retomber sa jambe.

— Du nouveau, pour le fils de Craft et pour Royal ?

Il se redressa et saisit son portable sur la table de chevet. Il avait déjà lu le texto une heure plus tôt, mais il voulait revérifier. Très préoccupé par l'état de son ami et assistant, il n'avait cessé de harceler Gail pour s'en informer, jusqu'à ce que celle-ci lui ordonne gentiment d'aller se coucher.

— Dans son dernier compte rendu, Gail dit que Brandon ne réagit toujours pas aux stimuli mais que les médecins sont confiants. Quant à Royal, il peste contre son immobilisation, exige de rentrer chez lui et veut reprendre le travail dès demain.

— Voilà au moins une information positive.

La meilleure, sans doute. Aaron appréciait un peu plus Royal à chaque mission.

Risa bâilla. Il ferma les yeux en priant pour que le sommeil vienne enfin. Sa voix cassée les lui fit rouvrir.

— Parle-moi de leur mariage.

Il tourna vers lui le réveil. Non, les chiffres devaient se tromper… Les heures avaient défilé sans pitié, et ses paupières refusaient de se fermer. C'était comme un pied-de-nez de l'espace-temps.

— Quoi, maintenant ?

— Parler t'aidera à t'endormir.

Il était pour le moins dubitatif mais, comme il adorait cette intimité, il ne protesta pas.

— Ils se sont mariés à l'âge de dix-neuf ans. Un jour, il m'a confié qu'ils se seraient volontiers passé la bague au doigt dès la fin du lycée, mais qu'ils craignaient que les gens pensent qu'ils y étaient, euh, obligés.

Risa partit dans une nouvelle crise de rire qui lui secoua les épaules.

— Quel scandale !

— Apparemment, dans le milieu d'où il venait, une telle chose était mal vue.

Il revint se coller contre elle.

— Il s'est engagé à l'armée, en est sorti, et s'est acoquiné avec moi. Pour l'essentiel, il est content de la vie qu'il a choisie.

— Je te sens un peu sceptique.

— Bah, ça lui convient. Une épouse et des gosses, ce n'est pas vraiment ma tasse de thé.

Il s'était si souvent répété ce refrain que ces mots lui étaient venus de façon automatique, sans même qu'il y réfléchisse.

— Tu es contre le mariage ?

Lui qui s'était juré de ne plus jamais avoir cette conversation...

— Mon père aimerait certainement avoir des petits-enfants, mais j'ai voulu me marier une fois, et les choses n'ont pas dépassé le stade des fiançailles. Elle est partie.

Risa fronça les sourcils.

— Et puis ?

Il se figea.

— Quoi, et puis ?

— Une femme t'a brisé le cœur, et tu as juré de ne plus jamais tomber amoureux ?

Elle ne pouvait pas tomber plus juste.

— Je trouve que tu fais beaucoup de bruit, tout à coup.

— Ça ressemble aux paroles d'une mauvaise chanson country : « Une femme m'a brisé le cœur... »

Il manqua d'éclater de rire.

— J'attendais davantage de commisération de ta part.

Elle leva la tête et planta son regard dans le sien. Dans l'obscurité, ses prunelles semblaient le transpercer.

— Mon ex m'a piqué tout mon argent et une bonne partie de ma fierté, expliqua-t-elle. Il a ruiné mon crédit et, lorsque lui-même s'est retrouvé à la rue, j'étais au fond du gouffre.

Son amusement retomba aussitôt. Songer à Risa avec un minable de cet acabit lui donnait envie de passer ses nerfs sur quelqu'un.

— Les mensonges, c'était lui ?

— Oui, et tu ne m'entends pas maudire toute la gent masculine pour autant. Je pense que cette nuit nous avons appris que la vie est trop courte et pleine de dangers pour la gâcher par des pensées constamment négatives.

Il ignora le sermon et poursuivit sur sa lancée.

— Où est-il ?

— Aucune idée. Et il est hermétique à toute leçon de morale, alors laisse tomber.

Elle regarda par la fenêtre et demeura comme hypnotisée par le spectacle de la neige tourbillonnant dans la lumière des lampadaires.

Lui avait d'autres idées en tête.

— Je peux toujours le retrouver et lui casser la figure.

— C'est gentil de le proposer, mais non.

Elle glissa la main sur ses pectoraux, puis les embrassa.

— Et, de toi à moi, je préférerais que tu reconnaisses que toutes les femmes ne sont pas des mouchoirs jetables.

— Je n'ai jamais dit cela.

— Tu en es sûr ?

— Evidemment, je ne suis pas idiot. Et puis ce n'est pas ce que je crois. Vous n'êtes pas interchangeables, si tant est que ce soit le mot que vous utilisez.

Il fouilla son esprit à la recherche d'une femme contre laquelle il aurait pu l'échanger, mais tout son être se rebella à cette idée. Cela lui était impossible.

— Mais tu aimes les relations superficielles.

Il la fixa du regard et une sirène d'alarme se déclencha sous son crâne. Rien de bon ne pouvait sortir de cette tournure de la conversation.

— Comment en sommes-nous venus à discuter de ça ?

— De quoi d'autre aimerais-tu parler ?

Elle souleva légèrement le buste et se figea soudain.

— N'a-t-on pas frappé ? A cette heure-ci ?

Avant qu'elle n'ait fini sa question, il avait bondi du lit et se dirigeait vers la porte.

— Tu devrais mettre un pantalon, lui lança-t-elle.

— Bonne idée. Il vaut mieux dissimuler mon arme.

— Euh, ce n'est pas tout à fait à cela que je pensais.

Il se retourna et pointa le doigt sur elle.

— Va dans la salle de bains et n'en sors pas. Prends le portable avec toi, au cas où il faudrait appeler le 911.

— Il s'agit peut-être d'autre chose.

— J'en doute fort.

17

A peine Aaron eut-il quitté la chambre que Risa sauta du lit, fouilla la pièce du regard puis se dirigea vers la commode. Elle ouvrit le premier tiroir, puis le second, fourragea dans les piles de vêtements et trouva exactement ce qu'elle cherchait.

Après avoir récupéré et enfilé sa culotte, elle se glissa dans le caleçon emprunté. Vu qu'il avait tendance à lui tomber sur les hanches, elle roula la ceinture sur elle-même pour le faire tenir. Un ample sweat-shirt ramassé par terre et le petit pistolet, qu'il avait glissé dans le tiroir de la table de chevet, complétèrent sa tenue.

Elle coinça le portable à côté de l'arme sous la bande élastique de son slip, puis se faufila dans le couloir pour voir ce que faisait Aaron. La lampe d'ambiance près de la télé diffusait une douce lumière dans le séjour.

Quelqu'un cognait à la porte avec insistance, tout en pressant la sonnette.

Non seulement ce n'était pas une heure pour une visite mais, en faisant autant de bruit, la personne devait s'attendre à ce que des voisins appellent la police.

Pour le moment, il ne se passait rien. Aaron se tenait à côté de la porte d'entrée, uniquement vêtu d'un jean.

— Qu'est-ce que vous voulez ? s'enquit-il. Ça ne peut pas attendre demain ?

La colère vibrait dans sa voix. Elle ignorait ce qu'il avait vu par le judas, mais tant sa posture que la raideur de son dos exprimaient la méfiance. Cela n'augurait rien de bon…

Elle n'entendit pas la réponse du visiteur, mais elle devait l'avoir satisfait car il déverrouilla la porte et l'ouvrit.

Un type entra et elle le reconnut pour l'avoir aperçu à l'immeuble Elan. C'était probablement un des hommes d'Aaron.

Elle s'avança jusqu'au milieu du couloir. Aaron n'avait toujours pas baissé son arme. Mais il était trop tard pour faire demi-tour.

Brun, âgé d'une bonne trentaine d'années, l'homme avait la même allure dangereuse qu'Aaron, à cette différence près qu'il était, lui, habillé. Et, à en juger par le bombement de son torse, il portait un gilet pare-balles. Comme s'il avait senti sa présence derrière lui, le visiteur se retourna et la salua de la tête.

— Madame.

Aaron la gratifia d'un bref regard, mais son expression furieuse lui dit tout ce qu'elle avait besoin de savoir. Ce type n'était pas un ami.

— Retourne dans la chambre.

Le type leva la main.

— Attendez. Cela la concerne également. Elle était au Centre Elan.

Elle passa mentalement en revue tout ce qui s'était produit là-bas, mais ne parvint pas à le situer.

La fin de la nuit avait été un méli-mélo inextricable de personnels de secours se croisant parmi les débris hétéroclites de l'explosion. Des gens du Centre de conférences lui-même, d'autres de Craft Industries, des urgentistes, des pompiers, des policiers… Après quelques secondes, tous les visages se brouillèrent en une masse indistincte, à l'exception de ceux de Royal et d'Aaron.

Elle abandonna, et posa directement sa question.

— Qui êtes-vous ?

Du plat de la main, Aaron referma le battant de la porte derrière lui. Son arme levée, il fit entrer l'individu dans le séjour.

— C'est Max. Il travaille pour Palmer, le chef de la sécurité de Craft.

Risa regarda de nouveau le dénommé Max et le nom fit tilt dans sa tête.

— Quelqu'un a dit que vous étiez mort.

— Comme vous le voyez, ce n'est pas le cas.

Aaron le contourna pour se placer devant lui.

— Pourquoi êtes-vous ici ?

Max sourit et désigna le pistolet d'Aaron du menton.

— Allez-vous baisser ça ?

— Non.

Son sourire disparut aussi vite qu'il était apparu. Il carra les épaules, puis écarta légèrement les jambes.

— J'ai des renseignements dont vous avez besoin pour l'enquête.

— Apportez-les à mon bureau demain. Cette visite nocturne est inacceptable.

— Il s'agit d'une urgence.

— Je crois que nous en avons eu notre lot pour aujourd'hui.

Au ton d'Aaron, Risa rebroussa chemin et ne s'arrêta que lorsque ses chevilles touchèrent le fauteuil près de la porte vitrée du balcon. Elle regretta de ne pas avoir mis au moins un pantalon et un soutien-gorge. Sa tenue lui donnait un sentiment de vulnérabilité, plus que la présence du malfrat.

— Qu'y a-t-il de si important que vous ayez besoin de venir ici à cette heure ?

Si Aaron avait posé sa question de façon anodine, la façon dont il tenait son arme ne l'était pas.

Max glissa la main sous sa veste.

— Pourrions-nous…

— Ne bougez pas !

— Vous n'êtes pas très reconnaissant.

— J'essaie de comprendre comment vous savez où j'habite.

Max haussa les épaules.

— Craft a demandé à Palmer de se renseigner. J'ai regardé dans le dossier. C'est aussi simple que ça.

— Quel esprit d'initiative.

Pendant que les deux hommes se mesuraient du regard, Risa s'assit à demi sur l'accoudoir du siège. Le pistolet lui taquina les reins, et le portable se déplaça sous la bande élastique de sa culotte.

Après un moment de silence tendu, Max soupira.

— La personne derrière tout cela, la tentative de kidnapping, les menaces, la bombe… C'est Brandon.

Risa haussa un sourcil. Si sa mémoire était bonne, Brandon était le plus gravement blessé par l'explosion. Donc, s'il était le chef de l'opération, il n'était pas très compétent… C'était d'ailleurs l'argument qu'Aaron avait avancé quelques heures plus tôt.

Il ne semblait donc nullement impressionné par cette pseudo-révélation.

— Allez le dire à la police.

— Personne ne me croira.

— Et moi, pourquoi le devrais-je ?

— Je suis ici pour vous aider, répondit Max en secouant la tête.

Puis il risqua de nouveau une main vers sa poche intérieure :

— Laissez-moi vous montrer…

Aaron s'avança aussitôt d'un pas.

— J'ai dit : ne bougez pas.

Max fit la moue.

— Alors nous ferons cela autrement.

La porte vitrée du balcon explosa derrière eux. Les éclats de verre tombèrent sur le sol, et l'air hivernal s'engouffra dans l'appartement. Surprise par l'irréalité de la scène, Risa bondit sur ses pieds, se figeant net.

Un deuxième homme sauta dans la pièce et marcha vers elle. Il tenait un revolver et avait des mains énormes, qu'il tendit vers son cou.

— Risa, attention ! lui cria Aaron.

Elle se baissa tout en pivotant sur elle-même afin d'échapper à l'attaque. Elle avait presque réussi lorsque le type agrippa son sweat-shirt. Tirant dessus à l'étrangler, il la ramena vers lui.

Elle s'affaissa contre sa jambe, tandis qu'une main puissante se refermait sur sa nuque. Elle leva alors les yeux : Aaron n'avait pas bougé. Son pistolet était toujours braqué sur la tête de Max.

Très calme, celui-ci ne tenta ni de fuir ni de lui subtiliser son arme, mais s'assit tranquillement dans le fauteuil.

— Amusant.

La sueur brillait sur les épaules nues d'Aaron.

— Relâchez-la, lança-t-il à son acolyte, ou je tue Max.

— Ça m'étonnerait.

Aaron se rapprocha encore un peu de son interlocuteur.

— Je ne rate pas une cible à cette distance.

— Je vais vous dire ce qui va arriver…, annonça Max.

— Non, moi, je vais vous le dire. Vous allez baisser cette arme et partir. Nous le réglerons le reste demain.

— Ce n'est pas ainsi que je vois les choses.

Max croisa les jambes, l'air content de celui qui vient de terminer un plat copieux dans un restaurant très cher. Si l'arme pointée sur lui l'effrayait, il le cachait parfaitement.

Risa, elle, n'était pas du tout à la fête. Se retrouver une fois de plus sous la menace d'un canon lui transformait les entrailles en marmelade.

Aaron lança un nouveau regard au second type.

— Baissez votre arme.

Max ne lui laissa pas le temps de répondre.

— Votre petite amie et vous allez mourir lors d'une intrusion nocturne. Quelque chose de brutal et de rapide, bien que moins rapide que ce que vous auriez sans doute aimé. Nous avons besoin d'un minimum de hurlements, vous comprenez, et il y a diverses façons de les obtenir.

— Ça paraîtra un peu suspect après tout ce que nous avons déjà vécu ce soir, ne pensez-vous pas ?

Max fit mine de soupeser un instant la question.

— Ai-je oublié de mentionner que la bombe vous sera imputée ? Oui, voyez-vous, vous avez eu une dispute avec Lowell, et découvert qu'il s'apprêtait à rompre votre contrat. Ce qui est d'ailleurs le cas.

— Et vous allez rassembler des indices m'incriminant.

Le cœur de Risa martelait avec violence sa cage thoracique. Il cognait si fort qu'ils devaient certainement l'entendre.

Elle déglutit avec peine et força son esprit à se concentrer. Ce plan ne tenait pas debout. Aaron était armé, et Max se tenait devant lui telle une cible dans un stand de tir.

— Dans votre colère, poursuivit Max, vous avez concocté un plan pour anéantir Lowell et Craft Industries, mais ce plan vous a claqué dans les mains. Puis l'un des hommes que vous avez engagés s'est retourné contre vous et vous a tués tous les deux.

Aaron secoua la tête.

— Il y a beaucoup de failles dans votre scénario. Aucun inspecteur n'y croira. Même un élève de l'académie de police n'aura aucun mal à le démonter.

Max haussa les épaules.

— Nous corrigerons ces failles plus tard.

Le regard d'Aaron brilla à la mention du « nous », remarqua Risa. Cette révélation involontaire devait avoir une certaine importance.

— Désolé, madame, mais votre manque de goût en matière d'hommes vous aura été fatal, déclara Max en la détaillant de la tête aux pieds. Si cela peut vous consoler, nous avons attendu que vous en ayez fini dans la chambre avant d'entrer en scène.

Risa lui jeta un regard noir et son estomac se révulsa, tandis que de la bile lui montait à la gorge. Elle se serait penchée pour vomir si le type placé derrière elle ne l'avait pas maintenue contre lui.

Quelque chose de si personnel, de si intime... Et ces immondes salauds s'étaient rincé l'œil. Elle avait envie de se ruer sous la douche et de se nettoyer jusqu'à s'en arracher la peau.

Max leva les yeux vers Aaron.

— Belle partie de jambes en l'air, soit dit en passant.

— Vous n'avez rien vu.

— C'est vrai. Mais les bruits étaient éloquents.

Les haut-le-cœur de Risa ne s'arrêtèrent pas. Qu'ils n'aient pas assisté à ces moments si importants pour elle n'atténuait en rien l'horreur de la situation.

— Bien, c'est le moment, lança Max en posant les mains sur ses accoudoirs.

Aaron fut sur lui en une seconde.

— Vous semblez oublier que je suis armé.

Max jaillit du fauteuil. Le coup de boutoir frappa Aaron à

l'estomac, l'envoyant heurter le mur derrière lui. Un direct à la mâchoire suivit, puis un autre dans les tripes. Aaron accusa durement le coup tandis que Max sortait un revolver de sa veste.

Aaron était plié en deux, et Risa craignit le pire : l'épuisement et les blessures allaient se conjuguer pour le mettre prématurément hors de combat. Avec un sourire sauvage, Max leva le bras pour abattre son arme sur son crâne.

Mais, à l'ultime seconde, Aaron glissa de côté et lui expédia son genou dans le ventre. Max ouvrit grand la bouche et se mit à tousser. Aaron en profita pour le frapper de son arme à la mâchoire, puis conforta son avantage par un vicieux coup de pied à la rotule.

Max beugla de douleur, mais demeura debout. Les deux hommes grognèrent et les coups reprirent.

Derrière Risa, l'individu ne bougeait pas. Il lui immobilisait la nuque d'un pincement sur un nerf, provoquant une douleur qui irradiait tout le long de sa colonne vertébrale. Il devait être tellement sûr de sa prise, songea-t-elle, qu'il ne s'était même pas donné la peine de la fouiller.

Son large sweat-shirt dissimulait toujours le pistolet donné par Aaron.

Lorsque ce dernier acheva de démolir le genou de Max et l'expédia au sol, elle se prépara à entrer en action. S'il le mettait K.-O., le deuxième larron lui tirerait dessus.

Un bain de sang était hors de question. A cette distance, ils s'entretueraient, la laissant seule et désemparée.

Aaron leva son pistolet. L'homme qui la tenait l'imita. Elle n'hésita pas. En un éclair, elle sortit son arme. Les vagues de terreur qui la faisaient claquer des dents l'empêchaient de viser correctement. Le pistolet tressautant dans sa main, elle fit feu tout en se libérant d'une secousse.

Touché à la jambe, l'homme s'effondra derrière elle, perdant son arme dans sa chute. D'un coup de pied, Risa l'expédia sous le canapé.

Les jurons et le coup de feu captèrent l'attention d'Aaron et de Max, tandis que des coups résonnaient sur le mur de l'appartement voisin.

Bouche bée, Aaron regarda l'homme tombé à terre, puis releva les yeux sur elle. Durant ce bref laps de temps, Max sortit une arme d'un holster de ceinture et fit feu à la vitesse de l'éclair. Aaron sauta sur lui, mais c'était trop tard.

La balle frappa l'acolyte de Max, qui s'affaissa sans un bruit.

C'était brutal, sans appel, absurde. Pétrifiée, Risa essaya tant bien que mal de prendre la mesure du changement survenu. Elle respirait toujours, mais attendait d'éprouver une douleur quelque part, de sentir son sang couler.

Il ne se passa rien. Max ne se jeta pas sur elle et ne tira pas sur Aaron. Durant deux secondes irréelles, tout sembla basculer autour d'elle, mais rien ne bougea.

— Ne rien laisser derrière soi…

Sur ces mots, Max bondit sur ses pieds et se précipita vers le balcon sous leurs deux regards ébahis. Il passa devant eux sans qu'ils ne puissent faire un geste pour l'arrêter.

Détachant une sorte de crochet métallique de sa ceinture, il l'accrocha à la rampe du garde-fou et enjamba celui-ci. La scène fut si inattendue que Risa ne put que la contempler, frappée de stupeur.

La réaction d'Aaron fut immédiate. Se ruant en avant, il intercepta Max au moment où il sautait. L'élan et la vitesse les plaquèrent tous deux contre le balcon dans un claquement brutal. Un voisin réclama le silence.

Risa continuait à ne pas en croire ses yeux.

Aaron déploya toute sa force, tel un animal enragé, et tenta l'impossible : retenir d'un seul bras une masse de près d'un quintal. Il lâcha un grognement tandis que Max l'entraînait vers le vide, mais batailla, tira, s'échina sans jamais lâcher prise.

Jamais on ne la croirait si elle racontait ce dont elle avait été témoin, songea Risa.

Mais ce spectacle dramatique insuffla une énergie nouvelle à ses jambes fatiguées. Courant vers le garde-fou, elle ceintura Aaron pour unir sa force à la sienne. Ensemble, ils parvinrent à ramener Max par-dessus la rampe malgré son poids, et les deux hommes s'écrasèrent sur le ciment du balcon.

Son énergie décuplée par une furie guerrière qui la sidéra, Aaron se mit à califourchon sur son adversaire, lui colla la main sur la gorge et se pencha vers lui.

— A présent, nous pouvons parler.

18

Blottie sur elle-même dans le froid, Angie levait les yeux vers la rangée de fenêtres de l'appartement d'Aaron. De la lumière brillait à travers les rideaux, et des ombres bougeaient à l'intérieur.

Si tant est que ce fût possible, la température avait encore chuté de dix degrés durant les dernières minutes. L'attente ne faisait que souligner son inconfort. Une fois de plus, elle regretta de ne pas avoir attendu le printemps pour conduire son opération. Au moins aurait-elle eu un peu plus chaud.

Max et son compagnon étaient montés plus d'une heure auparavant. De son poste dans le noir, elle vit bouger des silhouettes et claquer ce qui pouvait être des coups de feu. Elle s'attendit à voir Aaron traverser une fenêtre, mais rien de tel n'arriva.

Si elle devait attendre plus longtemps, ses orteils gèleraient. Habillée pour un cocktail, elle avait dû se changer sur ordre du personnel de l'hôpital. La blouse verte informe et les chic escarpins noirs ne faisaient rien pour la réchauffer.

Elle changea de position afin de faire circuler le sang dans son organisme à bout de forces. Sous l'inaction, ses muscles s'ankylosaient. Rester debout était déjà dur, mais quelques minutes de plus et elle serait incapable de marcher.

Elle ferait mieux de rentrer chez elle et laisser les hommes régler la question entre eux.

Mais quelles que soient les cartes qui lui restaient, il lui faudrait savoir ce qu'Aaron et Max avaient en tête. Voir qui survivrait. Si Max gagnait, ce qu'elle estimait probable vu qu'il bénéficiait de l'effet de surprise, elle conservait une chance de retourner la situation en sa faveur. Max était jeune et beau garçon. Il existait tâche plus pénible que de le convaincre de détourner les yeux d'une chose somme toute insignifiante.

Elle ne pouvait pas s'en aller. L'idée que quelqu'un se livrait à un petit jeu dans des bureaux qu'elle contrôlait pourtant au millimètre la faisait bouillir de rage. Peut-être était-ce cette rage, d'ailleurs, qui lui permettait d'éviter l'hypothermie.

— Vous pouvez laisser tomber pour cette nuit et rentrer chez vous.

Elle se figea au son de cette voix familière. Se retournant, elle découvrit Palmer appuyé à une voiture, à trois mètres d'elle. La berline n'était pas la sienne, mais il semblait très à l'aise avec son emprunt.

Toujours élégant, même en tenue de travail, il portait le manteau poil de chameau avec lequel il se présentait chaque jour au bureau. Pas de gants, ni de chapeau. Aucun signe qu'il mourait de froid comme tout individu normal à sa place.

Elle ne l'avait pas entendu s'approcher, et maintenant elle tentait de comprendre ce que diable il faisait là à cette heure de la nuit. Il ne vivait pas dans cette partie de la Virginie. Cela étant, elle non plus.

— Palmer ?

Son esprit avait besoin de confirmation.

Il décroisa ses bras et s'écarta de la voiture. En deux pas, il fut près d'elle, le regard levé vers l'immeuble.

— J'ai pris les choses en main. Vous n'avez plus à vous en soucier, croyez-moi. Votre présence ici n'est plus nécessaire.

Elle cligna des yeux, décontenancée.

— Je ne comprends pas.

— Vous pouvez rentrer chez vous.

Il leva la main vers l'appartement éclairé.

— Ce n'est plus de votre ressort, à présent. Ni du mien, à vrai dire. La machine est lancée, il ne nous reste plus qu'à en assumer les conséquences.

Tout à coup, elle comprit. Il s'agissait d'une sorte de test, d'un moyen de lui faire avouer ce qu'elle avait fait, certainement devant un magnéto dissimulé. Elle avait vu assez de reportages à la télé pour savoir que ça pouvait être un coup monté, et que parler était le chemin le plus sûr pour la prison. Elle n'aurait besoin ni d'Aaron ni de qui que ce soit pour s'autodétruire.

Paraître détendue était la seule réponse possible. Se montrer sûre d'elle était une seconde nature, et il lui restait encore beaucoup d'assurance en réserve malgré les aléas de la nuit.

— Je ne sais pas de quoi vous voulez parler.

— Vous faites le piquet devant le domicile de McBain à…

Il haussa un sourcil et consulta sa montre.

— … 3 heures et quelques du matin. Comment est-ce possible ? Avons-nous vraiment perdu la soirée et la majeure partie de la nuit ? La police s'est attardée beaucoup plus que prévu, n'est-ce pas ? Qui eût cru que tant de questions auraient reçu tant de réponses fausses ?

— Je suis dehors parce que j'avais besoin de m'aérer un peu la tête.

Palmer fonça les sourcils.

— Allons, trouvez un mensonge plus original. Personne ne vous croira.

Son assurance vacilla. Une partie d'elle-même voulait lui crier dessus jusqu'à ce qu'il l'informe de ce qui se passait. Après tout, si elle était ici à guetter McBain, cela ne signifiait-t-il pas qu'il faisait la même chose ?

— Puisque vous êtes si fort en matière d'alibis, que faites-vous donc ici ? reprit-elle.

— La même chose que vous. Effacer mes traces.

Il inspecta les environs, puis reposa ses yeux sur elle.

— Vous voyez ? Le plus simple est toujours le mieux.

Que pouvait-elle répondre à cela ? Chaque mot qu'elle dirait était susceptible de l'incriminer.

— Il vaut mieux que je parte.

Elle tourna les talons, choisit une direction au hasard et commença à s'éloigner.

— Vous avez demandé l'aide de la mauvaise personne, au bureau.

Elle s'arrêta net. Pivotant lentement sur ses talons, elle lui fit de nouveau face.

— De quoi parlez-vous ?

— Max est jeune, mais il en savait assez pour déduire que vous aviez l'intention de faire quelque chose de très mal. Ça l'a tellement préoccupé qu'il est venu me voir.

Angie maudit le Ciel. S'agissant de trouver la bonne personne pour le bon job, son instinct la trompait rarement.

— Vous aviez parlé en termes sibyllins, et mon jeune adjoint était moins futé que je l'avais espéré, mais j'ai perçu le schéma d'ensemble. J'ai d'abord songé à avertir Lowell, puis j'ai pensé qu'il n'en sortirait rien de bon. Il a toujours eu un faible pour vous. C'est la raison pour laquelle vous avez duré plus que les autres.

— Vraiment ?

— Plutôt que de vous laisser mettre en branle votre plan, je me suis discrètement introduit dans le jeu et j'ai choisi les hommes pour vous aider. En fait, j'ai tout contrôlé.

Inutile de faire semblant de tomber des nues ou d'invoquer une erreur sur la personne : depuis le début, c'était donc lui qui tirait les ficelles. Lui qui avait failli tous les tuer avec une bombe réglée pour le mauvais moment.

— Pourquoi ? lança-t-elle.

— Vous vouliez effrayer Lowell. C'était ça, n'est-ce pas ? Lui faire croire que vous aviez besoin de lui, le mettre en position délicate. Vous servir de cette situation pour tester ses sentiments pour vous, ou ramasser un peu d'argent.

— Vous vous trompez.

Mais c'était vrai. Il avait analysé chaque paramètre et démonté toute sa machination.

— Mais votre timing s'est déréglé lorsque McBain et cette femme ont eu la malencontreuse idée de sortir au mauvais étage. Quelles étaient les probabilités ?

Elle n'avait cessé de se poser cette question depuis qu'elle avait vu McBain monter dans l'ascenseur.

— Mais vous, objecta-t-elle, vous aviez prévu quelque chose de plus gros. J'ai peut-être testé Lowell, mais vous aviez plusieurs longueurs d'avance sur moi. Pourquoi ?

— Ça ne vous regarde pas.

— Vous avez essayé de… l'atteindre physiquement.

Elle ne voulait pas utiliser le verbe. Si elle accusait Palmer d'avoir voulu tuer Lowell, elle courait le risque qu'il la descende là, dans la rue. Mieux valait qu'il croie qu'elle admirait son travail.

— Je me suis servi des outils que vous avez mis en place, reprit-il. Et votre présence, avouez, m'offrait un coupable idéal.

Et voilà. N'importe quelle enquête la mettrait sur la sellette. Elle était un suspect évident — a fortiori s'il se trouvait contre elle des indices dont elle ignorait l'existence.

— Mais pourquoi ? insista-t-elle.

Elle n'arrivait toujours pas à comprendre le fin mot de l'histoire.

— Mes problèmes avec Lowell Craft sont personnels, répondit-il simplement.

Elle réfléchirait plus tard à la question. Sortir de cette situation était la priorité. Elle était prête à tout.

— Très bien, Palmer. Et maintenant ?

Il leva les yeux vers l'appartement de McBain.

— J'ai peut-être trouvé un autre bouc émissaire.

— Ne vous faites pas d'illusions. Il est très intelligent. Les gens savent qu'il a quitté le cocktail pour traquer des tueurs infiltrés dans l'immeuble. Les corps sont là pour le prouver.

— Des corps que j'ai choisis pour vous, et dont on ne tirera absolument aucun indice incriminant. Ni pour moi, ni pour vous. Vous pouvez me remercier.

— Je suis censée vous être reconnaissante d'avoir transformé mon plan en catastrophe ? J'ai presque peur de vous demander ce que vous avez prévu pour McBain.

— Demain, au bureau, nous déplorerons la mort d'Aaron McBain, victime d'un cambriolage qui a mal tourné.

Aaron referma sa porte et la verrouilla derrière lui. Rassurer ses voisins quant aux bruits qu'ils avaient entendus avait pris plus de temps qu'il ne l'avait escompté. Les bris de vitres et les coups de feu les avaient convaincus d'une tentative de cambriolage. Puisque c'étaient des gens très bien, il ne les avait pas démentis. Il s'était contenté de noyer le poisson.

La dernière chose dont il avait besoin était que la police débarque et interroge Max avant qu'il ne puisse en tirer ce qu'il voulait savoir. Dès qu'il aurait posé le pied au poste de police, il réclamerait un avocat, et cela Aaron ne pouvait se le permettre. Il avait besoin d'un coup de pouce, et ce type était en parfaite position pour le lui donner.

Non qu'il se réjouît de sa présence chez lui.

Max était ligoté et bâillonné sur une chaise. Risa se tenait à quelques pas, immobile. Elle tenait le pistolet comme une professionnelle, et il ne savait trop que penser de ce changement.

Il la voulait libre et innocente. Leur rencontre ne devait pas modifier sa vie de façon aussi drastique. Pour le moment, il valait mieux qu'elle croie jouer un rôle. Ce qu'il lisait dans ses yeux ne collait pas avec la femme qu'il connaissait.

Ses tripes, devinait-il, devaient être en capilotade avec la présence dans la même pièce de cet homme mort. Ce n'était pas elle qui l'avait tué, mais elle avait vu trop de sang ces dernières vingt-quatre heures. Si la manière dont elle s'était saisie de l'arme dénotait son courage, celle dont elle avait failli la laisser tomber reflétait ce qu'elle était vraiment. Jamais elle ne devrait en toucher une, sauf peut-être dans un club de tir. Et encore.

Il éprouvait une douloureuse envie de la ramener dans ce coffee-shop, où elle pourrait s'amuser à surfer sur ses sites internet préférés. Mais elle s'était glissée avec aisance dans ce costume de G.I. Jane et dans sa vie. Plus tard, s'il trouvait un moment entre deux tentatives de meurtre sur sa personne, il se pencherait sur la question.

Il étira les bras au-dessus de sa tête pour apaiser la douleur dans les articulations et les muscles de ses épaules. La prochaine fois, il laisserait le gars sauter du balcon au lieu de tenter de le retenir.

Se laissant choir dans le siège placé en face de celui de Max, il sortit son pistolet et le posa sur ses cuisses. Le geste avait quelque chose de théâtral, mais il aimait cette sensation de menacer un homme qui, de son côté, n'avait eu aucun scrupule à menacer Risa.

Il se pencha en avant.

— Savez-vous pourquoi je vous laisse en vie ?

Max n'eut même pas un clignement de cils.

— Parce que vous allez me dire qui vous a engagé.

Max secoua la tête. Aaron serra les dents. Il avait espéré que les choses se passeraient sur du velours. Pourquoi, il l'ignorait vu que rien dans cette histoire n'avait été simple ni facile. Mais il ne coûtait rien d'y croire. Surtout quand tout ce dont il avait envie, c'était de retourner au lit avec la femme qui se tenait debout derrière lui.

Il retira le bâillon.

— Si vous criez ou tentez quoi que ce soit, je vous loge une balle dans la tête.

— Ce n'est pas votre style.

— Vous vous trompez lourdement. Un homme poussé à bout peut faire beaucoup de choses qu'il n'aurait jamais crues possibles. Et, sachez-le, tuer un jeune de votre âge ne me poserait aucun problème de conscience particulier.

— Vous ne comprenez pas.

— C'est exact. A vous de m'expliquer.

— Je ne sais rien. J'ai fait ce que l'on m'a demandé et j'ai empoché l'argent. On ne peut me relier à personne.

Aaron se renversa contre son dossier, épaté par la quantité d'informations qu'il lui livrait. Apparemment, personne ne lui avait appris que ce genre d'erreur se payait cash. Lorsqu'une personne utilise dix mots pour en dire deux, en général, ça vaut la peine de creuser pour savoir ce qu'il y a derrière.

— Mauvaise réponse. Du genre à vous expédier ad patres.

Les yeux de Max se reportèrent sur Risa, puis revinrent se poser sur lui.

— Je suis désarmé !

— Mais pas innocent, rétorqua sèchement Risa.

Elle était restée bloquée sur le fait qu'il avait assisté à leurs ébats, comprit Aaron. Pour sa part, il n'en éprouvait que du mépris, mais qu'une femme puisse très mal le prendre, il l'imaginait fort bien.

Il considéra son prisonnier d'un œil noir.

— Vous n'auriez pas dû parler de la chambre et du reste.

Max secoua la tête.

— Je n'ai rien vu.

Risa renifla.

— Il y a quelques minutes, les commentaires que vous avez émis sur ce sujet m'ont fortement déplu. Il est trop tard maintenant pour changer d'histoire.

— Je ne voulais pas dire…

— Vous n'êtes qu'un sale petit morveux, déclara Risa.

— Max, il faut que vous compreniez une chose.

Aaron posa la main sur son arme, attirant ainsi l'attention sur celle-ci sans avoir à parler.

— Après ce que nous avons enduré, aucun procureur ne retiendra de charges contre nous pour votre mort. Et je suis persuadé qu'après cette attaque spectaculaire menée contre le Centre Elan votre irruption en pleine nuit à mon domicile nous vaudra la sympathie d'un jury. Une grande sympathie.

— Mais je suis désarmé, répéta Max.

— Vous ne le serez pas quand j'en aurai terminé.

Aaron l'avait délesté de son revolver. Il n'avait jamais placé une arme après coup dans la main d'une victime et n'avait pas l'intention de commencer maintenant. Mais cela, l'apprenti tueur n'avait pas besoin de le savoir. S'il était dépourvu de conscience, lui en avait une.

— Entre les indices existants et ceux que j'ajouterai moi-même sur les lieux, il ne faudra pas être un génie pour vous associer à cette bombe.

Risa s'appuya au dossier de son siège.

— Et, à ce moment-là, vous serez dans le pétrin jusqu'au cou.

Qu'elle le soutienne sans concertation préalable était réconfortant, songea Aaron. D'autant plus réconfortant qu'il n'aurait pas besoin ensuite de lui expliquer qu'ils jouaient. Cela, elle l'avait compris. Elle n'était pas le genre de personne à dire de telles choses. Lorsqu'il était entré dans son rôle de méchant, elle avait embrayé immédiatement.

Max continuait à les dévisager l'un et l'autre.

Il avait dû décider que Risa était le maillon faible, car c'est à elle qu'il adressa sa supplique.

— Madame, s'il vous plaît…

— Elle ne vous aidera pas.

Aaron le savait sans même avoir à le lui demander. Max avait choisi la mauvaise approche. Après tout, il était un salaud de plus à s'en être pris à elle.

Grosse, grosse erreur.

— Elle en a plus qu'assez de se faire brutaliser et prendre en otage. Et, croyez-moi, l'eau aura le temps de couler sous les ponts avant que je ne revoie cela.

Cette simple idée lui chauffait les tempes.

— Je ne l'ai pas touchée !

— Votre ami l'a fait. Pas sexuellement, mais il a posé ses mains sur elle et l'a terrorisée. Et puis n'avez-vous pas menacé de la tuer ? Allez. Reprenons.

Il avait décidé d'augmenter la pression.

Jamais il n'avait tué un homme pour le plaisir, même si là il était tenté. Avec la meilleure volonté du monde, il en était incapable. Il respectait les règles. S'il était entré dans cette profession, c'est parce qu'il estimait que les gens avaient le droit à la sécurité dans leur vie et qu'il voulait la leur apporter.

— Je vous en prie, je ne peux rien dire.

Aaron faillit lever les yeux au ciel. Où était le rouleur de mécaniques qui depuis son fauteuil tourmentait Risa ? Qui les avait mis au défi de le toucher ? A présent, il geignait comme un bébé.

— Désolé, ce n'est pas la bonne réponse. Il faut juste me dire la vérité, Max.

— Vous ne comprenez pas.

— J'en ai marre de l'entendre dire ça, marmonna Risa.

Il était d'accord. Pour en finir avec cette comédie, il emprunta à Lowell sa stratégie. Si ce dernier était capable d'obtenir qu'on lui obéisse sur un claquement de doigts, il pouvait certainement y arriver aussi. Après tout, il avait trois armes à portée de main. Cela devait pouvoir décider Max.

Il posa l'index sur la détente du revolver.

— Vous avez cinq secondes pour me donner un nom.

— Ou alors… ?

Le ton geignard avait disparu. C'était à présent celui, déformé par la peur, d'un petit garçon prêt à faire dans son pantalon.

Bien, très bien.

— Vous ne serez plus là pour entendre le chiffre six.

— Je… Mais…

— Vous allez me dire ce que vous savez, ensuite vous passerez un coup de fil à votre patron pour lui dire que je suis mort.

— Et si je ne le fais pas ?

— J'ai promis d'appeler une ambulance, répondit Risa.

Elle marqua un temps :

— Après…

19

Angie était assise seule devant le vaste bureau noir brillant de Lowell. Ce dernier n'avait pas levé les yeux, ni même montré qu'il l'avait entendue entrer.

Le bruit circulait dans les couloirs que tout le personnel avait été interrogé et comptabilisé. Mark était le seul mort enregistré, et un office funèbre était prévu à sa mémoire d'ici quelques jours. L'enterrement devait se tenir dans un Etat éloigné, et être organisé par des personnes qu'Angie ne connaissait pas.

Brandon était censé quitter l'hôpital quelques jours plus tard. Sonya, quant à elle, avait déjà appelé treize fois, nombre qui allait sans doute doubler avant midi. Anxieuse de nature, elle l'était encore plus depuis la veille.

Pour la toute première fois, Angie ressentit pour elle une pointe de compassion. Tout en en ressentant beaucoup plus pour sa propre personne. Sonya irait chez le coiffeur, et tout irait bien. Mais elle-même devait faire face à un possible passage devant la justice, ce qui la rendait malade d'angoisse.

Personne ne pensait que les événements survenus avaient changé Lowell. Un homme comme lui ne change pas. Quand sa vieille secrétaire était décédée, une femme qui l'avait assisté chaque jour pendant dix ans, Lowell avait pris exactement une heure de congé. C'était le temps du deuil qu'il avait accordé à l'une des femmes qui avaient le plus compté dans sa vie.

Angie était au courant de tout ce qui se disait mais, comme il n'avait pas desserré les dents depuis qu'ils avaient quitté le Centre de conférences, certaines choses avaient probablement changé. Leur relation avait vécu. A cet égard, son silence tandis qu'il signait ses papiers était éloquent.

Après une nuit sans sommeil et une matinée où l'appréhension qui la tenaillait l'avait fait vomir dans sa salle de bains, elle voulait en finir avec cette question, même si Palmer avait affirmé avoir fait le nécessaire.

Cette nuit, malgré son désir de rester devant l'immeuble de McBain, elle était partie lorsqu'il le lui avait demandé. En réalité, elle s'était cachée dans le parking, hors de sa vue, espérant en apprendre davantage, ou tout au moins avoir une petite idée de ce qui se passait, mais elle en avait été pour ses frais.

Le croire sur parole était impossible. Au regard du machiavélisme avec lequel il avait trahi Lowell, elle n'était qu'une débutante. Or, elle dépendait de lui pour se tirer de ce mauvais pas. C'était une pure folie, mais avait-elle le choix ?

Un petit coup fut frappé à la porte, et le traître en question fit son entrée.

Palmer était en tenue de travail : blazer bleu marine et pantalon de flanelle gris. Combien de ces uniformes possédait-il ? Celui de la veille était bon à jeter, et celui-ci était en tout point identique, allant jusqu'à présenter les mêmes plis aux mêmes endroits.

Une fois devant le bureau, il demeura debout dans sa posture habituelle, épaules dégagées et mains derrière le dos. Il réussissait à avoir l'air à la fois menaçant et déférent.

— Monsieur, nous sommes confrontés à une situation dont il faut que nous parlions sans délai. Je crains qu'il s'agisse d'une urgence, qui ne peut attendre une réunion ultérieure même si votre emploi du temps doit en être affecté.

Le cœur d'Angie sauta dans sa poitrine. Et voilà. Il déployait son double jeu, un jeu qui allait l'envoyer tout droit en prison.

Lowell continua à signer ses documents.

— Je vous écoute.

— Néanmoins, le sujet étant relativement délicat, peut-être devrions-nous en discuter d'abord. Vous jugerez ensuite s'il convient que le personnel soit mis au courant.

Palmer attendit, mais Lowell ne leva pas son stylo.

— Aujourd'hui, Palmer.

Une légère crispation tira les joues de ce dernier.

— Très bien. Je sais que vous souhaitez étudier en détail les événements de cette nuit. Et plus spécifiquement ce qui se rapporte à la position de M. McBain.

— Cessez donc de me faire des grandes phrases et venez-en au fait, je vous prie.

— Ce matin, j'ai reçu de terribles nouvelles à son sujet.

Un vent d'espoir balaya la pièce. Avec ces quelques mots, Angie sentit se lever un énorme poids. La peur invalidante cessa de l'oppresser. Si le monde autour d'elle n'avait pas retrouvé son ordre initial, un chemin s'ouvrait vers la normalité.

Elle n'avait ni le temps ni l'envie de pleurer McBain. Avec sa propension à fourrer le nez où il ne fallait pas, il était le seul responsable toute cette pagaille. Lui parti, les bureaux tourneraient de nouveau comme avant. Avec un peu de chance et en attendant le bon moment, elle pourrait même revenir dans les bonnes grâces de Lowell.

Elle avait la lingerie parfaite pour y parvenir. Même Palmer avait reconnu qu'elle était sa préférée. Une femme dans sa position savait comment y demeurer.

Ils pourraient passer outre ce qui s'était passé.

Elle veillerait à ce qu'ils le fassent.

Lowell posa enfin son stylo et se carra dans son confortable fauteuil. Comme tout le reste autour de lui, il était énorme et choisi pour le confort qu'il lui apportait.

— De quoi me parlez-vous ? Laissez tomber les circonvolutions de langage et dites-moi quel est le problème avec Aaron.

— J'ai bien peur qu'il y ait eu un accident, un malheureux concours de circonstances. Alors qu'il dormait en compagnie de sa petite amie, un cambrioleur s'est introduit dans son appartement.

Angie se mordit l'intérieur de la joue pour s'empêcher de sourire. Le moment était mal venu pour jubiler.

Lowell fronça les sourcils et fit pivoter son siège pour regarder derrière lui par la vaste fenêtre. La neige tombait à présent à gros flocons. Depuis cet étage, l'on voyait les lumières de Noël et les guirlandes installées dans le parc de l'immeuble.

Il se tourna de nouveau vers eux, le visage fermé.

— Quand ?

— Cette nuit. Les blessures ont été fatales.

Lowell se remit à jouer avec son stylo.

— Ce n'était pas dans les journaux.

— Je, euh…

Bien que pris au dépourvu, Palmer ne se démonta pas.

— Je suppose que la nouvelle sera sortie après le bouclage des éditions.

— Et de qui tenez-vous cela ?

— D'un contact au poste de police. Il avait une dette envers moi et connaissait ma demande d'informations sur McBain.

— Hmm.

Lowell fit tourner un moment son stylo entre ses doigts, puis en tapota le bout sur le plateau du bureau.

C'était la première fois qu'Angie le voyait jouer avec un objet. Il n'était pas de ces hommes pris d'un constant besoin de faire quelque chose de leurs mains. Il était capable de demeurer des heures sans bouger, plongé dans la lecture de rapports ou l'analyse de documents.

Palmer hésita, la moue perplexe. Le doute se lisait à présent sur ses traits.

— Je sais que ce n'est pas votre activité favorite, mais nous pourrions envisager une petite cérémonie à sa mémoire. Après l'office funèbre de Mark, bien sûr. J'ignore ce qu'il en est de sa petite amie, mais l'information devrait être assez facile à obtenir.

— Certainement.

— Très bien, donc…

Il se tourna vers elle, puis de nouveau vers Lowell.

Elle déglutit discrètement. Plus cette conversation s'étirait, plus sa confiance s'amenuisait. Ce qui avait commencé comme l'annonce d'une bonne nouvelle se transformait en un dialogue énigmatique qui lui vrillait l'estomac.

— Je me retire, lança Palmer.

Il rebroussa chemin vers la porte. Il avait commencé à l'ouvrir lorsque Lowell l'arrêta.

— Juste une chose.

Avec un soin exagéré, il reposa son stylo sur son sous-main.

— Je crois que votre information est erronée.

Les soubresauts du cœur d'Angie s'accentuèrent. Palmer ne bougea pas.

— Je vous demande pardon ?

— Rien de tout cela n'est vrai.

— Que voulez-vous dire ?

— J'ai parlé à Aaron il y a cinq minutes.

— C'est impossible.

La porte de la salle de bains contiguë au bureau s'ouvrit, et Aaron apparut en compagnie de la femme qu'Angie devina être sa petite amie. Ils paraissaient étonnamment reposés… Et aussi vivants qu'il était possible de l'être.

Lowell les accueillit d'un hochement de la tête.

— Aaron.

Angie sentit sa raison défaillir.

— Qui est-ce ? demanda-t-elle.

Se déplaçant de côté, Aaron vint se positionner légèrement devant la femme. Le geste était clair. Il la défendrait contre toute attaque provenant de l'un ou de l'autre.

— Risa Peeters, celle qui par deux fois a manqué d'être kidnappée, répondit-il en se tournant vers l'intéressée. Est-ce le nombre juste ?

Risa ferma un œil, comme si elle réfléchissait à cette difficile question.

— En fait, je crois que c'était trois. Quatre, si l'on compte cette nuit, mais il s'agissait plus d'une tentative de meurtre.

Aaron écarta cette dernière remarque d'un revers de main.

— D'un point de vue technique, c'est autre chose.

Palmer referma la porte et revint prendre place devant le bureau.

— De quoi diable parlez-vous tous les deux ?

— Oh ! pardon. Je croyais que c'était clair, répondit Aaron.

Il toucha le bras de Risa.

— Voici la femme dont vos hommes ont tenté de s'emparer en croyant que c'était Angie.

Aussitôt, celle-ci effectua une revue détaillée de la nouvelle venue. Seins trop petits. Cheveux trop foncés. Des airs de paysanne. Cette Risa Peeters ne lui ressemblait pas du tout.

— C'est absurde, conclut-elle.

Risa haussa les épaules.

— Si cela peut vous consoler, moi non plus, je ne trouve pas que nous nous ressemblons.

Aaron lui adressa un clin d'œil.

— Bien sûr que non. Je te préfère de loin.

— Merci.

Risa semblait heureuse de sa réponse, ce qui laissa Angie passablement perplexe.

Palmer se déplaça vers le côté du bureau, affichant ainsi sa loyauté envers Lowell.

— J'ignore ce que vous faites ici. Si c'est une plaisanterie, elle est de très mauvais goût. Il y a eu plusieurs morts, hier.

Tout humour disparut du visage d'Aaron.

— Et un autre cette nuit. Et si vous continuez à jouer à ce petit jeu-là et à vouloir effacer vos traces, j'ignore combien de victimes il nous faudra encore signaler à la police. La bonne nouvelle, c'est qu'il est peu probable que nous détruisions un autre centre de conférences.

— Qui d'autre est mort ? demanda Lowell.

— Vous vous souvenez de Max ?

Lowell feuilleta une liasse de papiers sur le bord du bureau.

— Il est mort au Centre Elan. C'est Palmer lui-même qui a pris son pouls et l'a annoncé. Ça figure dans le rapport. Max, de même que Mark.

Angie savait sauter d'un train en marche.

— En effet, je me rappelle. Tous les deux.

— Eh bien, dans ce cas, Max s'est miraculeusement relevé d'entre les morts, déclara Aaron. Je ne plaisante pas, croyez-moi. Je le sais parce qu'il s'est pointé à mon domicile tôt ce matin, prêt à mettre en scène une intrusion suivie de meurtre.

Il fusilla Palmer du regard.

— C'était sur votre ordre, n'est-ce pas ? Me tuer. Tuer Risa. Quelques arrangements, et les indices m'auraient pointé du doigt. L'ennui, c'est que ça ne se serait pas terminé là. Me sachant innocent, mon assistant aurait tôt fait de me blanchir, et il vous aurait fallu ajouter un nom à votre liste sanglante.

— Je suis impressionné par la manière dont vous tentez de vous disculper, mais c'est trop tard, répliqua Palmer. Vous n'êtes pas le seul à avoir veillé tard cette nuit.

Il sortit une enveloppe de la poche intérieure de son blazer.

— J'ai déniché certaines choses.

Angie l'avait senti venir. Quelques minutes plus tôt, elle l'aurait béni de mettre sur le dos de McBain tout ce qui s'était passé. Mais c'était un mauvais calcul. Aaron avait joué sa partie, et Palmer fonçait droit dans le piège, l'entraînant à sa suite. Elle se tritura les mains, cherchant un moyen de tirer son épingle du jeu pendant que volaient les accusations.

Apparemment, McBain avait une nouvelle carte en réserve. Il vint se placer derrière elle, les mains tout près de ses épaules.

— J'avais deviné que vous seriez occupé, cette nuit.

Il parlait à Palmer, mais semblait s'adresser à tout le monde à la fois.

Palmer se tourna vers Lowell.

— Depuis le début, c'était lui, la menace ! Il a envoyé ces messages pour vous pousser à l'engager et, lorsqu'il s'est rendu compte que vous alliez le lâcher, il a ourdi un plan pour se venger.

Lowell prit une longue et profonde inspiration, puis relâcha l'air avec un bruit sifflant. Des téléphones sonnaient dans le couloir, et des conversations étouffées filtraient par la porte. Chacun se tut, attendant sa réponse, tandis que les bureaux bruissaient d'activité à distance.

Finalement, il tourna son siège de cuir vers Aaron.

— Vous ne m'avez pas menti. Il voulait votre peau.

Aaron eut une mine désolée.

— Malheureusement, oui.

— Mais de quoi parlez-vous ? demanda Palmer.

Lowell reprit sa position initiale.

— Aaron m'a informé de vos projets…

Il planta un bref instant son regard dans celui d'Angie.

— … à tous les deux.

Toute l'assurance de Palmer sembla se fissurer. Il agita les bras et sa voix grimpa d'une demi-octave.

— C'est sa façon de brouiller les pistes : il vous raconte ce qui est réellement arrivé, tout en vous faisant croire que je l'ai piégé. Ne vous laissez pas berner.

— Au nom de notre loyauté mutuelle ? ironisa Lowell.

— Oui.

— En parlant de pistes, vous en avez oublié une, intervint Aaron. Vous n'avez cessé de changer de coupable dans votre scénario, ce qui rendait le repérage de vos mouvements très aisé.

Il avait contourné le bureau et se tenait à présent aux côtés de Lowell.

— Certains indices menaient à Brandon, d'autres, à Mark, d'autres encore, à votre pauvre conjurée ici présente. Lorsque vous avez découvert que j'étais vivant, il était trop tard pour les effacer.

— Et bien sûr vous avez omis la piste qui vous incrimine de façon indubitable, ajouta Risa d'une voix très calme, qui résonna d'un écho presque religieux dans la pièce.

— Quelle piste ? grogna Palmer.

— Max, répondit Aaron. En ce moment même, il est au poste de police. Il conclut un marché. Lorsqu'il a compris qu'un lien pouvait être établi entre lui et les meurtres, il a supplié qu'on lui offre un arrangement.

Posant une main sur le dossier du fauteuil, il se pencha vers Lowell.

— Il a une cassette où sont enregistrés les ordres de Palmer.

Un rugissement de fureur emplit la pièce tandis que Palmer empoignait son arme.

Aaron et lui étaient trop près l'un de l'autre pour se rater, d'autant qu'ils possédaient tous deux un solide entraînement d'agent de sécurité, songea Angie.

Elle ferma les yeux une seconde.

Lorsqu'elle les rouvrit, la pièce s'était mise en mouvement. Aaron avait brutalement poussé de côté le fauteuil de Lowell, le faisant tournoyer, et tout en faisant écran de son corps sorti son pistolet. Plus jeune, et beaucoup plus rapide, il tira une fois. Palmer toucha le sol avant même d'avoir pu presser la détente.

Le O que formait sa bouche se déforma tandis qu'il glissait sur le flanc. Une tache rouge s'agrandit sur sa chemise et le sang coula entre ses doigts. Alors qu'il gisait là comme un sac de son, l'air sortant par saccades de sa gorge, Aaron décrocha le téléphone.

Otant sa veste, Lowell s'accroupit devant son plus vieil ami et l'un des rares dans son entreprise. Il pressa le vêtement sur la blessure et murmura quelque chose que personne d'autre qu'eux n'entendit.

Palmer fit non de la tête. Il leva une main, mais elle retomba aussitôt comme du caoutchouc.

— Vous avez tout gâché, dit-il d'une voix sourde. Il fallait partir.

Lowell s'assit sur ses talons, soudain très pâle.

— Cette société est à moi.

Palmer secoua de nouveau la tête, puis se mit à tousser en grimaçant. Lorsqu'il s'arrêta, sa tête bascula de côté.

— Vous ne… le… méritiez pas, balbutia-t-il entre deux halètements.

— Vous avez fait cela pour Brandon ?

La voix de Lowell était méconnaissable.

Palmer acquiesça, puis ferma les yeux.

— Toujours… Vous le teniez pour acquis… L'avez détruit.

— C'est mon fils !

Angie avait envie de hurler. Tous ces morts, toute cette destruction, c'était à cause de Brandon. Le gosse n'avait jamais rien fait de sa vie, et les gens se pliaient en quatre pour ses beaux yeux.

Palmer saisit le bras de Lowell, laissant une empreinte écarlate sur la manche de sa coûteuse chemise.

— Vous… auriez dû céder la place.

— Non, Palmer, répondit Lowell d'un ton chargé de tristesse et de résignation. Sur ce point, vous faites erreur. Il n'aura rien.

— Donnez-lui la société.

— Jamais.

Palmer n'entendit pas cette dernière réponse. Il avait perdu connaissance.

Angie n'attendit pas de devenir le centre des attentions. Dans la confusion qui régnait, elle pouvait se faufiler dehors et s'en aller. Elle avait préparé deux sacs et vidé un coffre à la banque le matin même par précaution. Un bon planning était la clé de la réussite.

Tandis que les hommes s'affairaient auprès de Palmer, tentant un massage cardiaque, elle fit main basse sur son sac à main et se dirigea vers la porte. Gardant un œil sur ce qui se passait derrière elle, elle ne vit Risa que lorsqu'elle faillit la heurter.

La compagne d'Aaron était plantée devant la porte, ignorant les cris du personnel de l'autre côté.

— Où pensez-vous aller comme ça ?

Angie évalua ses chances de franchir le barrage. Risa était plus légère, et sans doute plus faible.

Mais son sourire la prit totalement à contre-pied.

— Allez-y, essayez, lança Risa. Je n'attends que ça. Je meurs d'envie d'expérimenter les techniques de combat que j'ai acquises récemment.

Angie soupira profondément : elle avait tout perdu.

20

Le lendemain matin, Risa ne put retenir un sourire lorsque Aaron glissa ses doigts dans les siens. Ils marchaient dans le couloir de l'hôpital. Qu'ils se tiennent par la main paraissait si normal, si naturel.

Elle portait un jean et un pull à col roulé noir récupérés à son studio lorsqu'ils y avaient fait un saut, plus tôt dans la matinée. Lui-même avait adopté la tenue la plus décontractée qu'elle lui eût jamais vue : jean noir et chemise à col ouvert.

Elle en était arrivée à se demander s'il avait un seul jean dans sa garde-robe. A dire vrai, il était absolument sexy dans celui-ci. Et le lui enlever plus tard ne demanderait que peu d'efforts. Pour un type long à la détente en matière de rendez-vous, il avait bien rattrapé son retard.

Après ces heures épouvantables dans le bureau de Lowell, elle avait tenu à passer sa journée à cocooner dans un lit et à manger de la nourriture tout sauf diététique. Aaron s'était obligeamment plié à ses désirs.

Ç'avait été très dur de voir la vie quitter Palmer et d'entendre sa triste confession. Celle-ci remontait à la perte de son fils et à sa frustration face à l'incapacité de Lowell de voir les qualités du sien, Brandon. Cette frustration, comprit Risa, lui avait volé presque toute son énergie. Comment l'amour d'un père pour son fils avait-il pu virer à une telle débâcle ?

La fêlure de Palmer lui resterait longtemps à la mémoire. Elle avait modifié l'homme. Et, d'une certaine manière, l'avait modifiée, elle aussi. Cette fin tragique aurait-elle un impact sur Lowell ? Ou était-il une cause perdue ? se demanda-t-elle. Brandon connaîtrait-il jamais l'amour qu'il méritait ?

Si la noirceur de ces événements avait déteint sur elle, les merveilleuses étreintes prodiguées par Aaron l'en avaient nettoyée. Elle avait peu dormi, certaines de ses illusions sur le genre humain s'étaient définitivement envolées, mais elle se sentait vivante. Vivante et pleine d'énergie.

Ils s'étaient installés à l'hôtel le temps que l'équipe de nettoyage remette l'appartement d'Aaron en état. D'après lui, ils avaient un besoin vital des petits soins que pouvait fournir un service d'étage ainsi que d'une baignoire. Aussi avaient-ils délaissé son minuscule studio avec son étroite cabine de douche.

Elle lui était reconnaissante de sa décision, car elle n'était pas sûre de pouvoir un jour se sentir de nouveau à l'aise chez lui, et voir son balcon sans se souvenir de l'homme qui était passé par-dessus. Certes, les taches de sang ne résisteraient pas aux efforts de professionnels, mais dès qu'elle fermait les yeux elle les voyait.

Pour Aaron, elle s'efforcerait de bloquer leur image. D'ignorer le négatif et de se concentrer sur ce que ces derniers jours lui avaient offert. Une semaine plus tôt, jamais elle n'aurait rêvé de le revoir, et moins encore de connaître la chance de sa vie.

Elle était prête à faire n'importe quoi pour lui. Oh ! pas être son paillasson ou jouer les seconds rôles jusqu'à la fin de ses jours — elle méritait mieux que cela —, mais s'ils pouvaient construire quelque chose ensemble elle s'y attellerait.

Voilà ce qui arrivait quand une femme tombait amoureuse d'un mec formidable, un mec en qui elle pouvait avoir confiance. Aaron ne la plaquerait pas, ne lui prendrait pas son argent. Il était solide. Peut-être pas très doué avec les femmes, mais solide.

Les machines émettaient leurs bips autour d'eux tandis que le haut-parleur émettait un nouvel appel. Risa appréciait l'hôtel, mais elle commençait à se lasser de l'hôpital. Ces derniers jours, elle y avait passé plus de temps que durant les vingt dernières années.

Mais le plus important était qui n'y était pas.

Royal était maintenant rentré chez lui, mais ne cessait de se plaindre. Il avait supplié Aaron par texto de lui apporter un hamburger-bière. Il avait d'abord exigé une pizza, mais s'était décommandé, sa femme y ayant opposé un veto catégorique. Ce veto concernait également le fait de dormir sur le canapé, ce qui privait son assistant, avait ajouté Aaron, d'une de ses activités favorites pendant un bon bout de temps.

Risa n'avait pas encore rencontré Gail. Elle le ferait lors de la visite prévue dans l'après-midi, mais elle l'aimait déjà. Royal et Gail confirmaient l'adage selon lequel on ne connaît bien une personne que par ses amis. Ceux-ci étaient solides et fiables, jusqu'au dernier.

Lowell sortait de la chambre de Brandon lorsqu'ils y arrivèrent. Sa cravate était desserrée, et sa veste semblait tomber de ses épaules comme s'il avait perdu plusieurs kilos en attendant que l'état de son fils s'améliore.

Il fit un pas vers eux tout en refermant derrière lui.

— Sonya est là. Ils ont besoin d'un peu d'intimité et de quelques minutes sans moi.

Un individu ne pouvait changer en l'espace d'une nuit, croyait Risa. La personnalité était fixée une fois pour toutes et se raffermissait encore après cinquante ans.

Mais l'homme qui se tenait devant elle avait perdu cette aura écrasante qui le précédait partout où il allait. Il ne se posait plus en dictateur ni en juge. Il s'efforçait d'assumer son rôle de père, ce qui était sans doute le combat le plus difficile de son impressionnante carrière.

— Comment va Brandon ? demanda-t-elle.

Les plis de son front s'estompèrent à la mention du nom de son fils.

— Mieux. Il est sorti du coma. Il est conscient de ce qui se passe autour de lui, mais il n'a gardé que des souvenirs parcellaires de cette fameuse nuit.

Risa l'enviait presque. Peut-être le cerveau se chargeait-il de ce que le corps ne pouvait pas réparer. En bloquant ces souvenirs, il n'avait pas à en revivre chaque minute comme c'était son cas.

— Les médecins viennent de me dire qu'il pourra sortir demain, reprit Lowell. Il suivra des soins à la maison et verra les meilleurs spécialistes pour sa mémoire, nous en avons les moyens.

Il plongea les doigts dans ses cheveux. Les gris étaient à présent beaucoup plus nombreux, remarqua-t-elle, et une profonde lassitude émanait du personnage.

Aaron lui serra la main.

— C'est une excellente nouvelle. Je crois qu'aucun d'entre nous ne s'attendait à une évolution aussi rapide.

— Nous avons dû lui dire pour Palmer. Brandon sait qu'il est mort, même s'il ignore encore les détails. Il est adulte. Je ne peux pas lui cacher ce genre de choses comme je le faisais quand il était gosse.

Un pas de géant. Risa ne voyait pas comment appeler autrement le fait qu'un homme se réveille soudain et découvre que son fils n'est plus un petit garçon. Cela ne pouvait qu'induire une amélioration dans leur relation. Au pire, une sorte de paix des braves pourrait s'instaurer entre eux.

Palmer, quant à lui, avait succombé à une crise cardiaque durant son transport à l'hôpital. Risa l'aurait plutôt imaginé survivre à la balle d'Aaron, mais le destin en avait décidé autrement. Lowell envisageait certainement d'annoncer à Brandon que Palmer était l'homme de l'ombre, celui qui était derrière toute l'affaire : les menaces, la bombe et le reste.

— Ce qui s'est passé dans mon bureau…

Il laissa la phrase en suspens et ne sembla pas vouloir la terminer.

Risa se figea, attendant qu'il rende son jugement sur le fait qu'Aaron avait descendu Palmer. Aaron avait tiré parce qu'il le devait, cela ne souffrait aucune contestation.

Lorsqu'il s'était approché du fauteuil de Lowell, elle avait paniqué, redoutant une autre issue. Il avait été préparé à être un bouclier humain, raison pour laquelle il s'était placé là. Il savait que Palmer tenterait un geste désespéré.

Elle avait essayé de le lui faire avouer, mais il avait éludé la question par un haussement d'épaules. Le culte des héros ? Très peu pour lui. Elle l'avait donc admiré en silence.

Lowell releva enfin les yeux sur lui.

— Merci.

Les sourcils d'Aaron se haussèrent.

Risa eut un léger sursaut. D'entendre ce simple mot de sa bouche la stupéfiait. D'après ce qu'elle savait de Lowell Craft, l'homme n'appréciait pas grand-chose en dehors du pouvoir. Ceux qui ne répondaient pas à ses exigences ou n'étaient pas à la hauteur de son talent étaient impitoyablement laissés sur le bord de la route.

Il ne restait guère de place pour l'émotion. Aussi, qu'il en montre à Aaron était un acte à marquer d'une pierre blanche. Cela l'emplit de fierté, et Aaron en tirait probablement un gratifiant sentiment de mission accomplie. Mais pouvait-il en être autrement ?

Cette fierté pour lui, pour ce qu'il représentait, pour la reconnaissance qu'il méritait, explosa au fond d'elle. Il était quelqu'un de bien. Et elle était une femme chanceuse.

Aaron ouvrit la bouche pour répondre, mais Lowell leva la main pour l'arrêter.

— Rien ne vous obligeait à agir de la sorte, à m'offrir la protection de votre corps. Il aurait pu arriver n'importe quoi.

— Je ne peux pas rater une cible aussi proche.

— Mais vous saignez comme tout le monde.

A cette horrible idée, Risa ferma les yeux. Lorsqu'elle les rouvrit, Lowell avait les siens fixés sur elle. Une bonne partie de leur dureté avait disparu.

Il lui serra la main.

— Vous avez été très impressionnante, vous aussi.

— Ça vient avec le job de petite amie.

Elle avait toujours détesté ce terme, « petite amie ». Elle le trouvait infantile, tout juste digne des premières années de lycée. L'avoir employé en parlant d'Aaron la fit sourire.

L'amour était quelque chose de futile et de stupide.

Et pourtant il était là, elle en identifiait tous les symptômes. La respiration qui s'accélère à sa vue, les frétillements dans son ventre avant qu'il ne l'embrasse, le cœur qui bat la chamade quand il ôte sa chemise…

Elle voulait être auprès de lui, lui parler, tout apprendre de lui. Si elle parvenait à ne pas l'effrayer, peut-être avait-elle une chance d'y arriver.

— Et encore merci pour être restés discrets au sujet d'Angie, ajouta Lowell en rougissant.

— Qu'adviendra-t-il d'elle ?

Elle n'aurait pas dû, mais la curiosité était la plus forte.

— Elle tente d'obtenir un arrangement. Il y a eu d'autres menaces et déclarations qui relèvent du chantage, selon mes avocats.

Il jeta un coup d'œil à la porte fermée, derrière laquelle se trouvait son fils.

— Quand il sera de nouveau sur pied, j'en parlerai à Sonya. Oh ! elle n'en sera pas surprise, mais au moins la question de l'influence d'Angie sur moi ne se posera plus.

Risa était incapable d'imaginer un mariage ne reposant que sur un accord financier. Avoir le confort froid d'une autre personne sous son toit, mais sans amour ni moments intimes, était un cauchemar à ses yeux.

Quant à accepter l'infidélité d'un conjoint, jamais elle ne pourrait. Certes, des problèmes pouvaient survenir, mais certaines bases d'un couple étaient sacrées, et c'en était une.

Elle observa Aaron, étudia son profil énergique : elle n'aurait jamais besoin de lui tenir ce discours. Du reste, il avait sous les yeux un bon exemple de fidélité en la personne de Royal. Elle remerciait le Ciel pour cette chance.

— Nous allons vous laisser, dit-il, s'adressant à Lowell. Vous pourrez retrouver votre famille et passer quelques jours en toute tranquillité.

— Après tout, plaisanta Risa, ne dit-on pas que Noël est au coin de la rue ?

Lowell sourit mais ne répondit pas.

Elle ne le relança pas. Aaron lui glissa le bras autour de la taille et lui fit faire demi-tour. Elle se laissa faire.

— Il doit bien y avoir quelque chose que je puisse faire pour vous, dit Lowell avant qu'ils ne s'éloignent dans le couloir.

Aaron fit mine de réfléchir.

— Payer ce que vous me devez ?

— C'est fait. Et, si vous cherchez un nouvel emploi, j'en ai un qui vous attend. Vous seriez un superbe atout pour Craft Industries, surtout maintenant que le danger est passé.

Risa lutta pour ne pas froncer les sourcils. Elle faillit émettre un bruit incongru, mais le ravala à temps. Voir Lowell tel qu'à présent lui fendait le cœur, mais l'idée qu'Aaron travaille avec lui au quotidien lui retournait son petit déjeuner dans l'estomac. Peut-être était-il un homme blessé, mais sa terrible réputation était difficile à oublier.

— J'aime être mon propre patron, répondit Aaron après un court silence.

— L'offre tiendra toujours.

— C'est plus que n'en peut espérer un homme.

Il restait une chose qu'il pouvait espérer d'elle, songea Risa. S'il la lui demandait, elle la lui donnerait.

Elle était à lui. La question était de savoir s'il en avait déjà véritablement pris conscience.

21

A la fin de la journée, Aaron était ivre de fatigue. Il essaya de se rappeler un autre moment de sa vie où il s'était autant servi de son arme. Jamais il n'avait dû remplir autant de formulaires lors d'une mission. Sa compagnie d'assurances allait peut-être lui coller un expert aux basques pendant un mois, même s'il espérait que cette menace de son agent n'était qu'une blague.

Quoi qu'il en soit, la police avait pas mal de questions à lui poser. Trouver des blessés dans les toilettes du Centre Elan ne leur avait pas beaucoup plu. Et un cadavre dans l'ascenseur, encore moins. Mais quoi ? Ne les avait-il pas prévenus avant qu'ils ne se déploient dans l'immeuble ?

Les deux agresseurs des toilettes étaient en vie, mais l'un était dans un état critique après avoir perdu beaucoup de sang. Quant au gosse du quatrième étage, ses efforts pour se défaire de ses menottes lui avaient mis les poignets à vif, mais en dehors de cela il était O.K.

Et, pour autant qu'il fût concerné, les morts avaient mérité de l'être.

Il ouvrit la porte de la chambre d'hôtel et fit entrer Risa.

Fidèle à elle-même, elle poussa des soupirs exagérés et se laissa tomber en travers du lit, les bras en croix, ses cheveux s'étalant en auréole autour de sa tête.

Aucun doute, cette femme aimait le confort. Après plusieurs jours de cohabitation ininterrompue, il avait pu s'en rendre compte. Elle ne demandait jamais rien, mais s'arrangeait toujours pour avoir les oreillers les plus moelleux et les draps les plus doux. Le bain à bulles, affirmait-elle avec une parfaite mauvaise foi, était un bonus pour lui.

Cool de sa part de songer à lui quand elle était nue.

Elle formait une image délicieuse. Si belle, si pleine de vie… Après qu'il eut vu tant de morts, elle était un véritable rayon de soleil dans son existence.

Il s'étonnait encore de sa capacité à affronter toutes ces menaces et toute cette violence. Tôt ou tard, se disait-il, elle accuserait le choc. Après de telles expériences, il n'avait jamais vu un seul civil échapper aux réactions post-traumatiques. Certains éprouvaient un besoin irrépressible de parler, de revivre les faits jusqu'à soûler leur entourage. En vérité, il lui était reconnaissant de ne pas appartenir à cette catégorie.

Mais ce contrecoup qu'il craignait, ce choc post-traumatique, ne venait pas. Et, comme elle se confiait tout le temps, il voyait mal comment elle aurait pu lui cacher quelque chose d'aussi gros.

Autre surprise, et non des moindres : elle n'avait rien à voir avec Pam, ni aucune des femmes qu'il avait connues. La combinaison de force, d'intelligence et de sex-appeal qui la caractérisait était proprement sidérante.

Si elle se rendait compte un jour du pouvoir qu'elle avait sur lui, il serait un homme mort.

En réalité, elle avait toutes les raisons de le haïr. Certains jours, lorsqu'il se regardait dans la glace, il ressentait une bouffée de dégoût. L'emmener au bureau de Lowell, la veille, avait été une erreur. La police avait pris les choses en main, et elle n'aurait couru aucun danger en étant seule. Mais il ne supportait pas d'être séparé d'elle.

Elle s'étira sur le lit jusqu'à ce que ses orteils et ses doigts atteignent les bords du matelas.

— Bon, et maintenant ? lança-t-elle.

— Nous restons ici, dormons pendant un mois complet, et, quand nous penserons que tous les tueurs à gages ont été balayés de la surface de la terre, nous essayerons d'aller de nouveau au restaurant.

Elle releva la tête et le dévisagea.

— Ne me parle plus de ces gens, ce n'est pas drôle.

Le pire, c'est qu'il ne plaisantait qu'à moitié. A cause de

ces constantes agressions à son encontre, il s'attendait encore à ce qu'un malfrat apparaisse à chaque coin de rue.

Ce qui n'était pas aussi négatif qu'il y paraissait. Cela le maintenait en éveil, prêt à l'action. Il demeurait à l'affût, tout en pouvant passer en une seconde en mode offensif.

— Je t'ai promis qu'il n'y en aurait plus.

Elle laissa retomber sa tête sur l'oreiller.

— Très bien. Mais ce n'est pas seulement à cela que je pensais.

Il s'assit sur le lit et lui caressa la cuisse.

— Et à quoi pensais-tu ?

— Allons-nous reprendre les choses où nous les avons laissées ?

Il avait espéré qu'ils presseraient la touche « avance rapide » et sauteraient cette question. D'accord, si tel était son désir, il pouvait en revenir aux baisers chastes et au marivaudage, mais il préférait de loin qu'ils s'éclatent sans retenue entre les draps.

— Ne me dis pas que tu es encore fâchée que je ne t'aie pas rappelée, plaisanta-t-il.

— Non, je pensais à après, et pas seulement au sens physique.

Il laissa ses doigts retomber sur le couvre-lit.

— D'accord.

Elle s'écarta et se redressa sur les coudes.

— Ça sonne comme un code pour « le moment est venu de prendre la fuite ». Je me trompe ?

— Tu sautes un peu vite sur les conclusions.

— Vraiment ?

— Que se passe-t-il, Risa ? Je ne comprends pas.

Ils étaient passés sans transition d'un badinage léger à une conversation des plus sérieuses. Il ne savait absolument pas où celle-ci les menait, ni comment y mettre le holà avant qu'elle ne les conduise en zone dangereuse.

— Apparemment.

Ce devait être l'un de ces malentendus homme-femme, songea-t-il. Ça expliquerait qu'il ne sût comment naviguer dans ce territoire mouvant. Bon sang, comment avaient-ils fait pour s'y aventurer ?

— Pourrais-tu éclairer ma lanterne sur ce que tu veux ? De quoi s'agit-il ? Je suis un homme simple. Si je le sais, j'essaierai de te le donner.

Dans les limites du raisonnable. Et c'était la clause qui tuait généralement le contrat.

Elle fouilla son visage de ses yeux sombres. Les plis sur son front disaient à quel point l'enjeu était d'importance pour elle.

Fasse le Ciel qu'il ne se méprît pas sur ce dernier.

Se redressant tout à fait, elle croisa les jambes en tailleur, les pieds sur les cuisses.

— Si je te demande de m'accompagner à mon cocktail d'entreprise, demain, que me réponds-tu ?

Rien au monde ne pouvait le rebuter davantage que de devoir se rendre à une nouvelle réception de fin d'année. S'il ne tenait qu'à lui, il reporterait Noël aux calendes grecques, lorsque Elan ne serait plus qu'un lointain souvenir.

— Après tout ce qui s'est passé, tu l'organises toujours ? Je crois que si je voyais maintenant un sapin de Noël, je le descendrais sur-le-champ. Même chose pour les anges, les trompettes et les cloches.

— Fais-moi plaisir.

Il ne savait trop quelle réponse elle attendait de lui. L'honnêteté lui ferait gagner quelques points, avait-il espéré. Etonnant, comme c'était souvent le contraire dans un monde qui la brandissait pourtant comme une bannière.

— Euh, ce n'est pas trop mon truc, tenta-t-il.

Sans un mot, elle serra la main sur le couvre-lit. Ses ongles s'y plantèrent à le déchirer à mesure que les secondes passaient.

— Euh, ce n'est pas trop mon truc, répéta-t-elle en l'imitant.

Oh-ho.

— Je ne suis pas pour les activités de couple obligatoires, tu comprends ? Les soirées restaurant, les brunchs, les visites à la famille, ce n'est pas mon style.

A peine eut-il prononcé ces mots qu'il réalisa à quel point ils étaient idiots. Il voulut les reprendre, mais c'était trop tard. Quant à en rajouter, cela ne ferait que l'enferrer.

Risa s'éloigna vers l'autre côté du lit, lui tourna le dos et posa les pieds au sol.

— Je n'ai pas de famille.

Ce fut comme si une lame lui transperçait le corps. Si seulement il avait pris la précaution de réfléchir avant de parler.

— Je te demande pardon. Ce n'était pas très délicat.

Tournant la tête, elle le considéra d'un œil froid. Il fit une nouvelle tentative.

— Ecoute, je…

Elle se leva. La tête penchée de côté, elle croisa les bras sur sa taille. C'était la posture la plus fermée qu'il lui eût jamais vue. Elle se coupait totalement de lui. Même l'éclat dans ses yeux et le rayonnement de son visage s'étaient ternis.

— Tu veux savoir ce que je pense ?

La pire question possible.

— Demandé de cette façon, non.

— Je pense que tu as peur.

L'intention belliqueuse contenue dans ces mots balayait le peu de sérénité qui demeurait entre eux. Elle voulait une réaction ? Elle en aurait une. Elle voulait se battre ? D'accord.

Lentement, il se leva à son tour.

— Pardon ?

— Une femme t'a fait du mal et, au lieu de la gommer de ton esprit comme n'étant pas faite pour toi, tu as décidé de jouer les célibataires endurcis.

Elle frappa du pied par terre. Ce ne devait pas être bon signe.

Quoi qu'elle pût penser, Pam était la dernière personne à qui il songeait en cet instant précis. Il avait bien assez de soucis avec celle qui se tenait en face de lui. Pas besoin d'alourdir sa liste de responsabilités.

— Ça, c'était avant, répliqua-t-il. Rien à voir avec nous.

— Le nœud du problème, c'est ce que tu es.

Ce qui faisait de lui une victime, et il refusait d'en être une. Il n'était pas homme à s'appesantir sur son sort.

— Absolument pas ! contra-t-il.

— Comment pourrais-je voir les choses autrement ?

Il ne comprenait même pas l'objet de leur dispute. Risa lui

semblait partir dans toutes les directions, soulevant la moitié du temps des sujets qui n'avaient rien à voir.

— Nous sortons ensemble, non ? lui rappela-t-il.

— Ce qui veut dire ?

Il se sentait ridicule à énoncer l'évidence.

— Nous sommes sortis… Enfin, non, nous sommes restés enfermés, enfin, bref. Je ne pense pas que ta théorie de ma prétendue allergie aux relations sérieuses s'applique ici.

— Mais tu ne voulais pas d'engagement.

Elle lança les deux mains en l'air et reprit :

— Tu ne m'as jamais rappelée pour qu'on se revoie ! Sans cette visite à Elan, j'attendrais encore ton coup de fil.

Il était écrit qu'il le paierait jusqu'à la fin de ses jours, s'agaça-t-il intérieurement.

— Nous en revenons à cela ? Je t'ai présenté mes excuses. Je peux recommencer, si tu veux.

— Laisse tomber, soupira-t-elle avec un geste las.

Puis elle s'avança vers le fauteuil. Il ne comprit ce qu'elle faisait que lorsqu'il entendit un bruit significatif de fermeture Eclair. Il inspecta la chambre à la recherche des habituelles chaussettes ou chaussures traînant n'importe où, mais n'en vit pas.

Elle partait, et il n'avait aucune idée de la raison de sa colère.

— Pourquoi nous disputons-nous ?

Elle empoigna sa valise, puis la jeta de nouveau dans le fauteuil. Lorsqu'elle se tourna vers lui, ses yeux lançaient des éclairs. Tout son corps exprimait sa tension, et elle avait les poings serrés sur les cuisses.

On eût dit une guerrière prête à la bataille. Sauf qu'il n'était pas du tout disposé à la suivre sur ce terrain.

— Si tout cela n'était pas arrivé, je suis sûre que tu aurais trouvé un autre endroit où prendre un café, un endroit soigneusement choisi afin de réduire à zéro le risque de tomber sur moi. Après tout, le secteur de Washington est très vaste. Si tu t'étais planqué quelque part, j'aurais été incapable de te retrouver. J'aurais perdu mon temps à chercher un avocat fiscaliste qui n'existe pas.

Sa tirade le laissa interdit.

Mais pas longtemps.

Tout à coup, tout était de sa faute. Malheureusement pour elle, il était au même moment arrivé au bout de sa patience.

— Tu m'aurais cherché ? répliqua-t-il.

— Sur le coup, probablement pas. Je te connaissais à peine.

Exactement.

— Dans ce cas, quel est le problème, Risa ?

— C'était avant ces événements, au Centre Elan. Avant de nous retrouver embarqués dans cette histoire à la « 24 heures chrono ».

Saisissant sa valise des deux mains, elle la cala contre sa poitrine.

Son air de défi lui remit aussitôt les idées en place. De même que la perspective qu'elle s'en aille. Son esprit se fermait à cette idée.

— L'adrénaline est un puissant booster.

— L'amour aussi, répliqua-t-elle.

Un silence total tomba dans la pièce. Il demeura bouche bée, l'air idiot. Elle soufflait et haletait.

Ils formaient le plus étrange des duos.

Il essaya de trouver quelque chose à dire. Un moyen de ne pas laisser ces mots suspendus dans l'air.

— Risa…

— Eh oui. Si tu n'étais pas terrifié auparavant, je parie que maintenant tu l'es.

Il se frotta la poitrine. Le poids qui l'oppressait ne s'allégea pas d'un milligramme.

— Tu pourrais peut-être arrêter de m'envoyer des piques sur mon courage.

— Oh ! tu es très fort en matière d'armes et de neutralisation des méchants. C'est la partie sentimentale qui te fait filer comme si tu avais le diable aux trousses.

Elle laissa retomber ses mains. L'une d'elles tenait la valise.

Son ticket de sortie. Pour repartir chez elle. Loin de lui. C'était aussi clair que si elle le lui avait crié à la figure.

Il fit appel au peu de logique qui lui restait. Il s'agissait d'une question de durée, pas de sentiments, il devait l'en convaincre.

— Nous nous connaissons depuis peu de temps.

— Ce n'est pas le nombre d'heures qui compte, répliqua-t-elle du tac au tac. Tu crois que j'ai décidé de tomber amoureuse de toi ? J'ai laissé un homme me mentir et détruire ma vie. Je suis encore en phase de reconstruction.

Ne venait-elle pas de changer de point de vue et de reconnaître la pertinence du sien ? Ils avaient besoin de temps. Et peut-être d'un peu d'espace. Il voulait être avec elle, sans que les murs ne se referment sur eux. Il ne voulait pas qu'elle voie quelque chose de mieux loin de lui.

Son cœur lui fit mal tandis qu'il s'avançait vers elle. Comme si une épée le fendait en deux.

— Tu vois, il est trop tôt…

— Lorsqu'un autre homme est arrivé dans ma vie, quelqu'un qui m'a servi des mensonges tout en éludant le rayon sentiments, on pourrait penser que j'ai le bon sens de le planter là, n'est-ce pas ? Eh bien non, c'est le contraire qui se produit. Je veux rester et me battre. Pour toi, pour nous deux.

— Ne me compare pas à ton ex ! s'écria-t-il, piqué au vif.

— Pourquoi ? Parce que tu ne m'as pas pris mon argent ?

Elle jeta la tête en arrière et éclata de rire.

— Oh ! Aaron, ce que tu as fait est bien pire ! Tu t'es emparé de mon cœur, et maintenant l'idée de le garder te terrorise.

Ces mots lui firent l'effet d'un coup de poing à l'estomac.

— Tu vas trop vite…

— Je vais de l'avant. Je suis prête. J'avais espéré que tu le serais aussi, mais apparemment ce n'est pas le cas.

— Comment tout cela est-il devenu ma faute ?

— Tu as raison. Ce ne l'est pas.

Son ton avait changé. Avait-il gagné ? Ou avait-elle juste baissé les bras ?

Elle n'avait pas bougé, n'était pas allée vers lui, ne l'avait pas touché. Et pourtant elle était si proche de lui. Cela n'était jamais arrivé, même quand elle avait appris qu'il n'était pas celui qu'il disait être.

Il tenta de déglutir, mais n'y parvint pas : sa gorge était trop sèche.

— Nous devrions nous calmer, et y réfléchir posément.

— Tu ne m'as jamais fait de promesses. C'est moi qui me suis précipitée pour remplir les blancs.

Elle se passa le dos de la main sur les joues.

Des larmes. La réalité de sa souffrance, une souffrance qu'il lui avait infligée, lui étreignit le cœur.

— Je t'en prie, ne pleure pas.

— Je te dis adieu.

Ces mots étaient pires que ses larmes.

— Doit-on vraiment en arriver à des paroles définitives ? répliqua-t-il.

Elle contourna le lit, sa valise à la main.

— Si je pensais, ne fût-ce qu'une seconde, qu'il subsiste un espoir que tu laisses le passé derrière toi et me fasses confiance pour l'avenir, je te demanderais où tu veux dîner ce soir.

— Alors tout va bien.

Il tendit les mains vers elle. Elle ne recula pas, et il les posa sur ses bras, s'imprégnant de leur chaleur.

— Ne dis pas de choses que tu ne penses pas, soupira-t-elle.

Un vide douloureux se fit dans son estomac.

— Je déteste quand les femmes prétendent savoir ce que nous pensons.

Elle se fendit d'un sourire triste, les yeux humides.

— Je suis juste une femme, à présent ?

— Ce n'est pas ce que je voulais dire.

— Je peux te promettre que jamais je n'essaierai de changer ton amour pour ton travail. Je ne te forcerai pas à choisir, je te le garantis. Je t'aimerai toujours, Aaron. Mais à quoi cela sert-il si tu ne crois pas à nous ?

Sa main demeura serrée sur la poignée de la valise, et à aucun moment elle ne le toucha.

— J'ai confiance en toi, assura-t-il.

Et c'était sincère. Il avait plus confiance en elle qu'en aucune autre femme qu'il eût connue dans sa vie.

Elle leva enfin sa main libre, et ses doigts suivirent la ligne de sa mâchoire.

— Tu es un homme sérieux, intelligent, solide, désirable. Mais il y a ce mur autour de toi, et je ne peux pas réussir à le franchir toute seule.

Ces mots n'avaient aucun sens pour lui. Ne lui offrait-il pas tout ce qu'il avait ?

— Tu rends les choses beaucoup plus compliquées qu'elles ne devraient l'être.

— Non. Je les rends très simples, tu peux retrouver ta vie telle que tu l'aimes. Seul, et en toute sécurité.

— C'est injuste.

Elle se pencha vers lui et l'embrassa sur la joue. Le contact ne dura que le temps d'un battement de cil.

— Joyeux Noël, Aaron. J'espère que tu obtiendras tout ce que tu désires.

Il laissa retomber ses mains tandis qu'elle se retournait.

— Risa, ne fais pas cela.

— Adieu.

22

Après une semaine sans Risa, Aaron commençait à devenir fou. Même si elle avait très peu mis les pieds chez lui, il sentait son parfum chaque soir en poussant la porte de son appartement. Il la voyait, ou l'imaginait, dans la rue. Il se repassait des dizaines de fois son dernier message vocal pour se souvenir de sa voix.

En résumé, il filait un mauvais coton.

Assis à son bureau, Royal le considéra d'un air affligé.

— Ecoute, mon gars. Si tu ne te remets pas rapidement les idées à l'endroit, je m'en vais.

Cela faisait quatre jours que son assistant était revenu. Royal ne laisserait pas des choses aussi futiles qu'une intervention chirurgicale et une explosion qui avait failli le transformer en pièces détachées modifier son organigramme. Il voulait retrouver sa vie. Tout de suite.

Lorsqu'il avait débarqué au bureau, les côtes bandées, claudiquant, il avait demandé à savoir où était Risa. Et, depuis lors, il n'avait cessé de poser des questions à son sujet. Les deux fois où Aaron s'en était plaint, Royal avait prétendu que cet intérêt venait de Gail.

— De toute façon, je vais peut-être partir, grommela-t-il. Ça te rendra service.

— Que dois-je comprendre ? s'enquit Aaron.

Mais il connaissait la réponse. Par de multiples allusions plus ou moins fines, Royal lui avait signifié son désaccord quant à la tournure qu'avait prise sa vie amoureuse.

— Crois-en un homme marié depuis longtemps…

Seigneur, ne pouvait-il pas lui ficher la paix ?

— Tu t'es marié avant d'avoir l'âge légal pour consommer de l'alcool.

Royal pointa sur lui un doigt accusateur.

— Oui, mais je suis toujours avec la même femme et je ne suis pas près d'en changer, aussi la date du début d'une relation importe peu. Ni le temps écoulé avant que l'on se rende compte que c'est la femme qu'il nous faut.

Voilà qu'il parlait comme Risa.

— Subtil.

Royal, qui gesticulait trop, posa soudain la main sur son flanc en grimaçant.

— Va la voir. Agenouille-toi devant elle, demande-lui pardon et cesse de tourner ainsi comme un ours en cage.

— Ce n'est pas si facile.

Deux jours plus tôt, quand il lui avait dit la même chose, il l'avait envoyé paître en termes peu civils. Cette fois, il y réfléchissait. Il était prêt à oublier ses propres récriminations si elle lui accordait dix minutes pour plaider sa cause. Mais ça risquait de ne pas être suffisant pour la faire revenir.

— Mais si, c'est facile, reprit Royal. Noël, c'est la semaine prochaine. Tu veux vraiment passer de nouveau seul les fêtes de fin d'année ?

Que venaient faire ici les fêtes de fin d'année ? Il s'était toujours moqué des guirlandes, des sapins et des cadeaux.

— Je lui ai pris la tête.

C'était sorti tout seul. En temps normal, il se serait ouvert à Royal de ses malentendus et disputes avec Risa. Mais tout était enfermé au fond de lui, et il avait besoin d'évacuer un peu de pression.

— Moi aussi, tu me prends la tête.

— Nous avons du travail, le coupa Aaron.

Les pieds de la chaise de Royal retombèrent sur le sol.

— Je peux te poser une question ?

Aaron feignit de se replonger dans l'activité qui l'occupait le plus depuis un moment : faire du rangement.

— Dis toujours.

— Y a-t-il sur ton bureau ou n'importe où dans cette pièce une seule chose qui compte plus pour toi que Risa ?

Aaron repoussa sèchement le tiroir devant lui.

— Non.

— Alors va réparer les dégâts.

Dit comme ça, ça semblait facile. Et très excitant aussi. Dormir seul, assurément, ne l'était pas.

Il ne s'agissait pas seulement du sexe. Cette dernière semaine, il s'était retourné mille fois sur l'oreiller, voulant lui dire quelque chose, mais elle n'était pas là. Qu'une femme qui avait passé si peu de temps dans sa vie ait pu y prendre une telle place, cela lui échappait.

Il s'échina à réintroduire un peu de bon sens dans l'équation. La dernière fois qu'il n'avait écouté que la voix de son cœur, la femme l'avait larguée sans crier gare.

— Il faut que je prenne bien la mesure de la situation. Si je vais trop vite, je risque de nous décevoir tous les deux.

Royal hocha la tête.

— En effet. C'est logique.

Aaron ne s'attendait pas à ce qu'il approuve.

— Il faut procéder intelligemment, reprit-il.

Royal leva un doigt.

— Une chose, toutefois.

— Laquelle ?

— Elle travaille avec des tas d'hommes, n'est-ce pas ?

Aaron n'aimait pas la direction que prenait la conversation. La douleur au niveau du plexus qu'il ressentait chaque fois qu'il pensait à elle se réveilla sans pitié.

— Où veux-tu en venir ?

— Nulle part.

Aaron contempla les papiers devant eux. Il n'avait aucune idée de ce qu'il y était écrit. Sa vue se brouilla jusqu'à ce que les lignes de texte s'ajustent de nouveau les unes aux autres.

Le silence dura trois bonnes secondes.

— Il me semble simplement, poursuivit Royal, que la combinaison hommes, gui et Noël pourrait être tentante, surtout si elle cherche un moyen de t'oublier ou même de revenir vers toi. Je serais toi, je n'attendrais pas trop longtemps.

Aaron soupira. Ne pas avoir Risa auprès de lui le faisait saigner à l'intérieur. L'imaginer avec quelqu'un d'autre était une véritable torture. Et il atterrirait directement en prison, parce qu'il tuerait tout mâle qui s'aviserait de la toucher. Ce n'était ni rationnel ni même raisonnable, mais il savait ce qu'il ressentait, et ça suffisait.

Il se leva et s'arrêta près du bureau de Royal.

— Je sors pour la journée.

Son assistant se fendit d'un sourire espiègle.

— C'est bien ce que je pensais.

— Je prends juste un peu de vacances.

Une fois devant la porte, il se retourna.

— Euh, Royal ?

— Oui ?

— Merci.

Peut-être Risa avait-elle raison au sujet d'autre chose. Royal ferait un associé de premier ordre.

Ce vendredi-là, debout près du saladier de lait de poule, Risa regardait ses collègues se disputer en riant pour grappiller le reste des petits gâteaux de Noël. Ils plaisantaient, s'amusaient. Certains dansaient.

Qui savait que les ingénieurs aimaient les gâteaux au sucre en forme de chaussette ?

Lorsqu'ils avaient appris qu'elle avait failli mourir en voulant louer l'ultime salle disponible pour leur cocktail, elle était devenue la star de la boîte. Et, quand ils avaient insisté pour que celui-ci se tienne dans leurs bureaux, son soulagement avait été tel qu'elle avait failli tomber à la renverse. La simple idée de remettre les pieds à Elan lui vrillait l'estomac.

Non que le Centre de conférences fût encore une option. Ils s'étaient débrouillés pour le réduire en morceaux, au sens le plus littéral.

La préouverture était devenue la préfermeture.

Une reconstruction complète du bâtiment flambant neuf

était maintenant nécessaire, mais il se disait en coulisses que les travaux seraient remis au printemps. Certains journalistes suggéraient même un changement de nom.

Selon la croyance générale, le site était maudit. Et le fait que des articles de presse évoquent des cadavres à chaque étage n'arrangeait rien. C'était bien sûr exagéré. Mais à mesure que les gens en parlaient, le tableau empirait. Pour avoir vécu les événements, Risa doutait que ce fût possible.

A titre personnel, elle voulait lancer une pétition pour fermer l'endroit une fois pour toutes. Revivre cette terreur et cette angoisse était son cauchemar, et elle ne laisserait pas cela arriver. L'idée de se retrouver sur les lieux mêmes où ce qu'elle ressentait pour Aaron s'était mué en amour lui était tout aussi insupportable.

Elle voulait oublier. Elle avait utilisé toutes les ficelles de son imagination pour effacer son visage de son esprit, gommer son souvenir et revenir en arrière, avant leur rencontre. Sans succès.

Depuis leur dernière conversation, elle avait tant de fois décroché son téléphone pour l'appeler. Quitter cet hôtel avait été la décision la plus difficile de sa vie. La jeune fille romantique au fond d'elle avait espéré qu'il lui courrait après. L'idée lui semblait à présent ridicule, mais à ce moment-là elle ne l'était pas.

Aaron n'était pas un homme particulièrement démonstratif, et elle était parfois tentée de capituler et de laisser leur relation suivre les méandres du chemin voulu par lui. Peut-être avait-il vraiment besoin de temps et d'espace.

Ou peut-être n'était-elle qu'une pauvre idiote pathétique.

La vue de couples heureux et de toutes ces décorations de fêtes n'arrangeait rien. Pour une personne à la fois amoureuse et seule, la période de fin d'année était assassine.

Il ne voulait pas de liens trop serrés. Elle pesa le pour et le contre d'un tel arrangement, mais dans chaque scénario il faisait du surplace et elle en avait le cœur en charpie.

Un maigre sourire lui étira les lèvres lorsque deux types se disputèrent le micro pour entonner un chant de Noël. Les caméras jaillirent et les encouragements fusèrent. Ses collègues rendaient les choses supportables.

Quelqu'un la poussa lourdement dans le dos. Elle s'apprêtait à se retourner avec un regard signifiant « non, mais ça ne va pas, la tête ? » lorsqu'une voix rauque perça le brouhaha, lui effleurant la nuque tel un baiser.

— Ils sont toujours aussi bruyants ?

Elle virevolta sur elle-même.

— Aaron ?

Il se redressa, survolant la salle du regard. Il était vêtu d'un pantalon de soirée et d'un pull-over. Son beau visage viril était encore plus craquant que dans son souvenir, même avec les cernes sombres sous les yeux.

— Tu as peut-être besoin d'un videur, suggéra-t-il, les mains dans ses poches arrière.

La fête se brouilla en arrière-plan, les bruits et les lumières s'estompèrent, et elle ne vit bientôt plus que lui.

— Que fais-tu ici ?

Il la regarda enfin. Dans ses iris bleu-vert se lisait de la tristesse, ainsi qu'une émotion qu'elle fut bien en peine de définir.

— Ne m'as-tu pas demandé d'être ton compagnon ?

Son cœur fit une pirouette, mais elle l'ignora.

— Ça, c'était avant.

Un sourire espiègle lui étira les lèvres.

— Avant que je sois un gros crétin ?

— Euh, eh bien… Oui.

— Viens danser.

La main tendue vers elle, il désigna du menton la piste de danse à présent déserte. Les ingénieurs de chez Buchanan aimaient mieux chanter que danser, semblait-il.

Ce brusque changement de situation la prit par surprise. Pas une seconde elle ne se serait attendue à le voir là, dans ces bureaux. Et moins encore à ce qu'il lui offre ses services en tant que cavalier.

Mais le toucher de nouveau… Elle en rêvait depuis des jours. Sa maîtrise de soi, déjà bien ébranlée, l'abandonnerait pour de bon si elle le laissait trop s'approcher.

— Je ne pense pas que ce soit une bonne idée.

Pas du tout la réponse qu'elle voulait lui donner.

— Mais je veux te toucher, répliqua-t-il.

Oups. Le gars savait ce qu'il fallait dire. Il n'y avait pas que son cœur qui bondissait dans tous les sens, elle était prête à parier que tous ses organes s'étaient mis également à danser la salsa.

— Je ne sais que répondre…

— Pourquoi pas oui ?

De ce geste intime qu'elle aimait tant, il glissa ses doigts dans les siens.

Avant que son bon sens ne tire la sonnette d'alarme et ne gâche tout, elle s'inclina.

— O.K.

Puis elle tomba dans ses bras comme si elle y était née. Sa main droite remonta jusqu'à son biceps, tandis que la gauche se posait sur sa taille.

La pression de ses doigts à travers sa robe réveilla un faisceau de souvenirs, tous bienvenus et d'un érotisme… échevelé. Si elle s'y attardait trop, elle risquait de piquer un fard.

Il pencha sa tête vers la sienne.

— C'est un chouette endroit.

Son souffle se bloqua dans sa gorge. Elle tenta de l'en déloger, mais il refusa de sortir.

— Oui, j'adore.

Elle l'adorait. Chaque partie de lui. Son odeur. La manière dont il la tenait. La promesse de ses baisers. Jusqu'à sa revendication du droit de la tenir entre ses bras.

Il la faisait tournoyer, tournoyer… Leurs pieds bougeaient en parfaite symbiose avec la musique. Comme pour tout le reste, il était excellent. Il suivait avec aisance le tempo et la guidait à merveille.

— Ça te va bien, d'être ici. Buchanan, c'est ça ? Son atmosphère semble s'adapter à ta personnalité.

Sa tête lui tournait, et sa conversation ne quittait pas le registre des mondanités. Elle allait devenir folle s'il poursuivait ainsi. Elle s'écarta d'un pas, instaurant un peu d'espace entre eux.

Même si croiser son regard sans que ses entrailles ne fondent était difficile, elle leva les yeux.

— Franchement, Aaron, je ne vois pas bien ce que nous faisons ici.

Il s'arrêta de danser, mais ne la lâcha pas.

— Je suis venu ramper à tes pieds.

Elle devait avoir mal entendu.

— Quoi ?

— Tu vois, pas grand-chose ne me fait peur dans ce monde. Je porte une arme, je donne des ordres et en général je contrôle la situation. Papa me l'a appris. La Navy a consolidé tout ça. Cette façon d'opérer me garantit plus ou moins de vivre la vie que j'aime.

Qu'est-ce que tout cela avait à voir avec sa présence ici, ou son invitation à danser ? En quoi ces faits la concernaient-ils ?

— D'accord. C'est très bien, je suppose.

— Ça a marché. Je m'en suis bien porté, et j'ai cru en des choses qui me paraissaient solides, avérées. Jusqu'à ce que tu débarques. Tu as tout fichu en l'air.

Sa dernière parcelle d'espoir s'envola.

Laissant retomber ses mains, elle s'écarta de lui. Ce n'était pas d'espace qu'elle avait besoin entre eux, mais d'un immeuble de trente étages, d'une ville, d'un Etat entier.

— Merci d'être passé, Aaron, mais…

Il ne bougea pas d'un millimètre.

— Tu m'as donné une trouille de tous les diables parce que je ne peux pas contrôler mes sentiments pour toi.

Ces mots l'empêchèrent de le planter là sans autre forme de procès.

— C'est si mal que ça ?

Son visage se détendit légèrement, et il sourit.

— Quand je te regarde, tous mes projets volent en éclats, et mon cerveau fonctionne de travers. Je veux t'avoir dans mon lit, et aussi au petit déjeuner le lendemain. J'ai observé tous les aspects de ma vie, et le fait est là : il y a de la place pour toi.

Elle identifia alors dans ses yeux ce qu'elle n'avait pas réussi à définir plus tôt. L'espoir. Elle le sentait. Il éclatait dans la pièce, jusqu'aux traverses du plafond.

Mais oser y croire était un risque énorme, et elle n'était pas encore sûre de vouloir le prendre.

— Vraiment ?

— Ensuite, tu es partie, et j'ai découvert le vide atroce que tu laisses derrière toi quand tu t'en vas. Mon cœur, mon âme, mon corps, tout m'a fait mal…

Il ferma les yeux. Lorsqu'il les rouvrit, un orage y sévissait. Sa lutte intérieure transparaissait sur son visage dans toute son âpreté.

— Ce mal, c'était le manque de toi. C'était me retourner dans le lit et vouloir te serrer dans mes bras… Mais tu n'es pas là.

Elle revint vers lui et lança les bras autour de son cou. Il lui baisa les cheveux.

— Aaron.

C'était comme s'il avait attendu qu'elle bouge la première. Maintenant que c'était fait, il l'étreignait de nouveau, avec ardeur.

Elle releva les yeux. Tout le monde les regardait. Les ingénieurs s'étaient alignés en rangs d'oignons, souriant pour la plupart. Ils ne savaient même pas qu'elle avait un petit ami. Ce qui n'avait rien de surprenant, vu que quelques minutes plus tôt elle-même l'ignorait.

Le regard éclairé par ce qui ne pouvait être défini que par le mot « bonheur », Aaron haussa les épaules.

— Ils peuvent entendre. Ça m'est égal.

— Depuis quand ?

Elle l'avait toujours perçu comme étant un homme secret. Qu'il fasse ainsi cette déclaration en public, qu'il embrasse tous les autres dans leur relation, était une chose énorme : il proclamait au monde qu'ils étaient ensemble, que ce n'était pas une banale liaison. Que c'était du sérieux.

Il lui prit le visage entre les mains.

— Depuis que je me suis rendu compte que t'aimer, c'était ne pas toujours avoir le contrôle des événements.

Elle eut l'impression d'être frappée par un arc électrique. Ses lèvres bougèrent, mais aucun son n'en sortit.

Il fallut son merveilleux sourire et la douce lumière qui dansait dans ses yeux pour qu'elle retrouve l'usage de la parole.

— M'aimer ?

Il hocha la tête.

— Tu ne le savais pas ?

Une indicible euphorie s'empara d'elle. Elle se sentait rayonnante, avait le sentiment d'être vivante, plus heureuse qu'elle ne l'avait jamais été.

Tout en parcourant son visage des yeux, elle déploya ses mains dans son dos.

— Je l'espérais. Mais cela tu l'ignorais, n'est-ce pas ?

— J'avoue que j'ai été un peu lent sur ce coup. Je te voyais, et je sentais quelque chose me tirailler. Nous nous dirigions quelque part, et ce quelque chose devenait irrésistible. Je ne savais pas ce que c'était, alors je l'ai fui.

— Et maintenant ?

Il l'embrassa. D'un baiser chargé d'humilité et de promesses. Sans un mot, il lui disait combien elle comptait pour lui. Elle le sentait dans la chaleur de son étreinte, dans la tendresse avec laquelle ses lèvres couvraient les siennes.

Il releva la tête. L'amour exsudait de tout son être. Il fallait être aveugle pour ne pas le voir.

— Je suis si las de fuir, d'être seul, sans toi, de faire comme si je n'éprouvais rien. Je veux fêter Noël avec toi, t'emmener chez moi pour te présenter à mon père, qui sera certainement fou de toi, puis entamer la nouvelle année en te serrant dans mes bras.

Chacune de ces choses aurait été parfaite. Il transgressait ses frontières personnelles et l'emmenait là où elle voulait être. Là où était sa place.

— Tu viens de dire exactement ce qu'il faut, Aaron.

— Parce que ça vient du cœur.

Il posa son front contre le sien.

— Vois cela comme un engagement. Une promesse de toujours.

Elle entendait les ingénieurs parler entre eux. Certains demandaient qui était cet homme, d'autres voulaient qu'elle le leur présente. Leurs vœux seraient exaucés, mais elle le voulait d'abord pour elle seule.

— C'est mon plus beau cadeau de Noël. Je suis prête à tout abandonner pour ton amour.

Elle l'embrassa de nouveau, parce que ne pas le faire la mettait à l'agonie.

— Non, Risa…

Il l'écarta légèrement de lui.

— Tu n'abandonneras rien. Je veux te procurer tout ce qui te manque, tout ce dont tu as besoin, tout ce que tu désires. En contrepartie, je te demande juste de continuer à aimer ce type plus têtu, plus stupide et plus ignorant qu'une mule.

Eclatant de rire, elle se jeta dans ses bras. Il allait illico les refermer sur elle, elle le savait.

— Fais-moi danser encore une fois, ensuite, tu pourras m'emmener chez toi et nous essaierons de tester un peu cet amour.

— J'ai une idée. Nous allons danser sous le bouquet de gui accroché au plafond, histoire d'en mettre plein la vue à tes collègues.

Elle ne refusa pas. Pis, elle l'embrassa.

Lorsqu'ils relevèrent tous deux la tête, elle crut entendre des applaudissements.

— Joyeux Noël, mon cœur, murmura-t-il contre ses lèvres.

— Tu es en avance, mon cœur.

— Non. J'ai le bon timing, pour une fois.

SYLVIE KURTZ

Une troublante amnésie

BLACK *ROSE*

éditions HARLEQUIN

Titre original : REMEMBERING RED THUNDER

Traduction française de BLANCHE VERNEY

83-85, boulevard Vincent-Auriol, 75646 PARIS CEDEX 13.
Service Lectrices — Tél. : 01 45 82 47 47
www.harlequin.fr

Prologue

Ashbrook, Texas. Quinze ans auparavant.

Elle était en retard. Il aurait dû s'en douter : Ellen n'aurait pas le courage de venir. Ce genre de jeux n'était pas de son goût. Pourtant, il avait espéré : elle aurait épicé ce qui promettait d'être une bien morne soirée…

Lui, enfreindre les règles était bien la seule chose qui l'amusait… Mais même cet agréable parfum d'aventure avait tendance à virer à l'aigre dans l'humidité poisseuse de ces sous-bois.

Tous ces arbres le rendaient claustrophobes. La chaleur pénétrait en lui par chaque pore de sa peau, le faisait abondamment transpirer et même, semblait-il, ralentissait son cerveau. Toute cette nature allait le rendre fou.

Il avait bien besoin d'un peu de délassement, et par cette torride journée de l'été précoce (on n'était pourtant qu'à la fin mai) il était peu probable que l'excitation, l'aventure se rencontrent au coin du chemin.

Garth regarda ses compagnons. Les frères Makepeace, des jumeaux, ressemblaient à deux chiens avachis dans un coin d'ombre. Kent pourrait certainement passer la nuit entière sans se plaindre. Kyle, c'était autre chose : il n'avait guère de patience et il serait certainement plus facile de l'entraîner dans quelque plaisir interdit.

— Des traces de dindon sauvage, signala Kent en désignant une empreinte dans le sable fin de la berge.

On s'en fout, pensa Garth. Et il avança la main pour dérober une lampée du Coca-Cola de Kyle.

— Ça nous fait une belle jambe, dit celui-ci en ricanant. On ne va pas le bouffer à Noël…

Ils étaient assis tous les trois sur la berge. Kent lança un coup d'œil de côté à Kyle, puis se remit à mâchonner son hamburger. A voir le tressautement nerveux de son genou, il avait envie de répondre quelque chose, mais mieux valait s'en abstenir quand son jumeau était dans ce genre d'humeur.

Le problème était que Kyle en changeait constamment et plus souvent pour le pire que pour le meilleur. Cela faisait au moins trois jours qu'il était sur des charbons ardents et il ne disait rien de ce qui le tourmentait. Plus surprenant, il n'accablait pas Garth de questions ou de railleries. C'était vraiment dommage qu'Ellen ne se soit pas montrée…

Garth vida la dernière gorgée de Coca-Cola, en se battant avec les moustiques qui semblaient avoir décidé de le dévorer vivant.

D'ici une semaine, le troisième trimestre de leur classe de terminale allait s'achever. Après, ce serait… la vie, l'inconnu. Pour le moment, Kyle et Kent étaient libres comme l'air. Garth, lui, voulait profiter de chaque minute de cette liberté et en aucun cas la gâcher en végétant au bord d'une rivière.

— Il va y avoir une course de bagnoles près du réservoir, ce soir, dit-il, l'air de rien, espérant bien attirer l'attention de ses amis.

Dépendre toujours de Kent, seul détenteur du permis de conduire dans leur petite bande, était très frustrant.

— Qui est-ce qui y participe ? demanda Kyle en pressant un deuxième emballage de ketchup sur son hamburger.

— Mark Renfro et sa vieille Chevrolet pourrie.

Kyle poussa un ricanement bref. D'un geste désinvolte, il lança l'emballage vide dans le sac en papier du fast-food.

— S'il pilote sa charrue comme il monte à cheval, je ne tiens pas à voir ça. Mais je suis prêt à parier sur son challenger, et à l'aveugle, encore !

Sans se laisser démonter, Garth essaya un autre appât.

— Shannon Blake fait une fête. Ses parents sont partis pour le week-end. Il paraît qu'il y aura un baril de bière…

— Ah ouais ?

Kyle pressa la partie supérieure du pain rond de son hamburger et quelques gouttes de ketchup tombèrent sur le sol.

— … Ça peut valoir le coup d'y faire un tour…

— Personne ne nous a invités, ça sent l'embrouille, protesta Kent.

Il abaissa sur ses yeux la visière de sa casquette de base-ball et s'adossa au tronc d'un chêne, derrière lui.

Garth réprima un grognement. Il aurait voulu errer sans but en voiture par les rues de la ville, à la recherche de… il ne savait trop quoi.

— Tu n'es pas obligé de rester, reprit-il. Tu peux nous déposer, Kyle et moi, et puis partir. On se débrouillera pour rentrer.

— Kyle ne doit pas y aller. Il ne peut pas risquer de se faire piquer encore une fois par le shérif Paxton.

— Eh, je peux décider pour moi, non ? rétorqua son frère.

— Bah, c'est rien qu'une fête, renchérit Garth.

— Une fête qui pourrait tourner au vinaigre, insista Kent. On vous connaît…

Garth haussa les épaules.

— Oui, bon, eh bien, on partira avant, c'est tout…

— John Henry ne…

— Il s'en fiche… soupira Garth.

John Henry Makepeace n'était pas beaucoup plus stable et posé que son petit-fils Kyle. C'était probablement pour cette raison, pensait Garth, que Kent était parfois rabat-joie. Il lui avait fallu s'improviser la conscience désignée de toute la famille…

— S'il est encore obligé d'aller chercher Kyle au poste, reprit Kent, il ne s'en fichera pas, tu peux me croire…

— Bah, il n'y restera pas longtemps…

Kent posa sur lui un regard suffisamment glacé pour rafraîchir l'air autour d'eux.

— C'est en ville qu'on restera pas longtemps, prédit-il. Il faudra qu'on déménage si ça arrive…

Garth échangea un regard de connivence ironique avec Kyle par-dessus la tête de Kent.

— Si tu le dis…

— Un peu, que je le dis, persista Kent.

Garth piqua deux, trois frites dans leur carton et se mit à les mâchonner pensivement. Mieux valait ne pas contrarier Kent. On verrait bien plus tard…

Décidément, la seule énergie alentour était celle du courant de la Red Thunder. Comme son nom de « tonnerre rouge » l'indiquait, la rivière n'était jamais tranquille, tout au long de son cours. Contrairement à ses paresseuses voisines, la Neches et la Sabine, qui s'étiraient en de longs méandres, l'une à l'ouest et l'autre à l'est, la Red Thunder coulait droite et rapide. Garth se comparait volontiers à elle et il était pressé de quitter la petite ville assoupie dans sa torpeur pour courir le vaste monde.

Il avait des projets, savait exactement où il voulait aller et brûlait d'impatience d'entamer son parcours. Sa route, il le jurait, serait aussi rapide, aussi tumultueuse que la rivière. Rien ne l'arrêterait.

Soudain, il entendit des pas dans les fourrés, très amortis par l'épais tapis de feuilles mortes. Une branche craqua. Ni lui ni les jumeaux ne bougèrent. Ce pas-là était trop léger et trop timide pour être celui du garde-forestier. Garth se mit à sourire. Tiens, tiens, regardez donc qui voilà… Peut-être que la soirée n'était pas perdue, après tout. Il prit une autre frite dans le carton et lança un regard à la dérobée en direction de Kyle.

Celui-ci posa le reste de son hamburger au sol, puis il se leva et fit mine de ramasser des cailloux le long de la berge.

A la lisière de la clairière, une branchette de sapin à la main, Ellen Paxton semblait hésiter à faire un pas supplémentaire. Ses cheveux blonds étaient rassemblés en une lourde tresse qui pendait dans son dos. Garth lui avait pourtant dit de les laisser libres. Il aimait la façon dont ils brillaient comme de l'or au soleil et rêvait toujours de glisser ses mains dans ses mèches semblables à de la soie. Elle n'avait d'ailleurs pas écouté ses autres recommandations non plus : son short en jean était bien trop court, et son T-shirt rouge, trop moulant. Non que cette tenue lui allait mal, bien au contraire. Elle avait des jambes fines et fermes. Rien qu'à la voir bouger, Garth sentait son sang bouillir plus fort à chaque seconde. Mais tout cela n'était pas dans sa nature et elle ne devait pas se sentir à son aise dans ces atours provocants. La fraîcheur et l'innocence lui allaient bien mieux. Il le lui avait dit, d'ailleurs…

Ses grands yeux ni tout à fait verts ni tout à fait gris vinrent se poser un instant avec un peu d'angoisse sur Kyle, puis, très vite, vers Kent. Garth réprima un sourire : il lui avait pourtant dit de passer par lui si elle voulait avoir Kyle. Elle faisait tout de travers…

Il écrasa dans son poing nerveux le carton de frites vides. Un jour, ce serait lui qui aurait Ellen.

Elle se laissa tomber à côté de Kent, fit tourner vers elle la paille du Coca-Cola qu'il buvait et aspira un peu de liquide glacé, laissant sur le plastique blanc une trace de rouge à lèvres. Le rose lui allait mieux. Garth soupira intérieurement : il le lui avait dit cent fois…

Kyle affectait de ne rien voir de ce manège, mais il avait les mâchoires serrées.

Ellen rompit le silence :

— J'ai vu la camionnette en passant sur la route, alors je me suis dit que j'allais vous dire un petit bonjour.

Garth sourit et s'adossa au tronc d'un noyer. Tu parles, que tu as vu la voiture en passant, songea-t-il. C'est moi qui t'ai appelée du fast-food, pour te dire ce qu'on voulait faire…

Il lui avait exposé méthodiquement son plan pour la soirée. Mais l'avait-elle seulement écouté ? C'était peu probable. Elle voulait toujours jouer dans la cour des grands, mais n'était pas tout à fait à la hauteur.

Elle aurait dû lui faire confiance, pourtant…

Mais après tout sa simple présence annonçait une soirée

bien plus intéressante qu'une autre, passée par exemple à boire de la bière à la fête de Shannon Blake.

— Alors, vous allez faire quoi, vous, cet été ? demanda-t-elle avec un entrain exagéré.

Ellen était follement amoureuse de Kyle. Cela se voyait clairement sur son visage, alors même qu'elle faisait tout pour paraître l'ignorer, et Kyle était fou d'elle, bien que pour le moment il affectât lui aussi de ne pas s'en soucier.

Kent voulut se lever, mais elle l'en empêcha en se pendant à son bras. Le loyal Kent Makepeace ne voulait pas qu'Ellen l'utilise pour rendre son frère jaloux, mais il était bien trop chevaleresque pour infliger une rebuffade à une jeune fille, qu'elle le mérite ou non.

— Kent va être garde auxiliaire dans une réserve naturelle, cet été, ricana son frère. Ça t'étonne ? Il a toutes les qualités pour ça : honnête, fiable, toujours prêt à rendre service… C'est tout lui, non ?

C'était en effet tout le portrait de Kent, se dit Garth. Mais comment pouvait-on s'intéresser à un boulot aussi ennuyeux ?

— Je préfère que ce soit toi que moi, soupira-t-il. Ça doit être d'un assommant…

— Tu te trompes, Garth, reprit Kyle toujours sur le même ton ricanant. Il aura un beau chapeau de boy-scout, passera son temps à faire la leçon aux campeurs. Attention aux feux de forêt, attention aux ours… Faites ci, ne faites pas ça…

— Y a rien de mal à donner des conseils de sécurité, intervint Ellen avec un peu trop d'enthousiasme.

— Mais ils s'en foutent, de la sécurité. Ils veulent juste s'amuser un peu…

Ellen resserra ses doigts sur le bras de Kent, le visage tordu d'une grimace rageuse et désespérée.

— Laisse tomber, lui dit le garçon entre ses dents serrées.

— Je ne peux pas, lui répondit-elle à mi-voix.

— Eh oui, Kent, elle ne peut pas, c'est plus fort qu'elle… reprit son frère. Un jour, elle finira par se coincer un type dans ton genre, toujours prêt à faire la morale…

Tout en parlant, Kyle lançait rageusement des pierres dans le courant. Son attitude était très éloquente.

Une mule devant un mur, se dit Garth en léchant le sel sur ses doigts. Il ne s'était pas trompé. Kyle n'était pas prêt à jouer les amoureux transis.

— Faut pas dire ça, Kyle, protesta-t-elle faiblement.

— Ah non ? Pourquoi pas ? Il t'en faut, tu as un gros appétit, pas vrai ?

Ellen rougit violemment, son regard passant de l'un à l'autre des deux frères.

— On ne peut pas parler… en privé ? balbutia-t-elle.

— Pourquoi ? C'est toi qui as voulu, non ? Je ne suis pas venu te chercher…

C'était donc ça, s'étonna Garth. Leurs attitudes ne mentaient pas. Comment ne s'en était-il pas aperçu plus tôt ? Ils l'avaient fait, et l'innocente petite Ellen n'était plus vierge. Curieusement, Kyle n'en avait pas parlé. Habituellement, il était plutôt du genre à se vanter de ses conquêtes. Mais voilà, que dirait le shérif, s'il savait que son précieux trésor n'était plus une pure jeune fille ? Il pouvait se l'imaginer…

Ellen s'était donc donnée à Kyle et à présent elle avait bien du mal à accepter le départ imminent de son amant pour un ranch dans l'ouest du Texas.

Garth ne pouvait l'en blâmer. Kyle exerçait sur tous les êtres, quel que soit leur sexe, une sorte d'attirance trouble. Et en son absence, ce pouvoir allait certainement opérer sur une autre ou sur plusieurs.

Kyle aimait se montrer comme l'image même du cow-boy, des bottes jusqu'au chapeau en passant par le cheval. Lorsqu'il paraissait avec ses airs sombres, sur son mustang noir, elles tombaient comme des mouches. Ses hautes pommettes, son regard très sombre, cet air de fierté qui était l'apanage des Makepeace attiraient les filles comme le miel, les abeilles.

Pourtant, si Ellen ne voyait que cela en lui, alors elle manquait l'élément le plus important de sa personnalité. Kyle avait une façon bien à lui de marquer farouchement son droit de propriété sur les choses et les êtres qu'il s'attribuait, pensa Garth. C'était la seule chose qui l'avait empêché de tenter sa chance auprès d'Ellen. Aussi jolie soit-elle, il n'aurait risqué pour rien au monde d'affronter la colère de Kyle. Il ne voulait pas prendre un œil au beurre noir ou avoir des lèvres enflées, même pour le joli sourire d'Ellen. Tant pis si elle ne le comprenait pas. Tant mieux, peut-être… Lorsque Kyle serait parti, qui sait s'il n'aurait pas sa chance ?

De toute façon, ce départ était plutôt une bonne chose pour Kyle. Il rêvait debout et avait besoin d'une dose de réalité. Un été à trimer derrière les vaches lui ferait beaucoup de bien. Et peut-être qu'ensuite il serait plus facile de lui parler. Il valait mieux être propriétaire d'un ranch qu'y travailler et trimer par tous les temps.

Lorsque Kyle aurait épuisé ce genre de plaisirs et qu'une fois majeur il aurait touché sa part d'héritage, calculait Garth, il accepterait peut-être d'en investir une partie dans l'opération qu'il lui proposerait. Pétrole, bétail, chevaux, propriétés… Il ne doutait pas de lui faire regagner rapidement la fortune que son père avait en grande partie dilapidée.

Laisse-le faire, avait-il envie de dire à Ellen. Il reviendra de son ranch…

Il esquissa un sourire.

Et je pourrai peut-être t'aider à l'oublier un peu, pendant ces deux mois, ma belle.

Kent, au comble de l'embarras, essayait toujours de se débarrasser de l'étreinte de celle-ci. Mais Ellen se pendait à son bras comme s'il était une ligne de vie qui l'empêchait de se noyer. Si c'était de la comédie, elle savait rudement bien la jouer.

Sans lâcher un instant le bras de Kent, elle leva la tête et demanda en souriant :

— Et toi, Garth, que fais-tu cet été ?

Il était ravi. La situation s'annonçait bien plus intéressante que n'importe quelle course de voiture près du réservoir.

— Mon oncle veut que je l'aide à l'agence immobilière, répondit-il. Il dit que j'ai du charisme et que c'est important pour pouvoir brasser des affaires.

Kent fit la grimace.

— Ton oncle va probablement te laisser tout le sale boulot et pouvoir enfin se tourner les pouces, dit Kyle en criblant d'une pluie de petits cailloux les flots de la rivière.

Ellen ignora la remarque de son amant.

— Mais c'est formidable, Garth ! s'exclama-t-elle. Comme tu veux aller dans une école de commerce, ça va tout à fait dans le bon sens.

Il avait décroché une bourse qui paierait ses frais de scolarité. Mais il n'entendait pas stagner dans la médiocrité. A la différence de son père, qui n'avait jamais su ce qu'il voulait, il avait un plan tout tracé dans l'existence. Qu'on lui donne quelques années et il arriverait au sommet. Comme la rivière, rien ni personne ne pourrait l'arrêter. Bientôt, le nom de Ramsey ne serait plus synonyme d'échec mais résonnerait de ses succès. Les gens ne ricaneraient plus derrière son dos, ils le respecteraient et courberaient la tête devant lui.

— Bon, vous avez fini ? lança Kent en rassemblant les restes de leur dîner.

— Qu'est-ce qui te presse ? lui demanda Garth.

La tension entre Kyle et Ellen commençait tout juste à être intéressante. Il aimait bien assister à une belle bagarre et, si tout se passait comme il le souhaitait, il pourrait même consoler la pauvre délaissée en la ramenant chez elle.

— J'ai oublié que j'ai promis à John Henry d'aller chercher les graines qu'il a commandées à la coopérative. Allez, venez, j'ai besoin de vous pour charger les sacs.

C'est ça, je vais te croire… songea Garth. Il était bien improbable que le grand-père des jumeaux ait commandé quoi que ce soit. Il n'avait plus de boulot stable et broyait du noir depuis son accident à la scierie, dix ans auparavant.

Ellen tira sur le T-shirt de Kent en murmurant son prénom.

— Parle-lui, lui répondit le jeune homme sur le même ton.

— Il ne m'écoute pas, répliqua-t-elle, ses deux mains sur le torse de Kent. Mais toi, il t'écoutera.

Garth les observait : ce geste était très intime. C'était celui d'une amoureuse, comme une caresse. Kyle ne pouvait pas manquer de voir comment son amante se tenait, sa hanche contre celle de son frère, l'œil implorant. Ce n'était pas fait pour calmer sa colère.

— C'est entre toi et lui, protesta Kent.

— Vous fabriquez quoi, tous les deux ? s'énerva Kyle.

Ses yeux se plissaient, ses poings se crispaient. Il était visiblement tout prêt à se battre.

Garth recula d'un pas, il ne voulait rien manquer de la bagarre.

Comme Kent ramassait une serviette en papier froissée dans l'herbe, Kyle le prit par le bras.

— Laisse tomber, l'arrêta Kent. Je m'en vais, de toute façon. C'est entre Ellen et toi.

— Tu crois que tu peux arrêter le cours de la rivière ?

Un feu sombre brillait dans les yeux de Kyle, rappelant la beauté de ses ancêtres indiens. La colère flamboyait sur son visage fermé et dans son souffle bref et rapide. Sa main, sur le bras de son frère, semblait une poigne d'acier.

— Kyle… souffla Kent.

— Je t'ai posé une question. Est-ce que tu peux arrêter le cours de la rivière ?

Garth ne comprenait pas vraiment, mais de toute évidence une mauvaise réponse risquait de faire voler en éclats le peu de retenue que Kyle gardait encore. S'il estimait qu'on se moquait de lui, il ne reculerait pas.

Par-dessus son épaule, Kent jeta un coup d'œil aux flots rugissants de la Red Thunder. Des gouttes de sueur perlaient sur ses tempes. Il luttait contre sa propre colère pour garder la situation sous son contrôle.

— Il en faut beaucoup pour arrêter une rivière, articula-t-il calmement.

— Exact ! lança Kyle.

Il lâcha le coude de son frère et fit un geste ridiculement emphatique.

— Elle doit couler ! Si quelqu'un essaie de l'arrêter, le courant va ralentir pendant quelque temps, mais il s'écoulera quand même en contournant l'obstacle. L'eau coulera toujours.

— Tu t'adresses à la mauvaise personne, lui répondit Kent, toujours très calmement.

Kyle se campa devant son frère.

— En fait, tu as peur de te noyer, c'est ça, ton problème.

— Kyle…

Mais celui-ci ne recula pas, il fit même un pas en avant et se retrouva sous le nez de son frère.

— Tu n'oses même pas tremper un orteil dans l'eau, tout ça parce que tu t'es retrouvé coincé dans un tuyau de drainage quand tu avais cinq ans…

Les mains sur les hanches, il toisait Kent.

— Ce n'est pas la peine d'essayer de me provoquer, lui dit celui-ci, ça ne marchera pas.

— Tu passes à côté de la vie, c'est tout.

Kyle fit un nouveau pas en avant et Kent recula.

— Tu es en train de passer complètement à côté, insista Kyle. Tu finiras complètement étriqué et rassis. Les filles ricaneront et se détourneront. Tu seras tout seul…

— Kyle, ça suffit ! s'écria Ellen, en se mettant entre eux, les deux mains sur les biceps de Kent, comme pour le retenir.

Celui-ci la repoussa doucement sur le côté.

— Parle à Ellen, dit-il fermement à Kyle.

— Je me fous complètement d'Ellen !

— D'accord, et moi, je me demande ce qu'elle trouve à un fou furieux dans ton genre, Kyle…

Il commit alors l'erreur d'esquisser un demi-tour. Avec un cri rageur, Kyle le poussa de toutes ses forces. Il en fut déséquilibré et recula d'un pas au bord de la rivière. Son poids fit céder sous lui le rebord sableux de la berge. Il resta suspendu en l'air pendant une interminable fraction de seconde. Une expression d'indicible horreur sur le visage, il se sentait tomber.

Garth sauta sur ses pieds, mais s'arrêta net.

Ellen se mit à crier.

Kyle poussa un juron, en s'élançant pour rattraper son frère.

Mais celui-ci s'enfonça dans l'eau…

Kyle se pencha et lui tendit la main.

— Attrape ! lui cria-t-il.

Il parvint à toucher le bout de ses doigts, mais le courant entraînait déjà Kent, qui s'accrocha à une racine de la berge. Kyle se jeta alors au sol pour une nouvelle tentative de sauver son frère, mais le bord sableux s'effondra également sous lui. La gravité fit le reste et il tomba à son tour dans l'eau bouillonnante.

— Mais fais quelque chose ! cria Ellen à Garth.

La rivière grondait comme quelque prédateur tout prêt à dévorer ses proies.

— Kyle, Kyle ! hurla Ellen sur la berge. Oh ! aide-les, Garth, je t'en prie !

Il regarda la rivière, ses copains ballottés comme des bouchons dans le courant : il ne pouvait rien faire, il ne savait pas assez bien nager. Il était impuissant.

Ellen s'agrippa désespérément à sa chemise.

— Reste pas comme ça, le supplia-t-elle, fais quelque chose. Ils vont se noyer !

— Je vais chercher du secours…

Il tourna les talons pour se diriger vers la camionnette, mais Ellen martela son dos de coups de poing.

— Aide-les ! lui cria-t-elle. Tu dois les aider maintenant, avant qu'il ne soit trop tard !

Il lui suffit d'un coup d'œil par-dessus son épaule pour vérifier : on ne les voyait même plus, le flot les avait emportés tous les deux.

— Il est déjà trop tard… répondit-il.

Ellen cessa de le frapper, mais son regard et le pli méprisant de sa bouche étaient terribles. Pour la première fois se manifestait en elle une détermination dont il ne l'aurait jamais crue capable.

— Aide-les, espèce de lâche, lança-t-elle, sinon je dirai ton secret à tout le monde…

Il se raidit.

— Quel secret ? Je n'en ai pas !

— Alice Addison.

Ainsi, elle savait. Il ignorait comment, mais elle savait.

Il allait partir, quitter ce minable trou à rats, passer un

diplôme de commerce qui dirait enfin au monde qui il était. Il allait grimper jusqu'au sommet. Rien ne le retiendrait, ni personne.

Personne…

Il se saisit d'Ellen.

1

Gabenburg, Texas. Aujourd'hui.

La maison était fraîche, accueillante et chaleureuse. Il en poussait toujours la porte avec satisfaction et plaisir.

Elle était sienne. Sa maison. Chez lui…

Un chili con carne frémissait doucement sur la cuisinière et embaumait toutes les pièces de sa riche odeur pimentée. Il s'y mêlait celle, plus douce et plus fine, d'une tarte aux cerises.

Il en salivait d'avance…

Quant à la femme magnifique qui se tenait devant les fourneaux, elle était plus appétissante encore…

Elle chantonnait un air sans paroles en s'étirant paresseusement. Il ne put s'empêcher de sourire. Taryn était incapable de se souvenir du moindre vers, mais elle gazouillait volontiers des romances sans paroles à toute heure du jour.

Il ne put s'empêcher de sourire. Si elle chantait, c'était que tout allait bien, et elle ne devait pas être rentrée depuis bien longtemps car elle portait toujours le T-shirt et le pantalon de coton blanc qui étaient sa tenue de travail à la boulangerie dont elle était la propriétaire.

Sans cesser de regarder ses jolies courbes, il se dirigea vers elle. Avec une sorte de grognement de plaisir et d'abandon, il passa ses bras autour de sa taille fine et déposa de petits baisers dans son cou. Elle sentait le sucre, la farine et les roses. Une combinaison qui ne manquait jamais de lui donner faim.

Comme il s'y attendait, elle sursauta et se tourna dans ses bras.

— Qu'est-ce que tu fais ici ? lui demanda-t-elle, surprise et heureuse à la fois. Je ne t'attendais pas avant au moins une demi-heure…

Le plaisir évident dans ses yeux décuplait encore le sien et effaça comme par enchantement la lassitude qui lui avait pourtant pesé durant sa dernière heure de présence dans son bureau de shérif.

Il fit mine de regarder autour de lui comme s'il s'était introduit dans une autre maison que la sienne. En fait, il n'avait pu s'empêcher de scruter machinalement les alentours avant d'entrer. Déformation professionnelle.

— Commença cela ? plaisanta-t-il. Est-ce que je ne vis pas ici ?

— C'est que je ne suis pas encore prête, Chance…

Elle reposa la cuillère qu'elle venait de prendre avec une petite moue mi amusée, mi-mécontente, et se hissa sur la pointe des pieds pour l'embrasser. Ses longs cheveux bruns, retenus en queue-de-cheval, lui caressèrent les bras. Il appréciait cette sensation soyeuse sur sa peau, tout autant que de sentir le corps de sa femme serré contre le sien. Après une dure journée de travail, il n'aimait rien tant que de se perdre en elle, comme on plonge en eau profonde.

— Eh bien, moi, chérie, je suis plus que prêt pour toi, lui susurra-t-il à l'oreille d'un air coquin.

Et il l'embrassa longuement, fougueusement, savourant le goût de sa bouche et sa réponse passionnée.

Un homme pouvait s'estimer chanceux d'avoir une femme comme elle pour l'attendre à la maison, à la fin d'une dure journée…

Grâce à elle, il se sentait quelqu'un, et non plus un pauvre amnésique échoué, meurtri et à demi noyé, sur les rives de la Red Thunder, quinze ans auparavant. Elle le faisait se sentir réel et solide, un homme sur qui l'on… sur qui elle, en premier lieu, pouvait compter.

Que demander de plus à la vie ?

— Tu ne devais pas te montrer avant que je sois prête…

Il la tint un instant à bout de bras et planta ses yeux dans les siens.

Il les aimait, il aimait comme ils pétillaient, comme ils étaient vivants, comme ils brillaient d'amour pour lui…

— En tout cas, j'aime énormément ce que je vois… murmura-t-il.

Elle rougit et le repoussa doucement, ses mains sur ses épaules.

— Tu es impossible, Chance, lui dit-elle en tournant la tête vers la table dressée pour deux, au centre de la cuisine. J'étais censé te faire une surprise…

Pour la première fois depuis qu'il était entré dans la pièce, il remarqua la jolie mise en scène : sur la nappe blanche immaculée, l'argenterie brillait de tous ses feux dans ceux du soir qui tombait. La vaisselle était d'un blanc et d'un crème délicats. Et de longues bougies rouges attendaient d'être allumées dans des chandeliers de cristal. Le parfum des roses du jardin se mêlait au fumet des plats.

— Nous fêtons quelque chose ? demanda-t-il.

Taryn lui passa doucement le doigt sur son étoile de shérif en cuivre, épinglée à sa chemise d'uniforme.

— Pour quoi aurions-nous besoin d'une occasion spéciale ? lui demanda-t-elle. C'est vendredi soir…

Son doux sourire et le bleu profond de ses yeux eurent leur habituel effet incendiaire sur ses sens. Une vague brûlante le submergea. Même si le chili con carne de son épouse était son plat favori et s'il était prêt à se damner pour sa tarte aux cerises, son appétit était à cet instant d'une autre sorte…

— Tu veux que je reparte et que je revienne dans une heure ? proposa-t-il.

Elle hésita une seconde, mais secoua la tête.

— Non, on peut dîner plus tard.

Sans effort, il la souleva dans ses bras et commença à l'emporter vers la chambre.

— Je te promets que j'aurai encore faim, la rassura-t-il.

— Moi qui avais tout prévu, soupira-t-elle, avec un rien de déception dans la voix.

Mais elle se reprit aussitôt et un sourire radieux réapparut sur ses lèvres.

— J'aurais une annonce à te faire, chuchota-t-elle d'un air mystérieux.

— Quel genre d'annonce ?

Il était un peu distrait par ses lèvres pleines, alors il l'embrassa et une nouvelle puissante vague de désir le submergea. Il était toujours aussi émerveillé de la désirer à ce point, au bout de sept ans de mariage.

— C'est une surprise, tu vas devoir attendre… minauda-t-elle.

Sa voix était devenue chaude et intime, son corps se fondait contre le sien tel un liquide brûlant. Les bras autour de son cou, les doigts dans ses cheveux, elle l'embrassa avec tant de passion qu'il se sentit trembler.

Il la déposa sur l'édredon bleu et blanc de leur lit et s'assit sur le bord du matelas pour mieux l'admirer. Sa peau brillait dans la demi-pénombre, ses yeux si troublants étaient devenus plus sombres et plus rêveurs. Elle fit passer son T-shirt par-dessus sa tête. Qu'elle soit toujours aussi rapide, aussi enthousiaste à répondre à son désir ne cessait pas de l'émerveiller.

Il passa lentement son doigt jusqu'à la limite du soutien-gorge et de la peau, plus douce que la plus fine des soies. Elle respira plus vite et il se mit à bouillir. Il ne pouvait résister à l'invitation de ses seins dressés sous la dentelle. Le souffle de Taryn, la façon dont elle se cambrait pour mieux accueillir la caresse de son pouce sur une pointe, puis sur l'autre… Il sentait son sexe éperdument dressé et prêt à l'action. Mais il s'en voulait un peu d'avoir semé le désordre dans sa petite mise en scène, alors qu'elle avait quelque chose à lui annoncer.

— Tu es certaine que le dîner peut attendre ? lui demanda-t-il.

Elle lui sourit : son désir pour elle était bienvenu et réciproque, comprit-il.

Approchant son visage du sien, elle lui dit d'une voix rauque et séductrice :

— Oui, le dîner peut attendre.

Leurs lèvres se joignirent dans un baiser à faire fondre entièrement la banquise. Taryn commença à lui défaire les premiers boutons de sa chemise d'uniforme, mais le téléphone sonna.

Ils s'interrompirent sans se lâcher, le souffle court et les joues brûlantes.

— Ne réponds pas, murmura Taryn en l'agrippant frénétiquement par sa chemise.

— Il faut bien…

La sonnerie stridente faisait un désagréable contrepoint aux battements sourds de son cœur. Une lueur de déception et de résignation passa dans les yeux de Taryn.

— Tad n'est pas de service ? demanda-t-elle.

— Je suis toujours susceptible d'être appelé, tu le sais bien…

Il lui mordilla le lobe de l'oreille, mais décidément la désagréable sonnerie du téléphone refroidissait ses ardeurs.

Taryn lui caressa doucement la joue.

— Je vais m'occuper du dîner.

Le cœur lourd, il décrocha le téléphone sur la table de nuit. Avant qu'il eût pu articuler un seul mot, il entendit résonner dans le combiné la voix désagréable de RoAnn Mc Garrity, la standardiste du poste de police.

— C'est vous, shérif ?

— Oui, RoAnn, c'est moi…

A côté de lui, Taryn attrapa son T-shirt et le remit. Sans bruit, elle quitta la chambre et il en ressentit comme une petite pique au cœur et à l'estomac.

— Si vous croyez que vous allez me jeter sur les routes alors que je suis rentré à la maison, soupira-t-il, vous vous faites des idées…

— Je sais que vous avez eu une grosse journée et je ne vous aurais pas dérangé si j'étais sûre que Tad pouvait gérer tout seul un type aussi difficile que Billy Ray Brett…

— Qu'est-ce qu'il a encore fait, Billy Ray ?

— Bah, il prend toujours les coyotes pour des loups. Il jure qu'il en a vu rôder autour de son troupeau. Il veut que vous vous déplaciez pour lui assurer personnellement qu'il n'y a pas de programme de réintroduction du loup dans le secteur…

Il soupira de nouveau. S'il ne réglait pas cette affaire tout de suite, l'autre excité rappellerait encore et encore, peut-être même toute la nuit… Et il avait d'autres projets pour sa soirée…

— Très bien, dit-il, résigné, je vais aller rassurer Billy Ray…

Il retrouva Taryn dans la cuisine. Elle le laissa la prendre dans ses bras et l'embrasser, mais il y avait comme une froideur entre eux.

A regret, il sortit dans la lumière du crépuscule et monta dans sa voiture de patrouille.

Il était le shérif du comté de Gabenburg et devait y faire régner l'ordre et la sécurité. Il était très fier de son métier, appris dans les bottes de son père adoptif, Angus Conover. Il devait à celui-ci, comme à toute la communauté de Gabenburg, de l'avoir accueilli, mais ce n'était pas uniquement la gratitude qui l'avait poussé vers le service de ses concitoyens, plutôt un véritable attrait pour tout ce qui pouvait améliorer la vie des gens. Pourtant, certains jours, quand il était fatigué et aspirait à une soirée tranquille auprès de sa femme, il regrettait de ne pas exercer un métier plus calme.

Il sourit un instant à cette idée, puis secoua la tête et murmura pour lui-même :

— Tu deviendrais dingue en moins d'une semaine…

Il avait une épouse merveilleuse, un boulot qui le passionnait et des amis qui l'acceptaient tel qu'il était. Qu'est-ce qu'un homme pouvait désirer de plus ? Avec Taryn, ils parlaient même d'avoir un bébé, ce qui serait vraiment la cerise sur le gâteau…

Taryn était son soleil, et sa plus grande peur était qu'un jour, sans le vouloir, il puisse gâcher leur bonheur. Que son dévouement total à ses concitoyens l'éloigne trop d'elle, qu'elle en souffre et que, ne pouvant plus le supporter, elle le quitte. S'il la perdait, sa vie entière s'écroulerait.

— Shérif one, shérif one, grésilla la voix de RoAnn à la radio. Chance, vous êtes là ?

RoAnn était extrêmement dévouée et réactive, mais il n'avait jamais réussi à lui inculquer les procédures de communication.

— Shérif One à l'écoute. Parlez !

— Sam Wentworth vient de m'appeler. Il est à Gator Park

et il pense avoir trouvé dans la lagune le coffre qui a été volé chez l'antiquaire Leggetts, la semaine dernière.

— Tad ne peut pas s'en occuper en revenant ?

— Vous savez, Chance, c'est sur votre route pour aller au ranch de Brett, tandis que le pauvre Tad est de l'autre côté de la ville. Ça ne vous prendra qu'une minute… En plus, vous pourriez vous arrêter chez Nancy Howell, prendre ce pot de confiture de mûres qu'elle a promis à Taryn.

— Très bien, je file à Gator Park…

— N'oubliez pas la confiture, surtout…

— N'ayez crainte…

Bon, Gator Park, le ranch de Brett, la ferme Howell… la maison. Il brûlait de voir le visage de Taryn s'illuminer de joie quand il la rejoindrait, d'enfouir ses doigts dans ses longs cheveux bruns, de l'entourer de ses bras…

Il se dirigea vers le nord et passa la pancarte qui signalait la sortie de la ville, pour rouler à travers de douces collines où se dressaient, de loin en loin, les cimes vertes d'une forêt de sapins. Derrière lui, vers le sud, la terre et l'eau s'épousaient en de vastes marécages et de grasses prairies inondées jusqu'au golfe du Mexique. Un vol d'oies sauvages passa en caquetant au-dessus de sa tête.

Dans l'habitacle du véhicule, la climatisation rafraîchissait l'air, mais bien vite il baissa les vitres. Il voulait sentir l'odeur des sapins et entendre gronder la rivière.

Il respira à pleins poumons et sourit. Tout cela lui était tellement précieux : ces bouquets d'odeurs et ces bruits familiers…

Quinze ans auparavant, la vie lui avait offert une nouvelle chance et il ne voulait pas en gâcher une seule minute en regrettant un passé dont il n'avait aucun souvenir.

Longtemps, il s'était interrogé, avait tenté de fouiller la page blanche de son enfance oubliée. Il y avait dix ans de cela, lors de son engagement comme tout jeune adjoint du shérif, il avait pris ses propres empreintes digitales pour interroger les fichiers centraux des services de police. Il n'avait obtenu aucun résultat, ce qui l'avait, d'une certaine manière, réconforté.

Il mit son clignotant pour quitter la route principale. La Red Thunder coulait rapide et forte en ce printemps. L'été, elle se calmait suffisamment pour accueillir nombre de touristes sur ses rives, puis elle redevenait sauvage et indomptée à l'arrivée de l'hiver.

Alors qu'il atteignait la crête d'une colline, il la vit apparaître en dessous de lui. Les pluies récentes l'avaient encore gonflée et elle rugissait comme un géant à son réveil, dans sa course vers le golfe du Mexique. Le soleil couchant la colorait de rouge, comme un flot de sang.

Il descendait la colline par la route en lacets, lorsqu'une image traversa son esprit.

C'était à la fois précis et terrifiant. Tout se colorait de rouge dans sa tête et la panique l'envahit. Aussitôt, sa volonté se révolta de toutes ses forces, mais quelque chose de plus fort que lui semblait décidé à prendre le contrôle de son cerveau. L'odeur de la mort flottait dans l'air. L'eau boueuse envahissait sa bouche et l'étouffait. La rivière le happait et le ballotait comme un bouchon dans son courant. Il essayait bien de nager pour se tirer de là, mais le flux était trop fort. Tiens bon ! cria quelqu'un. Etait-ce sa propre voix ou celle d'un autre ? Quelque chose s'accrocha à son pied, le tirant vers le fond. Tout était noir. Des mains le saisirent, de nouveau sa tête était au-dessus de l'eau…

Respirer, il devait respirer et aussi s'accrocher à quelque chose de solide. Une branche. Quelque chose de dur le heurta. Il cria…

Un corps flottait à la surface de l'eau. Un coup, encore un autre. De longs cheveux blonds dans le courant. Une blessure à la tempe qui saignait…

Deux mains encore qui l'agrippaient… Le tirant ou le repoussant ? Sa tête lui tournait, il ne savait pas. Il leva les yeux sur la surface de l'eau, c'était son propre visage qu'il voyait là, sous le miroir argenté.

La terreur s'empara de lui. Il la combattit de toutes ses forces, mais les mains, à présent, étaient sur son cou et le serraient. Les cheveux blonds dans le courant, les cheveux blonds…

Il allait mourir.

Il était mort.

Le chili était au chaud, et la bière, au réfrigérateur. Les petits pois frais venaient du jardin potager de Ruby Kramer. Taryn les lui avait échangés contre un beau pain de campagne. La tarte aux cerises refroidissait sur le plan de travail. Le dessert idéal pour un dîner d'amoureux…

Il ne manquait plus que Chance…

Taryn se laissa tomber sur une chaise. Elle avait tout préparé, mais il avait quelque peu bousculé son programme en rentrant plus tôt que prévu… avant de repartir. De toute façon, elle n'avait jamais su lui résister.

Ce n'était pas seulement à cause de ses hautes pommettes qui lui donnaient un air à la fois sauvage et sexy, ou de ses yeux sombres, qui semblaient sans fond, mystérieux, et tellement amoureux et protecteurs quand il la regardait. C'était aussi et peut-être surtout à cause de sa bonté. Dès leur rencontre, cette merveilleuse bonté lui avait fait espérer une vie de bonheur auprès de lui.

Elle se détestait d'avoir mal réagi quand il avait dû répondre à ce coup de fil et partir vers son travail. Pourquoi avoir paru lui en faire le reproche, alors que c'était sa loyauté et son intérêt constant pour autrui qu'elle admirait le plus en lui ?

Elle aurait voulu que tout soit toujours parfait dans leur vie, qu'il n'y ait jamais de nuages. Mais au fond il n'y en avait pas vraiment…

Elle se leva, pleine de confiance. Après tout, la soirée ne faisait que commencer. Elle se précipita dans la salle de bains et ouvrit les robinets de la douche. Oui, la soirée allait être magnifique, une de celles qu'ils n'oublieraient jamais, et elle n'allait certainement pas la gâcher pour une petite contrariété de rien du tout.

Elle lui avait fait un bon dîner. Elle allait le séduire de nouveau. Puis elle lui annoncerait la grande nouvelle : leur petit univers allait changer du tout au tout. Tandis que la vapeur d'eau envahissait la petite pièce, elle se tint devant la glace et s'éclaircit la gorge.

— Chance, j'ai quelque chose à te dire, commença-t-elle tout haut pour tester les mots qu'elle avait retournés toute la journée dans sa tête, à la boulangerie.

Mais pourquoi son cœur battait-il si vite ? Pourquoi sa langue était-elle maladroite et comme empâtée ? Pourquoi ses yeux révélaient-ils de l'appréhension, quand elle se regardait dans la glace ?

Elle avala sa salive et essaya de nouveau.

— Chance ? Tu te souviens quand tu disais…

Elle poussa un grognement de frustration en voyant son image disparaître sous la buée.

— Chance, je… nous sommes…

Soudain, une bouffée d'angoisse lui fit porter une main à son ventre et l'autre à sa gorge. Et si… ?

Mais non, il ne fallait pas avoir d'inquiétude. Bien sûr, que Chance serait ravi. N'avait-il pas dit des dizaines de fois qu'il le serait, lorsque cela arriverait ?

Elle se déshabilla et monta dans le bac à douche, avança la main vers le gel parfumé dont il aimait tant l'odeur sur sa peau et resta sous le jet d'eau chaude jusqu'à ce que les angoisses et les regrets s'écoulent eux aussi par la bonde.

Après s'être séchée, elle s'enduisit le corps d'une lotion au même parfum de pluie d'été. Ses cheveux dans une serviette enroulée en turban, elle se dirigea vers la chambre. Là, elle tira du placard la petite robe rouge qu'elle avait cachée toute la semaine en prévision de cette occasion. Elle avait imaginé accueillir Chance à la porte, simplement vêtue de ce léger bout de tissu qui ne laissait pas beaucoup de place à l'imagination. Et, cette fois, elle le ferait attendre un peu avant de s'abandonner dans ses bras…

Elle eut un petit sourire satisfait en imaginant sa réaction. Elle adorait la façon qu'il avait de la regarder, comme s'il allait la dévorer toute crue, lorsque le désir montait en lui et que ses yeux brillaient. Et aussi ce petit grognement rauque du fond de la gorge, quand il s'avançait ensuite vers elle. Il y avait dans ce simple bruit à la fois du guerrier qui réclamait sa conquête et du petit garçon sans défense. Elle n'aurait pu y résister, même si elle l'avait voulu. Ce léger grognement avait toujours pour effet de la faire se sentir à la fois désirée et en sécurité.

Au moment où elle déposait la serviette sur le couvre-lit de nouveau bien tiré, une voiture s'arrêta devant la maison.

— Oh, non, gémit-elle. Je ne suis pas du tout prête !

Elle se précipita vers la fenêtre, tira les rideaux et jeta un coup d'œil à l'extérieur. Ce n'était pas la voiture de patrouille de Chance mais celle de Tad Pruitt, son principal adjoint. Elle poussa un lourd soupir. Tad avait des problèmes avec sa petite amie et Taryn lui avait dit de passer chaque fois qu'il aurait besoin de parler à quelqu'un. Quelle erreur ! pensait-elle depuis. Il l'avait déjà prise au mot trois fois ces derniers jours. Et de quel droit venait-il l'ennuyer alors qu'il était de service et que Chance, qui ne l'était pas, avait dû répondre à un appel à sa place ?

Elle enfila à la hâte un short et un T-shirt, glissa ses pieds dans des sandales et décida de se débarrasser au plus vite de cet importun.

Elle ouvrit la porte et immédiatement la chaleur lui tomba dessus, comme une chape. Où pouvait bien être son visiteur ? Elle n'avait pas entendu son pas sur le gravier de l'allée. Les sourcils froncés, elle s'avança sur le perron, une main en visière au-dessus de ses yeux.

Tad était assis dans sa camionnette, les deux mains sur le volant. Cela n'augurait rien de bon. Il avait l'air d'hésiter à se présenter devant sa porte, comme s'il redoutait sa réaction à ce qu'il allait lui annoncer.

— Tad ? Tout va bien ?

Il tourna la tête vers elle : il y avait quelque chose dans la façon dont il la regardait qu'elle n'aimait pas. Une pique d'angoisse, comme une lame, lui pénétra dans le cœur et s'enfonça jusqu'à son estomac.

La portière grinça et Tad sortit de l'habitacle de la camionnette, sans oser la regarder en face. Au lieu de son habituelle assurance un peu canaille, il arborait une expression de tristesse particulièrement inquiétante. Il ne se tenait pas du tout aussi droit que d'habitude et il y avait des taches terreuses sur sa chemise d'uniforme. Il triturait le rebord de son chapeau dans ses mains, encore et encore. Le bas de son pantalon était trempé, ses chaussures, pleines de boue.

— Tad ?

Taryn sentait son cœur battre très fort et ses jambes menaçaient de se dérober sous elle. Elle s'avança néanmoins, attrapant la balustrade de la véranda comme appui et soutien.

— Taryn…, articula l'adjoint.

Il fit deux pas en avant, puis s'arrêta net. Il y avait comme du désespoir dans ses yeux. Taryn le dévisagea. Le sol allait s'ouvrir en deux sous elle d'une seconde à l'autre, elle le savait.

— C'est Chance ? Il est arrivé quelque chose ?

Tad acquiesça.

— Il a eu un accident.

Les oreilles de Taryn se mirent à bourdonner fortement. Son cœur cessa de battre, crut-elle, puis reprit un rythme deux fois plus rapide. Ses jambes tremblaient encore plus. Malgré la chaleur qui mouillait sa peau, elle avait des frissons. Ses mains se refermèrent sur le rail de la balustrade, en tremblant.

— Oh, non, mon Dieu, non ! murmura-t-elle.

Puis elle reprit, un peu plus fort :

— Que lui est-il arrivé ? Où est-il ? Comment est-il ?

— Il est vivant, répondit précipitamment Tad.

Il grimpa les marches du perron, puis s'arrêta net devant elle :

— Il est tombé dans la rivière, avec sa voiture.

— Dans la rivière ? répéta-t-elle comme si elle ne comprenait pas.

Chance était un conducteur expérimenté et prudent. Aucune rivière, même la Red Thunder, ne pouvait avoir eu raison de lui. Tad devait se tromper. Chance était trop intelligent, trop habile pour être victime des eaux tumultueuses. Mais pourquoi, alors, ne pouvait-elle cesser de trembler ?

— Qu'est-il arrivé, Tad ?

— On ne sait pas encore exactement. On l'a emmené à Beaumont, à l'hôpital.

Il posa la main sur son épaule tremblante.

— Je vais t'y emmener, Taryn…

Il est à moi, songea la jeune femme comme si elle parlait à la rivière. A moi seule. Tu ne peux pas me l'enlever !

Plus tard, dans la voiture de patrouille, tandis que Tad conduisait en silence, elle se répéta inlassablement les mêmes mots, comme une litanie.

Elle ne pouvait pas perdre Chance. Pas maintenant. Pas avec un bébé en route.

— Bonjour, ma très charmante…

Garth Ramsey le savait depuis belle lurette : les femmes aimaient les modulations chaudes et profondes de sa voix. Il ne la ménageait pas, que ce soit pour celles qui avaient déjà accepté d'entrer dans son lit, celles qui y aspiraient et même celles qu'il dédaignait. Les apparences, il le savait depuis longtemps, avaient plus de poids que la réalité.

Il tendit une assiette de biscuits à Jessie Ross, l'infirmière de nuit, de service ce soir-là.

— J'ai apporté des friandises pour ma femme, expliqua-t-il. Et pour vous, adorable soignante, une boîte de chocolats…

Il tira la boîte de derrière son dos…

— Vous êtes un amour, lui susurra Jessie.

Elle plaça l'assiette sur la table de nuit et la boîte de chocolats sur la commode, à côté du tensiomètre.

— Gardez-en quelques-uns pour le personnel de jour, lui conseilla-t-il en souriant. Sinon, je n'ai pas fini d'en entendre parler…

— Il y a assez de chocolats dans cette boîte pour toute une armée, dit-elle en riant.

Elle lui sourit. Il pouvait tout lui demander, comprit-il alors. Un mot de lui et elle tomberait dans ses bras.

Mais ses goûts ne le portaient pas vers les petites brunes anguleuses et sèches, même si la demi-pénombre de la pièce avantageait l'infirmière et lui donnait une apparence presque attirante. Et puis, il tenait beaucoup à son image de mari dévoué et préférait ne pas se commettre avec le personnel de la clinique de Pine Creek. Il n'était pas en peine de trouver, à quelque distance, des partenaires consentantes.

— Comment a-t-elle passé la semaine ? demanda-t-il.

Il s'assit dans le fauteuil de cuir des visiteurs, au chevet de sa femme, et caressa ses longs cheveux de soie blonde. Le personnel de la clinique aurait préféré les lui couper, pour plus de commodité, mais il avait insisté pour que l'on n'en fît rien.

— Il n'y a pas grand changement, répondit l'infirmière en arrondissant ses lèvres autour d'un chocolat. Elle a été un peu plus active, aujourd'hui…

Garth fronça les sourcils.

— Comment ça ?

— Elle aime qu'on l'emmène dans le parc et s'agite beaucoup quand on veut la ramener dans sa chambre…

— Ah ! oui, elle a toujours aimé être au grand air…

— Elle est aussi plus difficile sur la nourriture. Il faut pratiquement la nourrir de force. On lui a décelé un peu d'anémie. Mais ne vous inquiétez pas, le docteur lui a prescrit du fer. Je suis sûr qu'elle sera contente pour les biscuits… Ce sont ses préférés.

— Ah, dans son état, ce sont les petites choses qui font la différence, soupira Garth.

— Vous êtes très bon avec elle… Je m'en vais vous laisser seuls et en profiter pour faire ma pause.

— Parfait, la remercia Garth. Prenez tout votre temps… vous savez comme il est difficile d'établir… le contact avec elle.

Toute souriante et battant des cils, Jessie sortit de la chambre d'un pas léger.

Tout le monde voyait ses visites, deux fois par semaine, comme de la dévotion conjugale. En réalité, il inspectait ses investissements. Aussi longtemps que sa chère épouse ne serait qu'un pauvre légume forcé de garder la chambre, il serait libre de vivre comme il l'entendait. L'esprit dérangé d'Ellen lui laissait toute impunité.

Il poussa le fauteuil près du lit et prit la main de la malheureuse au cas où quelqu'un viendrait jeter un coup d'œil dans la chambre, par l'entrebâillement de la porte.

— Tu vois, ma chérie, lui murmura-t-il à l'oreille, tu croyais autrefois pouvoir me manipuler aussi facilement que ton Kyle chéri… Mais tu as compris la leçon, n'est-ce pas ? Je gagne toujours…

Au son de sa voix, elle tourna la tête dans sa direction et ouvrit les yeux. Derrière le gris et le vert opaque de ses iris, il y avait comme une étincelle, quelque chose d'indéfinissable et d'inquiétant qu'il fallait très vite éradiquer.

— On a remarqué qu'il y avait davantage de lumière dans tes yeux ces derniers temps, et cet amour du plein air n'est pas du tout bon pour toi. Mais j'ai tout à fait ce qu'il te faut… L'ami qui me fournit m'a dit qu'une petite dose de plus devrait te rendre beaucoup plus tranquille…

Le dos habilement tourné de manière à cacher ce qu'il allait faire, il lui frotta la saignée du bras avec un coton imbibé d'alcool et lui injecta une petite dose d'un tranquillisant tout à fait expérimental. L'aiguille était si fine qu'elle ne laisserait aucune marque sur la peau délicate d'Ellen.

Elle poussa un petit gémissement de chaton, essaya vaguement de se débattre, mais elle était trop faible et il n'eut aucun mal à la maîtriser.

— Voilà, ma chérie, murmura-t-il. Laisse-moi prendre soin de toi. Laisse-moi te mettre à l'abri du monde réel. Tu étais trop bonne pour lui, trop tendre…

Il rangea soigneusement la petite seringue et le tampon d'alcool usagé dans un étui à lunettes de soleil qu'il plaça dans la poche de son blazer.

Un sourire se dessina sur ses lèvres. Aussi longtemps que les brumes qui avaient envahi le cerveau d'Ellen quinze ans auparavant ne se dissiperaient pas, rien ne l'arrêterait et personne ne viendrait lui disputer ses acquis. Tous les jours, il gravissait un échelon de plus vers le toit du monde.

— Dors bien, ma chérie…

2

Taryn retint un sanglot. L'hématome que Chance portait à la tête l'inquiétait terriblement. La marque bleue et pourpre couvrait tout le front, d'une tempe à l'autre, et il avait fallu pas moins de cinq points de suture pour refermer son arcade sourcilière. Le voir ainsi, tout pâle et immobile sous le drap du lit d'hôpital, lui brisait le cœur.

D'après le médecin des urgences, Chance avait repris conscience quelques instants avant de sombrer de nouveau dans le coma. Il souffrait peut-être d'une amnésie post-traumatique. Toutefois, elle ne devait pas s'inquiéter : son processus vital n'était pas en danger.

Mais comment aurait-elle pu n'être pas inquiète, quand l'homme qu'elle croyait invincible gisait inconscient sur un lit d'hôpital ?

— Le chili nous attendra, lui dit-elle tout haut.

Elle maintenait une conversation à sens unique, à la fois pour ne pas rompre le contact et pour briser ce silence si difficile à supporter.

— Il sera même meilleur demain et la tarte aussi… Quant aux pois frais, je suis sûre que Ruby en aura encore un panier à vendre avant la fin de la semaine…

Aucun muscle du corps étendu devant elle ne bougeait, pas même un cil. Elle aurait aussi bien pu avoir affaire à un cadavre, si toute la machinerie qui l'entourait n'indiquait pas, à grand renfort de bips et de lignes mouvantes sur une traceuse, qu'il était en vie.

Elle tenait la main de Chance et la caressait de son pouce. La peau en était sèche au toucher, mais froide. Elle lui remonta la couverture sur la poitrine et enveloppa ses mains dans les siennes pour mieux les réchauffer. Ses lèvres se mirent à trembler et elle dut les pincer pour refouler un nouveau sanglot.

— Tu sais quoi ? reprit-elle en essayant désespérément d'injecter un peu de légèreté dans sa voix. Maintenant, tu vas être obligé de prendre ces vacances que tu repousses depuis… combien de temps ? Sept ans ? Réveille-toi. Je t'en supplie, Chance, réveille-toi…

Le voir ainsi l'anéantissait. Elle ne pouvait supporter l'idée que, peut-être, il ne reviendrait jamais à lui et qu'elle devrait vivre désormais sans l'homme qu'elle aimait de tout son cœur.

Elle adorait son assurance, qui la faisait toujours se sentir en sécurité. Elle avait besoin de lui plus que jamais. Il était toujours là, pour elle.

Elle serra sa grande et forte main en essayant de l'inciter mentalement à répondre par une pression de la sienne.

— Je te l'ai dit, j'ai une nouvelle à t'annoncer, continua-t-elle. Je pense qu'elle te fera plaisir, mais je veux voir tes yeux quand je te la dirai. Alors, il faut que tu te réveilles, tu comprends ?

Elle voulait voir le choc s'afficher dans ses yeux sombres, puis son sourire se dessiner lentement sur son visage. Le coin de ses lèvres se relevait alors toujours un peu plus d'un côté que de l'autre. Cela lui donnait un charme juvénile auquel elle ne pouvait résister depuis qu'il était entré pour la première fois dans le petit restaurant de sa mère.

Elle lui pressa le bout des doigts.

— Réveille-toi, Chance, je t'en prie.

Et si le médecin se trompait ? S'il ne ressortait jamais du coma ? S'il ne se souvenait plus d'elle ? Et s'il mourait ?

Elle ferma douloureusement les paupières, la gorge serrée. Machinalement, elle porta la main à son ventre et caressa la petite vie qui poussait là. Elle songea à sa mère : avoir été une maman célibataire avait fait d'elle un être passablement amer et aigri. Etait-ce là le genre de destin auquel elle devait se préparer ?

Non, elle refusait de le croire. Chance allait revenir à lui, il le fallait. Elle n'accepterait aucune autre perspective. Elle avait attendu sept ans pour fonder une famille. Pas question de voir son rêve lui échapper avant de s'être réalisé.

— Madame Conover ?

La voix fit sursauter Taryn, profondément perdue dans ses pensées et ses craintes. Elle se tourna vers l'homme qui venait de parler, sur le seuil.

— … Pourriez-vous m'accorder une minute ?

Elle regarda Chance, puis l'homme, puis son mari de nouveau.

— Je… Je… balbutia-t-elle.

Il prit une chaise contre le mur et la tira pour s'asseoir à côté d'elle.

— Je suis le docteur Benton, le psychiatre de l'hôpital. Je voudrais parler du cas de votre mari avec vous.

— Psychiatre… ?

Elle fronça les sourcils. Le Dr Benton avait une silhouette trapue sous sa longue blouse blanche, qui faisait penser à un cache-poussière de cow-boy. Son visage était pâle et émacié, ses cheveux roux auraient eu besoin d'être rafraîchis et ses yeux verts bougeaient sans cesse, comme s'il était en train de pratiquer la lecture accélérée.

— Pourquoi diable Chance aurait-il besoin d'un psychiatre ?

— Le Dr Gregory, le médecin qui a vu votre mari aux urgences, pense que son amnésie n'est pas de nature physiologique.

Taryn se tourna vers son interlocuteur, sans toutefois lâcher la main de son époux.

— Mais il m'a dit, à moi, que le coma n'était que temporaire et que cela aidait Chance à guérir…

Le Dr Benton froissa quelques feuillets imprimés qu'il avait apportés avec lui.

— Les blessures à la tête paraissent souvent plus graves qu'elles ne le sont réellement parce qu'elles saignent abondamment. Physiquement, votre mari ne semble rien avoir de trop sérieux.

— Pourtant, il est dans le coma… Le coup qu'il a reçu a

peut-être été plus violent que vous ne le pensez. Chance est fort et en bonne santé, il devrait se remettre très vite.

De toute évidence, le Dr Benton essayait de se montrer sympathique et attentif, mais ses airs supérieurs gâchaient tous ses efforts. Il l'agaçait.

— Il n'y a aucun signe de traumatisme, reprit-il. Les radios et le scanner n'ont rien décelé.

Taryn se leva de son siège.

— Rien, à part le fait qu'il est dans le coma et qu'il a failli se noyer, tout de même ! Qu'essayez-vous de me dire ?

— Quand votre mari est arrivé aux urgences, il ne se souvenait plus de qui il était, où il était, ni ce qui lui était arrivé…

Le cœur de Taryn fit un bond dans sa poitrine. Elle n'avait pas voulu croire le Dr Gregory lorsque celui-ci avait mentionné le risque que Chance demeure amnésique. Elle se refusait viscéralement à cette idée. Jamais Chance ne pourrait oublier leur amour, il était trop fort pour cela…

Elle se passa la main sur la nuque et la frotta pour essayer de clarifier ses idées. C'était un accident, rien d'anormal. Ses souvenirs reviendraient, c'était évident.

Le Dr Benton consulta ses notes.

— Dans le dossier médical auquel nous avons eu accès, il est indiqué qu'il a déjà souffert d'une première amnésie post-traumatique.

Oh, non, mon Dieu, non…

Le cœur de Taryn se mit à battre plus vite. Elle n'aimait pas du tout cela.

— Oui, murmura-t-elle, il y a quinze ans…

Le Dr Benton passa le bout de sa langue sur ses lèvres, les yeux légèrement exorbités, avec l'air de savourer par avance le plaisir qu'il allait déguster par la suite.

— Je pense que votre mari souffre d'un deuxième épisode d'amnésie post-traumatique, à cause, précisément, d'un retour temporaire de ses souvenirs d'avant le premier choc.

— Je ne vous suis plus du tout…

— Le premier trauma a eu lieu il y a quinze ans, expliqua-t-il en articulant lentement comme si elle était un peu demeurée.

Il montra le dossier.

— Il est indiqué qu'à l'époque votre mari a été découvert inconscient sur la berge, non loin de l'endroit où a eu lieu l'accident d'aujourd'hui.

— Oui, je le sais.

Le psychiatre enchaîna, en lui montrant encore ses notes :

— C'était à la même période de l'année : à la fin mai, pour ce premier traumatisme. Et aujourd'hui nous sommes le 2 juin…

— Oui, mais quel rapport entre les deux ? Cela s'est passé il y a quinze ans.

Le Dr Benton, assis sur le bord de sa chaise, se pencha en avant.

— Les chocs traumatiques sont des réponses physiologiques à des événements majeurs, dit-il, pontifiant. Les souvenirs de cet événement sont biochimiquement attachés au traumatisme, ce qui rend la mémoire dépendante…

— Mais, docteur B…

Il leva une main impérieuse et continua :

— Je pense que quelque chose, aujourd'hui, quelque chose qu'il a vu, entendu ou même senti, a pu raviver ses souvenirs perdus il y a quinze ans et le plonger du même coup sans avertissement dans cet espace-temps disparu pour lui. Il ne s'est pas seulement souvenu de ce qui lui est arrivé, il l'a revécu.

— Vous voulez dire que c'est parce qu'il s'est souvenu de tout cela qu'il a reperdu la mémoire ?

— Exactement !

— Mais pourquoi a-t-il fallu qu'il oublie qui il était, à présent ?

Le psychiatre se frotta les mains comme s'il était sur le point de découper un tendre et savoureux steak.

— C'est précisément le mystère que j'aimerais explorer, dit-il d'un air gourmand. Le cerveau et son fonctionnement forment un domaine de connaissance si fascinant…

— Mon mari ne servira pas à vos expériences, docteur, ce n'est pas un rat de laboratoire !

— Non, non, bien sûr…

Il lui tapota paternellement le genou pour la rassurer.

— … Mais je pense avoir une chance de l'aider à retrouver la mémoire…

— C'est vrai, vous pourriez faire ça ?

Elle entrevoyait enfin une lueur d'espoir.

— Oui, j'en suis sûr. Je pense que votre mari a refoulé ses souvenirs après avoir subi un choc émotionnel très important. La façon dont ensuite il a mené sa vie est assez remarquable…

Il s'interrompit, s'éclaircit la gorge puis reprit :

— L'amnésie est un symptôme, le signe extérieur d'un trouble intérieur très violent.

— Il n'a jamais voulu me parler de ce qui est arrivé ce jour-là, confirma tristement Taryn.

Elle avait toujours été déçue de ne pas obtenir de Chance cette marque de confiance.

— Eviter d'aborder le sujet est également un symptôme du choc traumatique, renchérit le psychiatre. Seul le temps peut le guérir.

— Mais… Il allait bien, n'est-ce pas ? demanda-t-elle.

Elle serra plus fort la main de son mari inanimé, comme si elle voulait l'empêcher de s'éloigner.

— En lui, les choses ne pouvaient pas être aussi claires et ordonnées que cela, répliqua le Dr Benton.

Il avait une curieuse lumière dans l'œil, comme si les troubles psychiques de Chance étaient pour lui une sorte de fabuleux trésor à inventorier et répertorier.

— Le fait qu'il refoule ses souvenirs ne veut pas dire que ceux-ci ne l'affectent pas. Je le guiderai à travers les différentes étapes de retour à la mémoire, qui sont aussi celles d'un processus de guérison.

Il attendait visiblement son verdict avec une fébrilité des plus étranges.

Mais Taryn sentait monter la migraine. Tout cela allait trop vite et ne lui permettait pas de se prononcer clairement. Qu'est-ce qui était le mieux pour Chance ?

— Et comment comptez-vous vous y prendre ? s'enquit-elle.

Le psychiatre sourit d'un air satisfait.

— Il y a plusieurs techniques et procédés envisageables : l'hypnotisme, l'association d'images, le travail sur les rêves, le thiopental sodique, plus communément appelé « sérum de vérité »…

— Le sérum de vérité ? s'écria-t-elle. Vous voulez le droguer ?

— C'est un produit très bien maîtrisé aujourd'hui…

Il enchaîna, indifférent :

— Une fois qu'il aura retrouvé la mémoire, je lui indiquerai comment remettre ses souvenirs en perspective, comment les accepter et comment traiter avec les distorsions cognitives…

— Les distorsions cognitives ?

Tout ce jargon était insupportable…

Le Dr Benton parut agacé par cette interruption, mais il daigna expliquer, avec force gestes de la main :

— Il existe deux formes de mémoire. La mémoire explicite, qui est habilitée à se souvenir consciemment des événements, et la mémoire implicite, qui est l'appréhension inconsciente d'une expérience. Par exemple, vous avez appris à lire mais vous ne vous rappelez pas le processus d'apprentissage. Pourtant, vous vous y référez inconsciemment chaque fois que vous ouvrez un livre.

— Vous voulez dire qu'il peut ne pas se souvenir de qui il est, mais qu'il peut garder à la mémoire des savoirs et des expériences qu'il a connus dans le passé ?

— Exactement. Il peut voir des images, ressentir des sentiments, éprouver de la terreur quant au passé, mais ne pas pouvoir décrypter ces sensations ou ces images. Il a besoin que quelqu'un le guide, pour pouvoir appréhender l'événement dans son entier et enfin comprendre ce qui lui est arrivé.

Taryn fronça les sourcils et secoua la tête. Tout cela lui paraissait un peu trop facile. Et puis, il y avait autre chose qui la retenait d'accepter.

— Chance n'est pas du tout le genre d'homme à se confier facilement. Je doute fort qu'il accepte de suivre ce genre de thérapies.

Le Dr Benton se penchait tellement hors de sa chaise qu'elle craignit de le voir tomber.

— Pour le moment, lui répliqua-t-il, votre mari est incapable de prendre une décision. Vous pouvez le faire à sa place. Je vous assure qu'il vous en saura gré, quand la thérapie aura commencé à produire ses effets.

— Chance préfère prendre lui-même ses décisions.

— C'est compréhensible, mais pour le moment il est bien incapable de formuler un jugement. Une thérapie est la meilleure des options possibles.

— Ecoutez, docteur, je ne sais pas si…

— Non !

Le mot avait retenti, ferme et clair, derrière elle.

Elle se retourna vivement et ne put retenir sa joie à la vue de son mari, les yeux bien ouverts.

— Chance ! s'écria-t-elle.

Elle se jeta sur lui pour le serrer dans ses bras.

— Je savais que tu te réveillerais. Je savais que tout s'arrangerait !

Presque aussitôt, elle recula d'un pas. En fait, quelque chose n'allait pas : Chance avait détourné la tête, il se tenait immobile et très raide dans ses bras, comme s'il était désagréablement surpris par un contact étranger.

— Chance ? dit-elle, étonnée.

Il posait sur elle un regard glacial et fermé, comme impénétrable.

— Chance ?

Voulant garder le contact physique avec lui, elle essaya de reprendre sa main, mais il la lui retira et l'enfouit sous son drap.

— Sortez, dit-il d'un ton bref. Tous les deux. Laissez-moi seul !

— Chance… Mais… c'est moi…

Ce n'était pas possible. Il n'avait pas toute sa raison.

— J'ai dit : dehors !

Il tremblait sous le drap et Taryn n'aurait pu dire si c'était de peur, de froid ou de colère. En tout cas, cette réaction-là n'était pas celle de l'homme qu'elle connaissait et qu'elle aimait.

Le Dr Benton la prit par le bras.

— Madame Conover… je crois que…

Mais elle se dégagea vivement et prit le visage de Chance entre ses mains, ce visage qu'elle aimait tant avec son nez bien droit, ses pommettes hautes et ses lèvres qui appelaient le baiser. C'était là le visage de l'homme qu'elle aimait. Cet homme qui était caché quelque part dans ce corps étendu et qu'elle devait à toute force retrouver.

— Regarde-moi, Chance. J'ai dit : regarde-moi.

Il obéit et plongea ses yeux dans les siens. Son regard était toujours glacial et incisif avec comme un voile de tourments. L'homme qu'elle aimait était en train de disparaître là-dessous.

— Chance…

Il ne la connaissait plus. Il n'avait plus de souvenir de leur vie ensemble, ne se souvenait plus de l'amour qui avait fondu leurs deux âmes en une seule.

Sous ses yeux, son mari se métamorphosait en un parfait étranger. La douleur, dans sa poitrine, était presque intolérable.

— Je ne te laisserai pas m'oublier, Chance…

Elle maudit sa voix brisée par le chagrin, ses larmes, ses sanglots dans la gorge.

— Je suis ta femme et je t'aime. Je ne te laisserai pas oublier qui je suis et ce que nous avons en commun. Nous sommes allés trop loin ensemble pour que je te laisse jeter tout cela aux orties. Tu m'entends ?

Les compteurs de toute la machinerie qui scrutait son pouls tournaient plus vite, la veine de son cou était gonflée. Il y avait de la panique dans ses yeux.

Il la repoussa sèchement et se tourna sur le côté.

Les deux mains sur sa bouche, elle ravala ses sanglots. S'il avait dégainé par surprise son arme de service et avait fait feu sur elle, elle n'en aurait pas été plus choquée. Jamais, non, jamais Chance n'avait levé la main sur elle, ni sur quiconque, sous le coup de la colère.

Il ne sait pas lui-même qui il est, se rappela-t-elle. *Il ne te fait pas intentionnellement du mal. Il est effrayé et ne sait pas ce qu'il fait.*

— Madame Conover, insista le Dr Benton, il faut partir, maintenant.

— Non, je reste.

Il ne fallait pas qu'il l'oublie. Elle devait rester, comme un vivant rappel de son passé. Il devait se souvenir.

Les machines semblaient s'emballer, les diodes brillaient d'un éclat plus vif.

— Il a besoin de repos, insista encore le Dr Benton.

— Il a besoin de moi !

Comme elle avait besoin de lui. Et comme leur bébé avait besoin d'eux.

Les appareils de contrôle se mirent à s'emballer tous ensemble et à clignoter follement.

Chance agrippa les câbles qui le reliaient aux machines.

— Si vous ne partez pas, madame, je vais devoir appeler la sécurité, menaça le psychiatre.

— C'est mon mari ! répliqua Taryn.

Le Dr Benton la poussa néanmoins vers la porte.

— C'est notre patient, et sa santé est notre priorité !

Deux infirmières entrèrent. La première changea prestement la perfusion de Chance, tandis que l'autre le plaquait sur son matelas. Il poussa une sorte de rugissement, entre la colère et la peur.

— Chance ! cria Taryn.

Elle voulut se précipiter à son secours, mais le Dr Benton s'interposa pour lui barrer la route.

Elle sentait des larmes couler sur sa joue. Chance avait l'air terrorisé et elle se mit à sangloter de plus belle.

— Chance !

— Il a besoin de soins, madame Conover, lui dit le psychiatre en la secouant doucement. Ce serait le moment idéal pour le faire admettre dans mon service…

Les yeux de Chance se fermèrent. Peu à peu, les clignotants et les sonneries se calmèrent. De nouveau, il ressemblait à un cadavre et ne bougeait pas davantage que s'il en avait été un.

— Chance ! murmura encore Taryn, à la fois comme une prière et comme un encouragement.

— Avec une bonne thérapie, insista encore le Dr Benton, vous retrouverez votre mari. Signez la demande de transfert.

— Je dois rester avec lui.

— Pour guérir, pour vous revenir, il doit être soigné.

— Il a besoin de moi.

... Et pas de ces blouses blanches qui ne lui voulaient pas vraiment du bien, s'exclama-t-elle intérieurement.

— Il va dormir maintenant, madame Conover. Mais nous pouvons commencer le traitement dès demain.

— Je vous dis que je veux rester !

— Ce n'est pas dans son intérêt.

Le psychiatre se tourna vers l'une des infirmières.

— Appelez la sécurité.

Deux vigiles en uniforme arrivèrent rapidement et l'entraînèrent vers l'ascenseur, contre sa volonté.

Angus Conover, le père adoptif de Chance, attendait dans le hall. Aussitôt, il se leva et vint vers eux.

— Que se passe-t-il ? demanda-t-il avec autorité.

Taryn fut soulagée de le voir, avec ses cheveux gris, ses traits distingués et sa veste bien coupée qu'il portait avec autant de prestance que jadis son uniforme de policier.

Il fusilla du regard les deux vigiles. Intimidés, ceux-ci s'immobilisèrent sur place.

D'une voix douce et rassurante, Angus demanda alors à Taryn :

— Que t'arrive-t-il, mon petit ? Des problèmes ?

— Angus, s'écria la jeune femme, soulagée de voir enfin une figure amie, ils veulent me renvoyer.

— Lâchez-la immédiatement, lança d'un ton sec le shérif retraité aux deux vigiles.

Ils obtempérèrent et Angus passa un bras protecteur autour des épaules de sa belle-fille.

— Ça vaut peut-être mieux, lui dit-il doucement. Chance a besoin de repos.

— Il ne sait même plus qui je suis...

Taryn enfouit son visage dans le large torse d'Angus et ses larmes se mirent à couler à torrent.

— Je te ramène, mon petit...

Taryn n'aurait su dire combien de temps dura le trajet de retour.

Sa maison silencieuse et plongée dans l'obscurité fut un choc supplémentaire. Angus lui offrit de rester un peu avec elle, mais elle refusa et, comme un automate, se dirigea vers la chambre à coucher.

Sans retirer le short et le T-shirt qu'elle avait passés après sa douche, elle se mit machinalement au lit, tira le drap au-dessus de sa tête et se recroquevilla en chien de fusil, recréant d'instinct la coquille protectrice dans laquelle elle se réfugiait si souvent quand elle était une petite fille.

La mort de Chance était la pire chose qui pourrait jamais lui arriver, avait-elle toujours cru. Elle se trompait. Qu'il soit vivant et la regarde comme une complète étrangère était encore pire.

Elle passa une nuit sans sommeil, seule dans le grand lit, mais pas une seconde elle n'eut la tentation d'abandonner. Pour lui, pour elle-même, pour le bébé, elle se battrait jusqu'au bout.

Elle l'aiderait, comme il l'avait aidée à revenir à la vie, dix ans auparavant. Ensemble, ils ramèneraient ses souvenirs à la surface.

Chance revint à lui, trempé de sueur, le souffle court et épuisé comme s'il venait de courir un marathon. Son cœur battait la chamade et il avait le corps parcouru de frissons. Il essaya de chasser les terribles images qui défilaient devant ses yeux, mais chaque fois qu'il clignait des paupières il revoyait le brouillard rouge et les cheveux blonds.

Les deux mains crispées sur son drap, il se força à garder les yeux ouverts jusqu'à ce que, enfin, il ne vît plus rien que le plafond blanc de la chambre. Alors seulement, son souffle s'apaisa et son rythme cardiaque diminua.

La colère bouillonna en lui comme un torrent furieux et ses pensées convergèrent vers un seul désir : s'évader.

— Ah, tu es réveillé…

Le son de cette voix le remit dans les transes, produisant

instantanément un nouveau festival de diodes lumineuses et de bips sonores.

Il expira lentement et regarda l'homme assis à son chevet.

— Qui diable êtes-vous ? grogna-t-il.

L'inconnu était grand et élancé. Son visage étroit et tout en longueur faisait penser à la tête d'une aigrette. La peau de son crâne apparaissait sous une touffe de rares cheveux blonds. Il portait une chemise beige d'uniforme avec une étoile dorée sur la poche gauche et triturait son chapeau dans ses mains comme s'il venait lui adresser une supplique.

— Tad Pruitt, lui dit-il en se redressant encore de plusieurs centimètres. Je suis ton adjoint.

Chance détourna les yeux, ferma les paupières puis les rouvrit en voyant réapparaître le brouillard rouge.

Tad Pruitt. Son adjoint…

Mais ni l'homme ni sa fonction ne réveillaient en lui le moindre souvenir. Il faillit éclater d'un rire amer. Il n'y avait plus rien de réel au monde. C'était comme si son cerveau avait été proprement effacé, à l'exception de quelques images de boue et d'eau qui s'incrustaient dans son esprit. Quant à ses émotions, elles se limitaient à une angoisse incompréhensible et à une colère froide, qui le poussait à l'action.

Il fixa son regard sur les plaques d'isolation du plafond et se mit à les compter silencieusement.

Une. Deux. Trois.

Il avait le sentiment de se tenir sur le fil entre deux cauchemars. D'une minute à l'autre, il pouvait basculer dans la folie.

Quatre. Cinq. Six.

— Je suis obligé de te poser quelques questions, Chance, dit Tad.

Il essaya sans conviction de ponctuer sa phrase d'un petit rire, puis reprit :

— Tu sais bien que je déteste la paperasse, mais moi je sais aussi que tu m'arracheras la tête, si je ne le fais pas correctement…

Chance. Ils l'appelaient tous comme ça, mais ce prénom semblait lui aller comme une paire de bottes de deux tailles trop petite. De la chance, il n'avait pas l'impression d'en avoir beaucoup, tout rompu et sanguinolent qu'il était.

— La réponse à tes questions est : je ne sais pas.

— Tu ne veux pas qu'on essaye, tout de même ?

— Tu ne veux pas aller te faire voir ailleurs ?

Tad s'éclaircit la gorge.

— Je suppose que je pourrais faire ça, dit-il doucement, mais puisque tu es blessé et indisponible j'ai des obligations…

— Tu es venu me voir et tu m'as vu. Tu as donc rempli tes obligations. Maintenant, laisse-moi tranquille.

— C'est que… ce n'est pas si simple, Chance. Sam Wentworth dit qu'il t'a vu quand tu étais dans la pente et que tu t'es mis à accélérer et à accélérer encore, jusqu'à ce que tu tombes dans la rivière. On n'a trouvé aucune cause mécanique à ton accident.

Non, bien sûr. C'était lui qui l'avait déclenché, il le savait de façon instinctive, primale.

171. 172…

Et puis, il y avait cette terreur en lui.

— Ça ne nous laisse guère que deux options, poursuivit Tad. Chance… Est-ce que tu penses que tu as pu confondre le frein et l'accélérateur ?

— Je n'en sais rien.

L'adjoint fit passer le poids de son corps d'une jambe sur l'autre, ce qui fit grincer les talons de ses bottes.

— Y a-t-il… une raison qui aurait pu faire que tu te sois… délibérément jeté dans la rivière ?

— Je ne sais pas.

201, 202.

Et il n'en était encore qu'au premier coin du plafond. Compter toutes les plaques allait certainement l'empêcher de penser pour un bon moment…

— Tu es un plongeur expérimenté, pourtant. Sam dit que tu n'as pas même essayé de t'extirper de la voiture. Tu es resté simplement assis au volant à regarder le soleil pendant que l'eau montait autour de toi…

Tad s'interrompit et le feutre du chapeau qu'il tournait et

retournait inlassablement entre ses doigts crissa. L'adjoint était nerveux…

— Est-ce que tu as vu quelque chose, Chance ?

Du sang, la mort… Mais de qui et pourquoi ? Est-ce que tout cela était bien réel ?

320… 330…

— Tu as de la veine qu'une souche de la berge ait retenu ta roue arrière gauche, sinon le courant aurait emporté la voiture. Sam a pu joindre RoAnn, qui a déclenché les secours.

Chance soupira. Il ne se sentait pas particulièrement reconnaissant pour la réactivité de l'un ou l'efficacité de l'autre. Qui étaient ces gens ? Il ne se souvenait pas de leur bonne volonté, mais seulement d'un enfer d'angoisse, de boue et d'eau, noyé dans un brouillard rouge.

538…

— Je voudrais que tu essayes de te rappeler ce qui s'est passé juste avant que tu tombes dans la rivière…

Non. Il n'essaierait pas. Ce qu'il voulait, c'était fuir. Partir d'ici et ne jamais revenir.

Il avala péniblement sa salive. L'urgence de partir était de plus en plus forte. Bon sang, il avait perdu le compte.

Un, deux, trois…

— Tu roulais vers le Brett Ranch, puis tu as reçu l'appel de RoAnn et tu t'es dérouté vers Gator Park…

Tad laissa le silence s'installer.

Avec ce sifflement dans ses oreilles qui augmentait, c'était insupportable, se dit Chance, excédé.

Il prit sur lui pour répondre :

— Je ne sais pas.

— Sam dit que tu es arrivé très peu de temps après son appel et que tu as dû rouler particulièrement vite. Puis il t'a vu dégringoler la pente et passer par-dessus le rail de sécurité. Qu'est-il arrivé ?

— Je n'en sais rien.

21, 22.

— Tu n'as qu'à fermer les yeux et essayer de te revoir dans la voiture de patrouille…

— Non !

Son cœur se mit à battre à tout rompre dans sa poitrine. Les avertisseurs sonores et lumineux des appareils de contrôle ne faisaient qu'ajouter à son besoin de fuir. Comme un poisson hors de l'eau, il ouvrit la bouche pour mieux happer l'air et, les poings serrés sur le matelas, il lutta pour retrouver le contrôle de lui-même. Il n'allait pas se laisser submerger par le brouillard rouge, ni par la panique. Il n'allait pas se laisser noyer.

— Allons, Chance, tu n'essaies même pas de te souvenir, lui reprocha Tad.

— Je t'ai dit que je ne me souvenais de rien.

Les moniteurs s'emballaient de nouveau et une infirmière entra. Elle tenait une seringue à la main : il sentit une nouvelle vague de terreur lui glacer le sang. Avec ces drogues, il serait sans défense, un pauvre débris sans contrôle sur lui-même. Les images allaient l'assaillir sans qu'il puisse s'en protéger.

— Pas de drogue, protesta-t-il avec véhémence.

Il attrapa le tuyau de sa perfusion.

— Pas de drogue, ou bien j'arrache tout !

— Mais tous les indicateurs sont au rouge, monsieur Conover. C'est grave, ceci vous aidera à vous calmer…

Chance prit une profonde inspiration, puis une autre. Il était entièrement trempé de sueur.

— Je suis très calme. Mon visiteur m'a énervé, mais justement il allait partir.

L'infirmière regarda Tad.

— Je crois qu'il vaudrait mieux… commença-t-elle.

L'adjoint hocha la tête, son chapeau toujours à la main.

— Je m'en vais, mais je reviendrai.

Ses bottes grincèrent sur le linoléum quand il quitta la chambre, sans hâte particulière.

— Bon, reprit l'infirmière en s'avançant vers la perfusion. Laissez-moi regarder un peu si tout est normal ou si vous n'avez pas arraché quelque chose.

— Enlevez-moi tout ça !

L'infirmière le regarda, interloquée.

— Mais je ne peux faire ça que sur l'ordre d'un médecin.

— Je m'en vais.

Il se dressa à demi sur le lit.

— Et où irez-vous ? demanda l'infirmière, d'un air à la fois agacé et méprisant. Vous ne savez même pas où vous habitez…

— Mais moi, je le sais !

Chance et l'infirmière se tournèrent, ensemble, vers la voix douce mais ferme.

C'était la femme de la veille au soir, se rappela Chance. Elle se tenait sur le seuil, la main sur le bouton de porte. Sous l'autre bras, elle portait un sac. Il ne pouvait se rappeler son nom, mais quelque chose, dans sa présence, le rassurait et l'exaltait à la fois.

Elle était plutôt petite, pas vraiment impressionnante. Ses traits doux se détachaient à peine sur la pâleur des murs. Mais ses yeux brillaient, vous accrochaient et ne vous quittaient plus, chaleureux et pleins de passion. Ils étaient d'un bleu très intense, plus profonds qu'un ciel d'été, et doués d'un pouvoir hypnotique. Il les fixa, la gorge sèche.

— Veux-tu rentrer à la maison avec moi, Chance ?

Ses yeux regardaient droit au fond des siens. Elle se tenait visiblement prête à accueillir n'importe quelle réponse, même s'il devait la repousser.

La veille, elle avait pleuré pour lui et dit qu'elle l'aimait. Que jamais elle ne le laisserait l'oublier. Il s'en souvenait parfaitement. Il aurait voulu croire à cette promesse, comme une branche à laquelle on se raccroche. Mais les branches ne cassent-elles pas ?

Pourtant, là, elle lui offrait une échappée, un peu d'espoir.

— Oui ! répondit-il d'un souffle.

La femme laissa échapper un sourire de soulagement. Puis elle s'avança et se campa devant l'infirmière.

— Je signe la décharge, lui dit-elle. Immédiatement !

Toute sa posture physique semblait défier l'infirmière de passer outre.

S'il avait dû parier, s'amusa-t-il, il aurait tout misé sur cette frêle petite femme si décidée, face au grand cheval de bataille en blouse blanche. Méritait-il donc une si farouche loyauté ?

— C'est contraire au règlement, le docteur…

— … a dit qu'il n'avait rien de sérieux. Il n'a donc aucune raison de rester ici.

— Mais le Dr Benton…

— … n'est pas celui qui l'a fait admettre dans cet établissement.

Le ton était sans réplique. La silhouette menue jeta un coup d'œil vers lui par-dessus son épaule. Son œil bleu était à la fois plein de passion et de tristesse.

— C'est mon mari. Je le ramène à la maison. Chez nous. C'est ainsi, et pas autrement.

La partie était gagnée, comprit Chance. Il allait s'échapper de cet endroit de cauchemar. L'infirmière, les lèvres pincées, lui retira du bras l'aiguille de la perfusion, et il avala sa salive avec peine.

Il partait, certes, mais il quittait cette chambre au bras d'une femme quasiment aussi troublante que les images qui le hantaient…

3

Taryn n'arrivait pas à dormir, envahie par l'angoisse. Chance était rentré depuis presque une semaine déjà, et pourtant il ne semblait avoir fait aucun progrès. Elle lui avait préparé tous les plats qu'il aimait, lui avait montré les albums de photos prises ensemble, avait essayé de lui faire reprendre contact avec ses amis. Rien n'y avait fait.

Il mangeait ce qu'elle lui servait avec une sorte d'apathie. Avait à peine regardé les photos. Ne paraissait pas se sentir chez lui et se conduisait comme un hôte retenu malgré lui, contre sa volonté. Les questions qu'elle lui posait restaient sans réponse à part, parfois, un grognement. Il avait refusé de recevoir des visiteurs, y compris Angus et sa femme Lucille, qui lui tenaient pourtant lieu de parents depuis quinze ans. Se voir rejeté par celui qu'ils considéraient comme leur fils leur avait fait beaucoup de peine.

Et puis, il y avait toujours cette colère qui bouillonnait en lui et paraissait le mettre sur des charbons ardents.

Il passait ses nuits éveillé, marchait de long en large dans le salon de leur petite maison comme un animal prisonnier. Le jour ne lui apportait pourtant aucun soulagement. On eût dit qu'il cherchait à tenir à distance quelque chose qui le hantait et risquait de le dévorer.

Comment pouvait-elle l'aider ? Elle se sentait aussi démunie que lorsqu'elle était adolescente et qu'elle voyait quotidiennement sa mère se lamenter sur son triste sort.

Il avait le regard vide, et sa nervosité, son attitude égarée étaient pour elle comme une plaie en permanence ouverte, une douleur qu'elle cachait de son mieux sous les sourires et les encouragements. Le pire, et de loin, c'était d'être ensemble dans leur maison et de le voir refuser de partager leur lit. Il n'entrait même pas dans la chambre à coucher et elle en pleurait chaque nuit. Mais elle n'abandonnerait pas pour autant. Elle était à peu près la seule à espérer venir à bout de l'amnésie de Chance et le retrouver enfin, elle en avait parfaitement conscience.

Toutes ces réflexions se bousculaient dans sa tête, l'empêchant de dormir. Aussi, elle se leva pour aller prendre un verre d'eau dans la cuisine et se rafraîchir les idées.

Mais elle s'arrêta en chemin, sidérée. Chance était debout dans le noir, devant la porte-fenêtre de la cuisine. Deux cents mètres plus bas, la rivière brillait sous la lune. Le regard de Chance était fixé sur le miroitement de l'eau, comme si la Red Thunder contenait la réponse à ses questions.

Elle s'approcha doucement de lui.

— Il est tard : plus de minuit. Et tu es épuisé. Pourquoi ne viens-tu pas te coucher ?

Il sursauta, comme égaré, et une lueur de panique passa dans ses yeux. Qu'était-ce donc, qui lui causait cette frayeur ? Craignait-il, s'il s'endormait, de perdre ce qui lui restait de sa personnalité ?

— Tu n'es pas obligé de dormir, tu sais, mais il faut juste te reposer…

Elle ne prononça pas la suite des mots qu'elle pensait.

Laisse-moi prendre soin de toi…

Il ne répondit rien, fixant toujours le paysage, par la fenêtre. Elle hésita, puis s'approcha, mit son bras sous le sien et entrelaça ses doigts aux siens, comme elle l'avait fait des milliers de fois auparavant. Elle sentit son cœur se serrer, tant cette main resta inerte sous la sienne. Pour autant, Chance ne la repoussa pas. C'était bon signe.

— Tu vois les roses, sur la clôture ? demanda-t-elle. C'est toi qui as planté ce rosier, le jour même de notre mariage… Tu disais que tu ne voulais pas vivre sans fleurs. C'était si doux et si joli que j'en ai pleuré.

Elle regarda ses yeux : il n'y avait aucune lueur de compréhension, aucun tressaillement des muscles, aucune trace même qu'il enregistrait ce qu'elle lui disait. Des larmes de frustration lui brûlèrent les paupières.

— Et la balancelle sous le vieux pacanier ? insista-t-elle, soulagée que sa voix ne tremble pas trop. Tu l'avais installée en espérant que nous passerions des soirées romantiques à parler et à faire des projets sous cet arbre, mais les moustiques sont si féroces que c'est à peine si nous l'avons utilisée. Très souvent, les soirs d'été, nous prenons plutôt un thé glacé dans la cuisine…

Elle appuya sa tête contre son bras. Il prit une profonde inspiration et elle en sourit, se pelotonnant contre lui. Il fallait qu'elle réussisse à redonner vie à ses souvenirs.

— Tu détestes tondre la pelouse, continua-t-elle, et tu maugrées chaque week-end quand il faut le faire. A la longue, j'en ai eu tellement assez de t'entendre te plaindre à ce sujet que j'ai engagé le petit Taylor. Il a bien travaillé, tu ne trouves pas ?

Chance émit un petit grognement qui ne l'engageait pas beaucoup. Mais au moins il écoutait. Elle craignait qu'il ne soit tout entier absorbé par l'introspection, ou perdu dans ses souvenirs les plus lointains, ceux qu'avait ravivés la rivière.

La Red Thunder… elle était belle, tranquille et même romantique, au clair de lune qui argentait sa surface. Son murmure perpétuel, audible même à travers le double vitrage, avait un son apaisant.

— Tu l'aimes, cette rivière, reprit-elle. Tu passes une grande partie de ton temps libre dessus, à pêcher, à canoter, à plonger.

Elle interrogea les yeux sombres de Chance, en espérant ne pas aller trop loin et ne pas réveiller de trop pénibles souvenirs. Elle voulait raviver la mémoire de son mari, pas le mettre en fureur.

— Jake et toi…

Chance se raidit, comme chaque fois qu'elle mentionnait un nom propre.

— Jake Atwood était avec toi à l'académie de police, expliqua-t-elle. Il travaille à Beaumont et nous le voyons souvent, lui et son épouse, Liz. Après… ce qui t'était arrivé la première fois, tu craignais l'eau. Aussi, Jake t'a appris à faire de la plongée. Il disait que tu avais ça dans le sang, qu'il n'avait jamais vu un nageur aussi instinctif que toi et que c'était sans doute pour ça que tu avais survécu à ton accident.

Chance serra les dents.

— Au fond, continua Taryn, la rivière t'a apporté de grandes joies, mais aussi de très grands tourments, n'est-ce pas ? Par deux fois, elle t'a privé de ta mémoire.

Il voulut s'écarter d'elle, mais elle s'accrocha désespérément à son bras et posa sa petite main sur son torse, juste à l'emplacement du cœur. Elle le sentait battre sourdement, comme un tambour.

— Parle-moi, Chance, murmura-t-elle. Je peux tout supporter, sauf ton silence.

De nouveau, il ferma les yeux et avala péniblement sa salive.

Pour réveiller ses souvenirs de leur vie ensemble, elle avait essayé de lui faire à manger, de lui parler, de lui montrer son univers. Mais peut-être fallait-il plutôt s'échapper un peu…

Elle pivota pour qu'ils se retrouvent poitrine contre poitrine, et caressa sa joue du bout des doigts. Effrayée de regarder ses yeux si elle devait s'y voir rejetée, elle se concentra sur les poils sombres qui piquaient l'angle de sa mâchoire, s'émerveillant de leur douceur et de la façon dont ils soulignaient les creux et méplats de son visage.

Du bout du doigt, presque timidement, elle suivit le doux renflement de ses lèvres et les fit s'écarter. Elle sentait son souffle chaud sur son visage et voulait sa bouche sur la sienne, éperdument. Le désir qu'elle ressentit à cet instant lui coupa le souffle. Elle se pencha. Délicatement, elle posa un baiser à la base de son cou et sentit son pouls s'accélérer.

Mais Chance poussa un grognement, lui saisit les poignées et la repoussa.

— Non, articula-t-il.

— Si ! lui répliqua-t-elle.

Elle se hissa sur la pointe des pieds, planta ses yeux dans les siens et sentit la chaleur de son corps et la familière odeur de musc de sa peau. Lorsque ses lèvres touchèrent les siennes, de nouveau, elle l'entendit pousser, du fond de la gorge, ce sourd et presque douloureux grognement qu'elle aimait tant. La flamme du désir brillait dans ses yeux sombres.

C'était à ce niveau très primitif, très animal, qu'elle pouvait le toucher.

— Laisse-moi t'aimer, Chance, lui dit-elle dans un souffle.

— Non, répéta-t-il.

Mais il se pencha pour l'embrasser avec fureur.

La brûlure et le goût de son baiser firent bouillir le sang de Taryn. Depuis la toute première fois où leurs lèvres s'étaient jointes, la faim qu'elle avait toujours de lui n'avait jamais cessé de l'étonner. Cette ardeur se réveillait encore au bas de son ventre, lui rappelant ce que leur amour avait créé. Une lave brûlante semblait couler dans ses veines, tandis que leurs baisers devenaient de plus en plus profonds et sauvages.

— Laisse-moi t'aimer, répéta-t-elle.

Il posa ses mains sur les hanches pressées contre les siennes. Elles étaient brûlantes à travers le fin tissu de sa chemise de nuit. Elle pouvait entendre son souffle devenir de plus en plus rauque. Un instant, elle crut qu'il allait la repousser, mais leurs langues s'activaient toujours follement et, pressée contre lui, elle ne pouvait ignorer le désir qu'il avait d'elle. Le Chance qu'elle aimait était bien là, mais enfoui dans ce corps. Elle le retrouvait dans ses baisers, dans ses mains sur elle, dans sa ferveur. S'ils pouvaient retrouver leur amour intact, alors le reste suivrait. Elle en était certaine. Jamais elle n'abandonnerait. Ce qu'ils partageaient était trop fort et reviendrait à la vie, il le fallait.

Elle enfouit son visage dans le cou de l'homme qu'elle aimait, effleura encore une fois la peau de ses lèvres et lui murmura de nouveau :

— Laisse-moi t'aimer…

La douce tentation de ses mots et de ses caresses brûlait Chance comme la foudre. Il voulait, il devait lui dire non. Il se sentait aussi chargé d'électricité qu'un orage d'été et avait besoin de retrouver son empire sur lui-même. Mais il ne parvenait pas à se dominer. Et puis, dans la chaleur du corps de cette femme, dans la passion de ses baisers, il trouvait comme une forme... d'évasion. Le monde, devant lui, n'était plus noyé dans un brouillard rouge, mais brillait, chauffé à blanc. Ses mains ne tremblaient plus, elles frôlaient et caressaient la peau veloutée de Taryn, ses cheveux de soie.

Il avait besoin de la paix intérieure qu'elle lui procurait, plus encore que de sa prochaine goulée d'air, alors il se laissa entraîner dans le couloir qui menait à la chambre.

Le joli édredon bleu et blanc l'attira comme la flamme, les insectes. Il ferma les yeux, la laissant déboutonner sa chemise et son jean, faire courir ses mains sur son torse et plus bas. Il lui laissa même lui mordiller doucement un téton. L'extraordinaire douceur dont elle irradiait se propageait en lui et avivait son désir. Elle était l'étincelle de vie dans la vallée de la Mort.

Elle lui déroba encore un baiser qui lui coupa le souffle et une fois de plus son sang incendia ses veines, comme de la lave.

Il n'avait aucun souvenir de cette femme qui prétendait être son épouse, mais d'une façon inexplicable il ressentait le lien particulier qui la liait à elle. Il pouvait sentir la proximité de leurs deux âmes aussi clairement que s'il avait pu les toucher. C'était une émotion bouleversante, sacrée et assez effrayante. Dans cet univers inconnu où il se déplaçait avec peine, elle était sa force , et lui, sa faiblesse. Il ne pouvait pas davantage lui résister qu'il ne pouvait interrompre le flux infernal de ses cauchemars.

Sans crier gare, elle recula et s'écarta de lui. Un grognement de lourde frustration lui échappa, tant le manque qu'il ressentait tout à coup était violent. Il se mit à trembler, désespéré de ne pouvoir finalement combler ce vide qu'était devenue sa vie. Le sang battait à ses tempes, à ses poignets et à ses chevilles, et il restait comme médusé, incapable de demander ce dont il avait tant besoin.

Elle lui sourit, savourant de toute évidence ce pouvoir

qu'elle avait sur lui. Dans ses yeux, il lut l'amour, le plaisir, la passion, et il s'avança vers elle. Mais elle secoua la tête.

— Attends !

Elle fit passer sa chemise de nuit par-dessus sa tête et le regarda, de ses yeux si incroyablement bleus, si incroyablement grands, si incroyablement séduisants. Comment avait-il pu oublier ce regard qui le bouleversait si profondément et si puissamment ?

Sa bouche appelait à l'amour. Sa peau rosissait joliment, était le plus délicat des velours et n'attendait que lui. Il la désirait avec une ardeur qui l'effrayait lui-même. Il voulait se perdre dans cette douceur comme on plonge en eaux profondes. Il voulait cette paix qu'elle lui offrait.

Il s'avança vers elle, caressa doucement son dos, laissant le contact soyeux de sa peau se diffuser en lui. Les yeux clos, il respira son frais parfum. On eût dit une pluie d'été sur une rose.

— Vous… tu sens bon…

Elle lui sourit, la tête au creux de son cou, ce qui raviva encore le furieux désir qu'il avait d'elle.

— Pluie d'été… murmura-t-il.

— La ligne de produits de beauté que tu préfères sentir sur moi.

Il l'embrassa longuement, profondément, s'enivrant d'elle.

— Tu sens si bon… c'est si bon…

— Oh ! Chance…

Elle donnait, elle offrait, elle était… réelle et elle était sienne. Son corps se coulait contre le sien, s'y mêlait, se fondait en lui, devenait une part de lui-même.

Les deux mains sur ses épaules, il la tint un instant à bout de bras. Un peu confuse, elle le regarda de son regard si bleu, si profond. Elle avait encore la main sur sa joue, ses hanches contre les siennes. Plaquée contre son érection…

Ce fut à son tour de murmurer :

— Laisse-moi t'aimer…

Dans le soupir qu'elle poussa, il y avait du soulagement et du consentement. Dans son baiser, dans son corps qui s'enroulait autour du sien, il y avait cette évasion dont il avait tant besoin, depuis qu'il avait oublié qui il était.

— Toujours, Chance, toujours…

Un peu plus tard, elle s'endormit entre ses bras. Il pouvait sentir battre son cœur contre lui, c'était comme une caresse, ses cheveux, comme un chant mélodieux, et son souffle chaud, un espoir. Il aurait voulu arrêter le temps et demeurer ainsi, à jamais. Le cours de ses pensées s'apaisa, son corps se détendit et il sombra dans le sommeil.

Alors, les cauchemars revinrent. Le brouillard rouge. Les cheveux blonds. Les yeux morts. Une fois encore, il ouvrit désespérément la bouche pour respirer, dut lutter contre le besoin irrépressible de sauter du lit et de courir. Quand son pouls eut un peu ralenti et que l'obscurité ne fut plus teintée de rouge, il s'extirpa délicatement des bras de Taryn. Dans son sommeil, elle le chercha.

— Chance ?

— Tout va bien. J'ai soif, c'est tout.

— Ah… reviens vite, lui dit-elle dans un bâillement.

Il ne répondit pas, mais marcha très silencieusement vers la salle de bains, dont il referma la porte derrière lui.

Devant la glace, sous l'éclairage cru, son visage était grave et comme hanté. Des cernes sombres bordaient ses yeux et des rides profondes creusaient son front. Il s'aspergea le visage d'eau froide, mais ne parvint pas à effacer le regard égaré que lui renvoyait le miroir.

Cet homme qu'il voyait là avait causé une horrible tragédie, il n'en était que trop certain. Avait-il tué la femme aux cheveux blonds de son cauchemar ?

Il remplit le verre à dents, but avidement, mais toute l'eau avalée ne put rincer l'amertume et l'angoisse en lui.

Taryn était un fruit défendu qu'il n'aurait jamais dû toucher. Elle appelait en lui quelque chose de très profond, un besoin irrépressible. Il voulait de tout son cœur ce qu'elle lui donnait. Et plus encore. Mais il ne pouvait rien accepter d'elle.

Pas avant de savoir qui il était, ce qui lui était arrivé et ce qu'il avait fait.

Chaque jour qui passait, les horribles images qui le hantaient devenaient plus précises et plus macabres. Chaque fois qu'il fermait les paupières, il voyait le regard de cette inconnue fixé sur lui, et un filet de sang se mêler à ses cheveux blonds avant de s'écouler au fil de l'eau. Et puis des mains serrant... tuant, peut-être. Les images s'enchaînaient sans fin, jusqu'à constituer un film qui tournait en boucle.

Il n'avait pas le choix. Il devait trouver qui était cette femme et savoir s'il était bien le responsable de ce qui lui était arrivé.

Il ouvrit la porte de la salle de bains et resta un instant immobile sur le seuil. Taryn dormait paisiblement, un bras sur l'oreiller qu'il avait abandonné. L'amour qu'elle lui montrait, dans ses beaux yeux d'un bleu si profond, l'avait pénétré jusqu'au cœur d'un regret indicible. En la regardant dormir dans ce magnifique et adorable abandon, il tremblait pour elle. Qui qu'il puisse être en réalité, elle n'était probablement pas en sécurité auprès de lui. Il ne fallait pas la mettre en danger. Dans la pénombre du grand placard, il chercha des vêtements qui pourraient être les siens. Il écarta les cintres : des chemises, blanches, bleues ou beiges... des jeans et autres pantalons... une combinaison de Néoprène. Des uniformes...

Il effleura du doigt l'étoile accrochée à une chemise à poche.

Shérif Chance Conover, comté de Gabenburg, Texas.

Il repoussa la chemise et l'insigne avec une pointe de dégoût. Il n'était plus shérif, n'avait pas davantage le sentiment de s'appeler Chance Conover. Son nom était... un blanc, comme le reste. Tant qu'il ne pourrait savoir qui il était, il ne serait personne. Il n'avait rien à offrir à une femme qui l'aimait, ni à la communauté qu'il avait peut-être juré jadis de protéger.

Il prit un sac de toile sur l'étagère supérieure du placard, y fourra des vêtements et y ajouta le kit de rasage qu'il avait trouvé dans la salle de bains.

La ceinture d'armes accrochée au dossier de la chaise attira son attention. Il ne se souvenait pas avoir jamais utilisé de 38 Special, mais ne put que constater la familiarité avec laquelle il se saisit du pistolet automatique, manœuvra son chargeur, sa culasse et sa sécurité. Il n'y avait pas de doute, il y était habitué. Sans doute pouvait-il aussi s'en servir avec précision. Le faudrait-il ?

Il avala sa salive avec difficulté, sa main se mit à trembler, sa paume devint moite. Il replaça l'arme dans son étui et lui tourna le dos.

Mais, il ne put s'empêcher ensuite de retourner dans la chambre, de se pencher au-dessus du lit et de déposer délicatement un baiser sur la tempe de Taryn. Elle sourit joliment dans son sommeil et il sentit son cœur se serrer. Il aurait voulu pouvoir mériter la pureté de ce sourire, l'amour qu'il exprimait.

Mais, d'où que venaient ses souvenirs, il était certain d'une chose : ils feraient du mal à cette femme merveilleuse, détruiraient ses rêves. Même si leur vie ensemble n'était pour lui qu'une page blanche, il n'en était pas moins décidé à la protéger, de toutes ses forces.

Il effleura tout doucement une mèche de ses cheveux, puis se releva.

S'il voulait retrouver ses souvenirs, il devait partir, quitter Gabenburg. Il devait remonter le cours de la rivière vers le nord et apprendre ce qui s'était passé sur ses rives, il y avait quinze ans de cela.

Il prit le sac, ainsi qu'une paire de chaussures de marche. Doucement, il referma la porte de la chambre à coucher, s'assura que la porte d'entrée était bien verrouillée puis sortit par la porte de derrière. En serrant les clés dans sa paume, il marcha vers la camionnette noire garée derrière la maison. Ce Jake dont il ne se rappelait rien avait raison : quelles que soient ses craintes, il devait les affronter en face.

Pour reprendre le cours de sa vie, il devait rechercher son passé, et pour protéger cette femme, qui avait su toucher son cœur, il devait le faire seul.

4

— Il est parti, soupira Taryn.

Comment avait-il pu la laisser ainsi au milieu de la nuit, surtout après lui avoir fait aussi merveilleusement l'amour ?

Tout en parlant, elle remplissait machinalement une valise, mais c'était à peine si elle voyait les vêtements qu'elle y rangeait.

— Pourquoi, mais pourquoi a-t-il fait ça ? s'emportait-elle.

— Je ne crois pas qu'il ait vraiment eu le choix, mon petit, lui répondit Angus.

Le père de Chance était assis très droit dans le fauteuil au coin de la chambre et la regardait aller et venir entre le lit et le placard.

Taryn feignit ne pas remarquer l'inquiétude et la tristesse dans ses yeux bruns.

— Mais pourquoi ? insista-t-elle. Nous étions à deux doigts de parvenir à quelque chose.

Angus poussa un soupir et son regard se perdit quelque part, entre le mur et le lit.

— Parfois, on est obligé de s'éloigner pour retrouver son chemin.

— Pas Chance. Ce n'est pas son genre. Quand nous avons affronté des problèmes, c'était toujours ensemble. Il est toujours resté près de moi.

— Il a toujours fait ce qu'il estimait être juste, précisa Angus. Je suis sûr qu'il avait une bonne raison pour faire ça.

— Une bonne raison pour me laisser seule au milieu de la nuit et partir ? Je ne vois vraiment pas laquelle. Personne ne l'a vu, Angus. Personne ne sait où il est…

— Laisse-le faire. Tout ira bien.

— Il va falloir que je loue une voiture, ajouta Taryn pensivement.

— Tu peux emprunter celle de Lucille, si tu veux.

Elle se tourna vers lui.

— Angus, où pensez-vous qu'il soit allé ? Vous croyez qu'il aura voulu retourner… là d'où il vient ?

Le vieil homme la regarda tristement, puis hocha la tête.

— Oui, je pense que c'est le plus plausible.

Taryn se laissa tomber sur le bord du lit.

— Il n'a jamais voulu me parler… d'avant, murmura-t-elle.

— Je ne suis pas certain qu'il en sache grand-chose, mon petit.

Elle regarda le vieil homme dans les yeux. En savait-il plus qu'il ne voulait en dire ? Mais il paraissait aussi sincèrement abattu et interloqué qu'elle.

— Comment espère-t-il retrouver un endroit dont il ne se souvient pas ? reprit-elle.

— Il va sans doute chercher jusqu'à ce qu'il trouve un indice. Comme je te le disais, Chance fait toujours ce qu'il croit devoir faire. S'il a décidé de fouiller dans son passé, il va chercher inlassablement, jusqu'à ce qu'il trouve.

— Qu'est-il arrivé, Angus ? Quand vous l'avez trouvé, qu'est-il arrivé ?

— Ce n'était qu'un adolescent, répondit doucement le vieil homme en prenant délicatement sa main dans la sienne. Dix-huit ou dix-neuf ans. Il était tailladé sur tout le corps, accroché à une branche dans le courant, heureusement, sa tête était hors de l'eau. Il nous a fallu un bon moment pour le dégager de là, et quand il est revenu à lui il ne se souvenait de rien…

— Pourquoi n'a-t-il pas cherché à savoir qui il était ? Et vous ? Pourquoi n'avez-vous pas cherché, non plus ?

Les sourcils d'Angus se froncèrent et il parut soudain mal à son aise dans son fauteuil.

— Parce que tout le monde a parfois besoin d'une seconde chance et que, pour lui, cela semblait être le bon moment.

— Il avait une famille, vous croyez ? demanda-t-elle, le cœur battant.

Elle serrait entre ses doigts la main parcheminée d'Angus. Que pouvait-on savoir de ce qui attendait Chance, là où il allait ?

— Et si c'était le cas ? ajouta-t-elle. Comment avez-vous pu le laisser abandonner les siens sans vous poser de questions ?

Et le laisser les faire souffrir, comme je souffre maintenant ?

— C'était son choix, souffla Angus, le regard nettement plus fuyant qu'auparavant.

Il lui retira sa main et tritura le bord de son chapeau.

— … Tout comme c'est son choix, aujourd'hui, de partir à la recherche de son passé.

— Ce n'était pas un véritable choix, fit-elle remarquer, s'il n'était pas lui-même certain d'avoir besoin de cette seconde chance.

— Peut-être qu'une part de lui-même le savait, mon petit…

Elle n'aimait pas du tout ce regard de pitié.

— Que va-t-il lui arriver, à présent ? demanda-t-elle.

Les yeux baissés, Angus secoua la tête.

— Personne ne peut répondre à cette question.

— Parce que personne ne s'est soucié de chercher les réponses quand elles étaient faciles à trouver ! Croyez-vous qu'il soit en danger ?

Angus regarda un long moment le tapis sans répondre, puis poussa un long soupir et releva les yeux.

— Non. Je pense que ce qui lui est arrivé est oublié depuis longtemps. Il va trouver les réponses et rentrer, tout simplement.

Taryn avala sa salive avec peine. Chance avait accepté de quitter l'hôpital et de rentrer à la maison avec elle. Elle l'avait protégé de la curiosité bien intentionnée mais envahissante des voisins. Il avait même fini par lui faire l'amour. Le lien entre eux s'était peut-être distendu, mais il n'était pas rompu.

— Je ne crois pas que ton mari soit en danger, Taryn, conclut Angus. Mais je crois qu'il a besoin de faire certaines choses et de les faire seul.

L'énergie qu'elle avait mise à faire les cent pas l'abandonnait. Elle regarda par la fenêtre. La rivière courait sur les galets.

Elle l'avait tant voulue, cette maison. Elle n'était pas grande, mais elle était bien à eux et ils y étaient… Ils y avaient été heureux. Elle se sentait en sécurité, ici.

Dix ans plus tôt, Chance l'avait accompagnée à travers toutes les suites et conséquences du meurtre de sa mère. Pendant le procès, l'avocat de la défense avait tenté de rejeter sur elle la responsabilité du crime. Mais Chance était resté auprès d'elle et avait passé avec succès toutes les épreuves qu'elle avait placées sur sa route pour s'assurer que son amour pour elle était bien réel et non une simple fantaisie.

Mais voilà qu'il était parti, et elle ne se sentait plus le moins du monde en sécurité dans cette maison, dont les murs semblaient s'être écroulés depuis son départ, la laissant exposée et sans défense. S'était-elle, comme sa mère, trop investie dans sa relation avec un homme ? Est-ce que son bonheur dépendait vraiment de Chance ?

Elle n'avait pas réellement besoin d'un homme. La boulangerie était à elle et marchait bien, suffisamment en tout cas pour couvrir ses besoins, qui n'étaient pas très grands. Elle n'attendait pas, pour vivre, l'aide de Chance, ou de quiconque. Elle était prudente. Elle n'avait pas besoin non plus de la protection d'un homme. Non, elle n'avait pas matériellement besoin de Chance et pourtant…

Peut-être Angus avait-il raison. Peut-être devait-elle attendre tout simplement qu'il revienne. C'était lui qui avait désorganisé leur monde en disparaissant, c'était lui qui devait le réparer.

Une nouvelle épreuve à lui faire passer…

Seulement…

Si elle ne se battait pas, est-ce que leur mariage avait une chance de survivre ?

Elle passa doucement la main sur son ventre. Il y avait le bébé. Il méritait bien de connaître son père, tout de même !

Elle ferma les yeux pour ne plus voir la rivière. La Red Thunder lui avait donné un mari, puis le lui avait repris.

— Tu ne le garderas pas, murmura-t-elle comme si la rivière pouvait l'entendre. Je ne te le laisserai pas…

— Taryn ?

Angus posa doucement la main sur son épaule.

— Je l'aime, répondit-elle instinctivement. Il a besoin de moi.

Elle soupira.

Rester serait certainement beaucoup plus simple, mais il méritait qu'elle parte à sa recherche, pour tout ce qu'il lui avait déjà donné.

— Laisse-le partir, mon petit, il reviendra.

Elle le regarda. Son visage paraissait douloureux et résigné.

— Si tu tiens vraiment à le rejoindre, prends au moins son pistolet et quelques chargeurs. On ne sait jamais…

— Je n'aime pas les armes.

— Si ce n'est pas toi, c'est peut-être lui qui en aura besoin…

— D'accord. A toutes fins utiles, j'emporte aussi le petit Dictaphone que vous m'avez offert. Il est toujours dans mon sac… Par où dois-je commencer, à votre avis ?

— Suis simplement la rivière.

L'air était lourd et moite sur la petite ville d'Ashbrook. De gros nuages noirs annonçaient l'orage tout proche, et tout était figé, chargé d'électricité, comme en attente. Ou bien était-ce lui, plus que les éléments, qui était dans l'expectative ?

Chance tourna dans Main Street, où il n'y avait pas un chat. L'endroit ne lui évoquait aucun souvenir particulier. Pourtant, il avait l'estomac noué.

Il était temps de s'arrêter un peu. Il était sur la route depuis deux jours et demi, traversant sans cesse la rivière pour inspecter alternativement ses deux rives.

Dans chaque petite ville, il se rendait à la bibliothèque locale et cherchait dans les journaux de l'époque la trace d'un incident qui pourrait correspondre aux images qu'il gardait à la mémoire.

Il trouva à se garer devant un petit restaurant qui s'appelait Driller's Good Eats.

L'architecture du centre commerçant de la petite ville datait visiblement des années 1920, avec des bâtiments en brique rouge, solides et sans prétention. Comme la plupart des bourgades qu'il avait traversées jusque-là, celle-ci n'offrait rien de très singulier : des magasins, un hôtel de ville de type classique et deux ou trois églises. Une bibliothèque municipale, aussi, qu'il ne manquerait pas de visiter après le déjeuner.

Comme il descendait de son véhicule, il entendit un petit cri étouffé. Une vieille dame en robe de coton rose, un couffin à la main, le regardait bouche bée, comme si elle avait vu un revenant.

— Vous... Vous êtes vivant ! balbutia-t-elle, comme frappée de stupeur.

Elle se signa précipitamment et pressa le pas pour s'éloigner, comme si elle avait le diable à ses trousses.

Pendant une seconde, il resta stupéfait. Cette femme l'avait reconnu, elle savait visiblement qui il était. Le cœur battant à tout rompre, il traversa la rue au pas de course pour la rattraper.

— Madame ! Eh, madame !

Mais la vieille dame accéléra et entra dans une maison avant qu'il ait pu la rejoindre.

Il frappa à la porte et n'obtint aucune réponse. Il tourna le bouton de cuivre, mais tout était verrouillé, et quand il leva les yeux vers la fenêtre quelqu'un baissa précipitamment le store.

On l'avait reconnu et on l'avait cru mort. L'image récurrente des yeux de la jeune fille lui revint à l'esprit. L'avait-il tuée ? Etait-ce pour cela que cette femme avait si peur de lui ?

Il se passa la main sur le visage, puis pressa sa nuque pour en évacuer un peu la tension. Il balaya la rue du regard. Si quelqu'un l'avait reconnu, un autre le pouvait aussi. Avec des frissons d'excitation, il pénétra dans le restaurant.

On l'accueillit avec des regards à la fois curieux et glacés. Tout le monde semblait suivre sa progression vers le comptoir. Ses bottes, quand il s'appuya au rail de cuivre, parurent faire un bruit de tonnerre, comme le siège de moleskine rouge quand il s'y assit. Au-dessus du comptoir, la soufflerie de l'air conditionné lui donnait de la chair de poule sur les avant-bras.

— Un café, s'il vous plaît, demanda-t-il, et...

Il jeta un coup d'œil au menu écrit à la main sur un tableau noir derrière le comptoir.

— ... et un bœuf braisé.

La serveuse, la trentaine, en tablier vert et blanc, ne nota pas sa commande, mais le regarda fixement pendant qu'elle lui servait son café. Il la regarda en retour, mais cette brune ne lui évoquait aucun souvenir. La connaissait-il ? Etaient-ils allés à l'école ou au lycée ensemble ?

— Nous n'avons plus de bœuf braisé.

— Un hamburger…

— Non plus.

— Une escalope de poulet.

— Il ne nous en reste plus.

— Bon. Qu'est-ce qui vous reste, alors ?

— En fait, on va fermer…

A l'heure du déjeuner ? Tiens…

— Bon… Merci…

Il posa quelques pièces sur le comptoir pour le café et vida sa tasse.

— Vous savez qui je suis ? demanda-t-il doucement en se levant de son tabouret.

La serveuse recula, les yeux arrondis de frayeur.

— N… non…

— Je m'appelle Chance Conover et je viens de Gabenburg. Vous connaissez un hôtel où je pourrais passer la nuit ?

La serveuse le regarda fixement et hésita une fraction de seconde de trop pour que ce soit tout à fait naturel, puis finalement répondit :

— Pas ici… A Lufkin. Il faut prendre la route 225 et suivre les panneaux. C'est à quatre-vingt-dix kilomètres…

— Pas tout près, dites donc, remarqua-t-il avec flegme. Merci…

Au magasin d'alimentation générale, il reçut le même genre d'accueil. La caissière entre deux âges prit tout de même son argent et encaissa les quelques provisions qu'il avait achetées pour s'improviser un déjeuner rapide, mais elle parut le faire avec une certaine répugnance.

A la sortie de la ville, la pension de famille affichait un panneau « complet ». Pourtant, à voir les rues désertes, les visiteurs ne semblaient pas se presser en trop grand nombre.

Par bonheur, il avait une tente dans le coffre de sa camionnette. Il risquerait bien d'en avoir besoin cette nuit.

Il mordit dans une pomme. Peut-être était-ce la chaleur qui faisait de cette bourgade une ville fantôme. Ou bien autre chose, de plus embarrassant. Il poussa un grognement. Tu t'attendais à quoi ? se dit-il. Qu'on accueille un assassin à bras ouverts ? Cette idée n'était pas encourageante… Ne commence pas à faire marcher ton imagination, tiens-t'en aux faits. N'était-ce pas ce que ce psychiatre, à l'hôpital, avait conseillé à Taryn ? Les images et les impressions devaient être étayées par des faits. En tant que policier, c'était aussi censé être son métier, à lui, de rechercher les faits.

Il avait dans la gorge un goût amer. Il jeta le trognon de pomme dans une poubelle.

On prétendait qu'il était policier, justement, il préféra éviter le poste de police et ne pas trop compter sur la solidarité professionnelle de ses confrères locaux. Il n'avait pas envie de finir dans une cellule pour une raison ou pour une autre…

Il réprima un soupir. Une part de lui-même aurait aimé que Taryn soit avec lui. Il se serait senti plus fort, plus sûr de lui, s'il avait pu tenir sa main dans les rues de cette ville. Il ressentait, en pensant à elle, comme une sorte de vide dans la poitrine, un sentiment de manque aussi profond que la douleur morale de son amnésie. Sans cesse, il sentait son odeur, entendait sa voix, sentait ses mains légères sur lui.

Il enfouit ses mains dans les poches de son jean et se remit à avancer, chassant de son esprit les images de Taryn. Il devait d'abord connaître son passé, avant de savoir s'il pouvait avoir un avenir.

Dans les rues qu'il traversait, de nombreux regards le suivaient, et c'était probablement fondé… Il entra dans la bibliothèque et la lourde torpeur d'avant l'orage fut instantanément remplacée par le souffle trop frais de l'air conditionné. Une odeur de café froid, de poussière et de vieux papiers l'assaillit dès l'entrée, rien de bien plaisant pour son estomac déjà noué.

— Bonjour, je viens consulter votre collection de journaux

locaux, dit-il au jeune employé assis derrière le bureau de la réception.

Celui-ci portait une fine moustache et des cheveux noirs coupés très court. Sa chemisette blanche paraissait toute neuve. Avec ses biceps saillants et son nez épaté, il ressemblait davantage à un boxeur qu'à un bibliothécaire. Il parut secouer la chape d'ennui qui pesait sur ses épaules et le regarda des pieds à la tête.

— Il faut regarder la référence par année. Ma collègue spécialisée là-dedans pourrait vous aider, mais elle est au téléphone, pour l'instant…

— Pas grave, je vais attendre…

— Vos recherches sont… d'ordre professionnel ?

— Non, personnelles.

Le jeune homme se rembrunit, un pli de déception au coin de la bouche. Il avait sans doute espéré quelque chose d'un peu complexe, qui le changerait de son train-train habituel.

— Juste derrière le coin, à gauche.

Ce jeune bibliothécaire pouvait-il, lui aussi, le reconnaître ? Savait-il ce qu'il avait fait quinze ans plus tôt ? Il l'avait regardé d'un air de curiosité, mais sans frayeur, contrairement à la vieille dame dans la rue et à la serveuse du restaurant.

Dans la zone indiquée, il vit des lecteurs occupés à consulter les magazines et la bibliothécaire chargée des archives de presse. Elle portait un chemisier blanc orné d'un filet rouge, une longue jupe en jean et des bottes de cow-boy. Ses cheveux blancs étaient retenus en queue-de-cheval par un bandana rouge et blanc. Son sourire était agréable, sa voix douce et ses yeux l'annonçaient aimable. Une plaque sur son bureau portait le nom de Joely Brahms.

Elle raccrocha le téléphone et le regarda, le sourcil légèrement levé. Le reconnaissait-elle ?

— Que puis-je pour vous ?

— Je voudrais faire des recherches dans les anciens numéros du journal local…

Elle le conduisit jusqu'à la machine qui permettait de lire les articles microfilmés.

— Vous cherchez quelque chose en particulier ?

— Les faits divers, pour un événement qui remonte à quinze ans.

— Ah… hélas, vous ne trouverez rien ici…

— Non ?

— Il y a douze ans, un incendie a détruit toute une aile de la bibliothèque et toutes les archives du journal. Et si vous vouliez aller aux bureaux du *Ashbrook Herald*, ne vous en donnez pas la peine : les quelques archives qu'ils avaient ont été perdues lors de leur déménagement de Marshall Avenue à Green Street, il y a onze ans de cela.

— Je vois…

— Vous auriez certainement plus de chances de trouver ce que vous cherchez à Lufkin…

— Pourquoi à Lufkin ?

La bibliothécaire lui lança un clin d'œil égrillard, plein de sous-entendus.

— Question de taille, répondit-elle.

En le prenant familièrement par le coude, elle l'entraîna vers la porte.

— Si j'étais vous, c'est là que j'irais…

— Pourquoi me conseillez-vous cela ?

Elle haussa les épaules.

— Pour vous faire gagner du temps…

Il s'arrêta net et regarda attentivement le visage ridé de son interlocutrice.

— Savez-vous qui je suis ? lui demanda-t-il.

— Comment le pourrais-je ? Vous ne m'avez pas dit votre nom.

Elle eut un petit rire bref, comme si elle voulait dissiper l'espèce de tension anxieuse qui était née entre eux.

— Chance Conover.

— Oh ! c'est un joli nom…

Elle paraissait bizarrement soulagée.

— Lufkin est à quatre-vingt-dix kilomètres d'ici. Au nord-ouest. Bonne chance pour vos recherches.

La porte se referma sur lui. On lui donnait simplement congé…

Il fit une pause à l'extérieur du bâtiment. Tout le monde ici semblait le connaître et le haïr.

Une fois de plus, il regretta l'absence de Taryn et de cette inaltérable franchise dans son regard. Il regarda sans le voir le peu d'activités dans Main Street et son estomac se révulsa tout à coup. Une chose était sûre : il n'était plus très loin de reprendre contact avec son passé.

S'il y avait bien quelque chose que Garth ne pouvait pas supporter, c'était de voir quelqu'un qui ne savait pas contrôler ses émotions. Il n'avait pas grand respect pour l'homme qui venait d'entrer dans son bureau sans prendre le temps de demander à sa secrétaire s'il était libre. Mais au lieu de le lui signifier, il accueillit le shérif avec bonhomie et lui proposa un verre. Il tenait particulièrement à sa réputation d'hôte parfait.

— Je ne veux pas boire, vociféra le policier, je veux tordre le cou de ce salaud !

— Et de quel cou s'agit-il ?

Calmement, en homme qui aimait prendre tout son temps, Garth versa deux généreux doigts de son meilleur whisky écossais dans des verres en cristal taillé, qu'il prit dans son petit bar de bureau, puis se tourna vers son visiteur. L'alcool de qualité, il le savait, avait souvent pour effet d'adoucir les mœurs.

Carter Paxton passa la main sur son crâne chauve, comme s'il voulait essuyer tout à la fois la transpiration et la colère qui l'avait accompagné pendant tout le trajet. Ses épaules de taureau étaient tendues en avant, prêtes à charger dans le tas. Il avait le souffle court. Quant au rouge qui enflammait son visage et son cou, il avait dépassé le niveau de la cote d'alerte.

— Il est revenu ! déclara-t-il.

— Mais qui donc ? répéta Garth.

Les conversations avec son beau-père n'étaient jamais choses faciles, mais c'était le prix qu'il avait à payer pour jouir de sa liberté.

— L'un des frères Makepeace, souffla Carter.

Comme il allait porter son verre à ses lèvres, le bras de Garth s'arrêta net, à mi-chemin. L'un des frères Makepeace ? Mais ils étaient morts, l'un et l'autre. Il les avait vus, de ses yeux, se faire emporter par la rivière.

— Vous êtes sûr ?

— Je l'ai vu, en plein jour, remonter Center Street, et la moitié de la ville l'a vu avec moi.

— Mais… Vous en êtes bien certain ?

— Vous croyez que je ne reconnaîtrais pas l'un des hommes responsables de l'état où se trouve ma fille ?

— Eh bien…

— Eh bien ? répéta le shérif avec fureur.

Il donna un grand coup de poing dans le mur lambrissé, ce qui faillit faire tomber les tableaux qui étaient accrochés.

— Je sais ce que j'ai vu, s'écria-t-il de nouveau. Et ce que j'ai vu, c'était un Makepeace.

— Lequel ?

Carter cessa de tourner en rond sur le tapis et le regarda avec surprise.

— Comment ça, lequel ? Est-ce que cela fait une différence ?

Bon Dieu, oui, cela en fait une, songea Garth.

Il reprit sa place derrière son massif bureau en noyer. Chacun des deux frères pouvait facilement abattre le royaume qu'il s'était construit. Mais l'un des deux pouvait être acheté, tandis qu'avec l'autre il faudrait vraisemblablement utiliser la manière forte. En général, corrompre était plus facile que tuer. Aussi préférait-il de très loin cette méthode.

Derrière son verre, il jeta à son beau-père un regard critique. A quoi cela rimait-il de se précipiter en brandissant ce genre de nouvelles, quand on ne réfléchissait pas et qu'on était généralement incapable de prendre une décision ? Mais il connaissait déjà la réponse…

— Ellen est dans l'état où elle est à cause d'eux, martela Carter, en laissant tomber ses larges fesses sur le canapé de cuir.

— Eh bien, vous n'aviez qu'à lui tordre le cou, puisque vous en aviez l'occasion…

Et ne pas venir m'ennuyer avec ça…

Garth s'appuya contre le dossier de son fauteuil en savourant le craquement sophistiqué du cuir.

— Ellen…

Avec Carter, on en revenait toujours à sa fille. Ellen et la masse d'émotions qu'elle provoquait perpétuellement en lui. C'était toujours la même chose quand quelqu'un bâtissait son univers autour d'une seule et unique personne. Combien de faveurs Carter avait-il dû acheter, pour assurer le relatif confort d'Ellen ? Trop pour pouvoir les compter, sans doute. Elle était l'unique faiblesse de son père mais celle-ci dépassait de très loin la force du shérif.

Garth le scruta : bientôt, Carter cesserait d'être utile. Il devrait alors l'écarter de sa route, définitivement.

— Vous me le devez, celui-là, gronda le shérif.

— Je ne vous dois rien du tout, lui répondit nettement Garth. Je m'occupe d'Ellen, c'est ce que vous voulez, non ? Je lui paye ce qu'il y a de mieux.

Carter le fixa, essayant de lui faire baisser les yeux.

— Je veux qu'il quitte la ville, articula-t-il en détachant chaque syllabe.

— Eh bien, faites-l'en chasser.

— Ce n'est pas aussi simple.

— Pourquoi ? C'est vous, la loi, à Ashbrook, non ?

Le regard du shérif se fit plus fuyant.

— Les élections, bientôt… grommela-t-il.

— Les bons citoyens vous remercieront de veiller à leur sécurité.

— Je le veux mort, vous entendez ?

— Eh bien, arrangez-vous pour que l'interpellation se passe mal et abattez-le. Qui vous contestera la légitime défense ?

Et surtout, qui sera surpris de ton impulsivité, imbécile ?

Garth méprisait les faibles et Carter Paxton en était incontestablement un. Lui, il recherchait l'efficacité et cela demandait de la prudence et du soin. Il n'y avait pas, dans sa vie, de place pour l'émotion. Seulement quand toutes les précautions étaient prises, un homme pouvait se laisser aller à profiter un peu des plaisirs que la vie pouvait lui offrir. Carter n'avait jamais compris cela et c'était la raison pour laquelle il se trouvait là à beugler.

— Je ne veux pas passer ma retraite derrière les barreaux, reprit le shérif.

Et sa voix parut soudain plaintive et gémissante.

— Non, bien sûr, répondit Garth, impavide, vous préféreriez de beaucoup que ce soit moi qui aille y pourrir…

Il lui versa un autre verre, mais connaissait les limites du bonhomme : il s'arrêterait à trois.

— Vous me le devez, répéta le shérif.

— Je ne vous dois rien du tout.

Carter fit le tour du bureau et planta ses deux mains sur les accoudoirs du fauteuil de Garth, son visage rouge et furieux à quelques centimètres du sien, assez près pour que son gendre puisse sentir l'odeur de la colère et de la peur dans son haleine fétide.

— Vous vous occupez de lui ou, moi, je m'occupe de vous, martela le shérif.

— Qu'arriverait-il, alors, à notre chère Ellen ?

— Ne faites pas trop le malin, Garth. J'ai des archives, j'ai gardé copie de tout…

— Mais moi aussi, figurez-vous !

Carter recula.

— Après tous les mauvais pas d'où je vous ai tiré… commença-t-il.

— Je me suis occupé d'Ellen.

— Parlons-en, d'Ellen ! Elle ne mérite pas de vivre comme un légume.

Garth sourit intérieurement : elle méritait très exactement son sort, à son avis. Il se leva et tourna le dos au shérif.

— Je vais y réfléchir, lui dit-il. De votre côté, essayez donc de savoir pourquoi il refait surface après tant d'années.

Le shérif partit en claquant la porte, mais l'attention de Garth était déjà loin. Il ne put s'empêcher de frissonner, saisi d'un mauvais pressentiment. Il s'était bâti un empire sur mesure : pétrole, bétail, propriétés, terrains, chevaux de course… Il avait réussi partout où son père avait échoué. Sa fortune était à présent dix fois plus importante que celle que le vieux avait perdue. Il y avait longtemps qu'il n'avait pas connu une menace aussi sérieuse.

Qui était ce type ? Kyle ou bien Kent ?

Qui le connaissait mieux que les deux frères Makepeace ? Qui mieux qu'eux pourrait évaluer l'ampleur et la vitesse de sa réussite et s'en étonner ? Qui d'autre qu'eux pourrait le dénoncer ?

Il se campa devant la fenêtre et regarda les éclairs se refléter dans les façades de verre des buildings alentour. Les arbres claisemés, le long des avenues, ployaient sous les coups redoublés du vent.

Kyle ou bien Kent ?

Depuis quand ne s'était-il pas senti ainsi, sur une pente très glissante et dangereuse ?

5

Taryn s'était arrêtée dans chaque petite ville le long de la rivière et montrait la photo de Chance à quiconque voulait bien y jeter un coup d'œil. La plupart du temps, on répondait à ses questions par un signe de tête négatif, mais une fois ou deux quelqu'un lui avait dit l'avoir vu passer et indiqué la direction du nord. Tant bien que mal, elle suivait cette piste, passant comme lui d'une rive à l'autre, chaque fois que c'était nécessaire.

Lorsqu'elle traversa le pont d'Ashbrook, la tête lui tourna et ses yeux la piquèrent. Le soda au gingembre et les quelques biscuits salés que lui avait offerts Lucille, quand elle était allée lui emprunter sa voiture, ne lui tenaient plus vraiment au corps. Et la pluie battante ne l'aidait pas à voir la route. Devoir s'arrêter avant d'avoir rejoint Chance ne lui disait rien, mais elle ne pouvait pas continuer sans manger un peu. Elle ne devait pas courir le risque d'un accident.

Ashbrook paraissait déserte derrière le rideau de pluie. Personne sur les trottoirs, quelques voitures garées le long de la rue : elle était pratiquement seule à y circuler. Par ce temps, cela n'avait rien de surprenant…

Elle s'arrêta dans un magasin d'alimentation générale. Le caissier, un homme à la calvitie entourée d'une couronne de cheveux blancs, la regarda entrer avec surprise mais lui dédia néanmoins un sourire. Celui-ci s'éteignit dès qu'elle lui montra la photo de Chance.

— Avez-vous déjà vu cet homme ?

— Non.

La réponse était venue un peu trop vite pour être sincère.

L'homme retourna à ses mots croisés en l'ignorant ostensiblement. Elle fit le tour de quelques rayons, mais il n'y avait personne d'autre à interroger dans la boutique.

Juste à côté, dans celle d'un antiquaire, on lui réserva à peu près le même accueil. Dès qu'elle présenta la photo de Chance, on lui répondit un non ferme. Elle essaya d'en savoir plus, mais on lui tourna le dos. Quant aux quelques clients, c'était des touristes, ils ne pouvaient l'aider.

Ses deux expériences lui laissaient une très mauvaise impression. Chance était bel et bien passé par là, c'était évident. Mais si on l'avait vu, pourquoi refusait-on de le dire ?

Elle sortit de la boutique et la pluie l'assaillit de nouveau, trempant ses vêtements. Elle se sentait faible, au bord de l'évanouissement. Une main sur son ventre, l'autre fermement serrée sur son sac, elle regagna sa voiture. Décidément, il fallait qu'elle mange, au moins pour la santé du bébé.

L'enseigne au néon du restaurant Driller's Good Eats l'annonçait ouvert. Aussi s'y dirigea-t-elle tout en élaborant sa stratégie. A cette heure-ci, la salle serait probablement pleine de consommateurs. Quelqu'un allait bien répondre à ses questions.

Un flash dans son rétroviseur lui fit lever les yeux. C'était les lumières d'une voiture de police qui lui faisait signe de s'arrêter. Instantanément, son pouls s'accéléra. Elle n'avait commis aucune infraction, brûlé aucun feu ou stop, ni dépassé la limitation de vitesse. Pourquoi l'arrêtait-on ? Bien sûr, avec un mari shérif, elle ne redoutait pas vraiment la police, mais ses mains étaient soudainement moites sur son volant. Elle n'avait jamais pu s'empêcher de se sentir démunie devant l'autorité. Les uniformes, même une casquette de facteur, la mettaient tout de suite sur la défensive.

Le policier s'approcha et elle essuya ses paumes sur son short, essayant de se calmer.

— Bonjour, madame… Police d'Ashbrook.

Sa voix était grave et pleine d'autorité. Sa demi-pèlerine ruisselante de pluie semblait ajouter une note supplémentaire de menace.

— Bonjour…

Les mains sur le volant, elle attendait, espérant que son anxiété, probablement visible, n'allait pas attirer des soupçons sur elle. Après tout, elle n'avait rien fait…

Le policier appuya son bras au toit de la voiture et se pencha vers la vitre à demi ouverte. Il n'y avait pas la moindre chaleur dans ses yeux d'un gris acier.

— Veuillez me présenter votre permis de conduire et votre attestation d'assurance, s'il vous plaît.

Sa voix était glaciale à donner des frissons. Avec des mouvements lents et calmes, pour éviter toute mauvaise réaction, Taryn prit les documents dans son sac et les tendit au policier.

— Il paraît que vous posez des questions à tout le monde, madame… euh…

Il vérifia le nom sur le permis de conduire. La pluie ruisselait de son chapeau, trempant les documents.

— … Madame Conover…

— Oui, je recherche mon mari.

Cela sonnait de façon très pathétique. Qu'allait penser ce policier ? Qu'elle était une femme trompée, aux trousses d'un époux volage ? Il aurait été bien loin de la réalité.

— Il a disparu ?

— Pas exactement…

Elle avait envie de soupirer, mais s'en abstint. Cela ne ferait pas avancer ses affaires…

— Alors, vous savez où il est, ou vous ne savez pas ?

— Je n'en suis pas sûre, disons…

Elle se sentait de plus en plus mal à l'aise devant ce policier aux yeux durs qui semblait l'accuser d'elle ne savait trop quoi, et elle se détestait pour cela.

Il éplucha méticuleusement le permis de conduire et l'attestation d'assurance comme s'il espérait y trouver quelque chose de répréhensible. Sa main aux doigts boudinés, juste au-dessus de la vitre ouverte, faisait tomber des gouttes de pluie dans la voiture. Son chapeau à large bord accentuait l'effet de son visage large au cou enfoncé. L'eau coulait également sur son torse. Tout en examinant les documents, il poussait à intervalles réguliers une sorte de petit bruit de gorge.

Cela lui rappelait les mugissements du vieux taureau de Billy Ray. Elle n'aurait pas aimé se trouver sur son chemin. Il était méchant et vicieux.

— Ce véhicule est enregistré au nom de Lucille Conover... reprit le policier.

— Ma belle-mère m'a prêté sa voiture...

— Hmm... Quel est le véhicule que conduit votre mari ?

— Un pick-up Ford noir.

Il montra la photo qu'elle avait posée à côté d'elle sur le siège.

— Montrez-moi un peu ça...

Elle lui tendit le cliché, pris au dernier pique-nique annuel de la brigade des pompiers, en maudissant le tremblement de sa main. Elle n'avait rien fait de mal, pourtant. Elle n'avait aucune raison d'être aussi nerveuse.

— C'est lui ? demanda le policier.

— Oui, c'est mon mari.

— Comment avez-vous dit qu'il s'appelait ?

Elle ne l'avait pas mentionné.

— Chance Conover. C'est le shérif du comté de Gabenburg.

— Hmm... ce n'est pas à côté... Que fait-t-il si loin de son territoire ?

Comment expliquer de façon claire et logique ce qui était arrivé à Chance ? Elle-même avait parfois du mal à le croire.

— Il a eu un accident, il y a à peu près une semaine.

— Quel genre d'accident ?

— Les médecins disent que c'est une amnésie traumatique.

Rien qu'à la prononcer, elle trouvait cette explication peu convaincante. Si, elle-même, elle n'avait pas connu Chance aussi bien, elle aurait pu en douter.

— Il ne se rappelle plus qui il est... précisa-t-elle.

— Hmm... amnésie traumatique...

Il répétait ces mots comme pour leur donner de la consistance.

— Il s'est échappé, alors ? insista-t-il.

— Non, non, pas exactement, il...

Elle détestait la façon dont le policier la faisait se sentir complètement sotte. De toute évidence, il ne croyait pas un mot de ce qu'elle lui racontait. Il y avait quelque chose d'ironique dans son visage fermé et ses yeux plissés. Il faisait manifestement des efforts pour dissimuler ses véritables sentiments.

— Il est parti pour essayer de découvrir qui il était.

— Qu'est-ce qui lui fait croire qu'il va trouver la réponse chez nous ?

Surprise par son ton incisif, elle leva les yeux vers lui.

— Pourquoi ? Il est ici ? Vous l'avez vu ?

La bouche pincée, le policier lui rendit la photo et les documents.

— Nous ne voulons pas de ce genre de choses ici, déclara-t-il.

Décidément, quelque chose n'allait pas.

— Quel genre de choses ? Il est juste…

— Je vous laisse repartir pour cette fois…

Repartir pour cette fois ? Il ne lui avait même pas dit pourquoi il l'avait interpellée. Mais, pour le bien de Chance, elle ravala sa colère et se força à parler calmement.

— C'est très aimable à vous. Mon mari…

Le policier donna un coup du plat de la paume sur le toit de la voiture et s'écarta.

— A votre place, je le retrouverais bien vite et je l'emmènerais loin d'ici avant de regretter d'avoir jamais mis les pieds à Ashbrook.

Ramener Chance à la maison était ce qu'elle souhaitait le plus au monde. Mais, s'il avait eu droit au même genre d'accueil, cela lui aurait certainement donné envie d'y rester pour en savoir plus. Et elle redoutait ce qu'il pourrait être amené à découvrir.

— Je m'en souviendrai, bredouilla-t-elle, embarrassée.

Elle tourna la clé de contact et le moteur répondit instantanément. Les essuie-glaces se mirent en marche. L'air frais venu du climatiseur lui donnait un peu de chair de poule sur les bras.

— Vous sembliez dire que vous aviez vu mon mari ? hasarda-t-elle timidement.

— Allez voir au parc qui se trouve à la sortie de la ville.

Je vous laisse jusqu'à demain. Ensuite, il vaudra mieux ne pas vous trouver sur mon chemin.

— Pourquoi cela ?

— Parce que je suis un type régulier.

Elle ne trouvait pas le terme très bien accordé à la menace, ni au comportement, du shérif.

— Que croyez-vous donc que mon mari a pu faire ? demanda-t-elle.

Le policier se pencha de nouveau à la portière et elle put voir une haine inexpiable dans ses yeux glacés.

— Il a détruit ma vie, madame, répondit-il. Si je découvre que son nom est Makepeace et non Conover, je le tuerai.

— Il ne faut pas rester ici, c'est dangereux, dit Chance.

La pluie ne tombait plus en un rideau continu, mais en de cinglantes averses. Dans la lumière du crépuscule, l'humidité montait du sol en de longues écharpes de brume. L'air sentait la terre mouillée, les sapins et l'eau boueuse. Lorsque la pluie tombait, elle martelait le sol, tandis que la brise secouait la cime des grands arbres.

Chance prit une profonde inspiration : il aurait préféré que Taryn ne le retrouve pas. Il la sentait, toute proche de lui dans l'habitacle de la camionnette, et aurait pu, en étendant la main, toucher ses cheveux et sa peau. Il en mourait d'envie, d'ailleurs. Mais son désir éveillait en lui un besoin de protection, la dernière chose qu'il voulait. C'était bien trop bouleversant pour son esprit déjà surchauffé.

— Tu ferais mieux de rentrer, Taryn.

— Mais non, c'est ce que je me tue à te dire, répliqua-t-elle en se tortillant sur son siège.

Du genou, elle lui heurta la cuisse et il en ressentit comme une décharge électrique dans tout son corps.

— Ce n'est pas moi qui suis en danger, Chance. C'est quelqu'un qui s'appelle Makepeace, quelqu'un que ce policier croit être toi. Tu aurais dû voir son regard. Il était vraiment plein de haine pour cet homme-là.

— Je m'en arrangerai.

Il pouvait gérer à peu près n'importe quelle situation, à condition de n'être pas entravé par des émotions. La haine de ce flic ne signifiait rien pour lui, à part qu'elle pouvait peut-être lui ouvrir une fenêtre sur son passé. Mais il n'était pas assez fou pour affronter directement un homme qui avait en lui ce genre de rage. Pas sans munitions, en tout cas. Déjà qu'il avait obtenu un nom, le reste serait peut-être plus facile.

Ils sortirent tous deux du véhicule. La pluie avait plaqué les cheveux de Taryn et révélait, sous son T-shirt, la ligne de son soutien-gorge. Il dut détourner le regard.

— Nous pouvons nous en arranger ensemble, lui dit-elle. Comme nous avons toujours fait.

— Je pars demain, de toute façon, répondit-il. Je vais à Lufkin.

— Lufkin ? Pour quoi faire ?

Il fourragea dans la cantine métallique à l'arrière du pick-up et en sortit les sacs de la tente, du double toit et du tapis de sol.

— Tout le monde a l'air de vouloir m'envoyer là-bas. Alors je vais y faire un tour, pour voir…

Il fit quelques pas pour trouver un emplacement plat, entre les sapins. Taryn l'aida à déplier le tapis de sol et leurs mains s'effleurèrent brièvement. Il ne fit rien pour se dérober et laissa même le contact se prolonger un peu, avant d'étendre la toile.

— Je pense que tu ne trouveras rien d'autre ici que des ennuis, soupira-t-elle en tirant la tente de son sac.

— C'est bien pourquoi je voudrais que tu rentres. Ce sont mes ennuis et je ne veux t'attirer aucun souci.

— J'ai déjà des soucis. Je m'inquiète pour toi. Je voudrais que tu rentres à la maison.

L'inquiétude, il l'entendait clairement dans sa voix, et son angoisse, il pouvait la mesurer à la façon maladroite et nerveuse dont elle tirait sur les cordes de la tente. Leurs gestes étaient probablement, pour chacun d'eux, comme le miroir de la nervosité de l'autre, songea-t-il.

— Il faut que je sache qui je suis, se justifia-t-il.

— Tu es Chance Conover, mon mari. Tu as des amis, et

tu es le shérif de Gabenburg. C'est là que tu vis et c'est là qu'on t'aime.

Il ne répondit rien. Il ressentait une impression de vide et puis, toujours, cette interrogation, ce blanc sur sa vie. Une sueur froide lui coulait dans le dos.

Le dôme de la tente fut vite érigé et Taryn s'approcha de lui. Elle lui tendit un coin du double-toit.

— Très bien, lui dit-elle. Si tu ne veux pas rentrer avec moi, alors je reste avec toi.

Son œil si bleu n'était qu'amour et franchise, le pli de sa bouche semblait si déterminé qu'il faillit sourire. Il brûlait de lui dire oui. Il avait besoin de se savoir accompagné dans le chaos que sa vie était devenue. Mais il ne voulait pas avoir à s'inquiéter d'elle alors que toute son énergie devait être vouée à la découverte de son passé.

— Non, tonna-t-il.

— Je t'aiderai dans tes recherches.

— Non.

— Deux paires d'yeux valent mieux qu'une.

— Non.

Taryn ne répondit pas.

Ils étaient chacun d'un côté de la tente et l'arrimèrent au sol. Elle essuya la pluie, sur son visage.

— Tu as dîné ? demanda-t-elle tout à trac.

— Non…

— Tu crois que tu pourrais arriver à démarrer ce truc ?

Elle montra le barbecue en brique mis à la disposition des campeurs.

— On peut essayer. Mais pour trouver du bois sec…

— J'ai acheté un sac de charbon, et puis deux steaks…

Elle lui tendit le sac, puis alla chercher dans sa voiture une glacière qu'elle posa sur le sol à côté du barbecue. Un autre aller-retour, et elle installa au-dessus du gril un grand parapluie de golf rouge et blanc. La pluie se mit à tomber deux fois plus fort.

— J'ai une histoire à te raconter, lui dit-elle, une fois le parapluie ouvert.

— Je ne veux pas entendre parler de Chance Conover. Pour moi, pour l'instant, il n'a pas de réalité…

— Il ne s'agit pas de lui mais de moi.

Ce n'était pas beaucoup mieux. Il n'avait guère envie de s'attacher encore davantage à elle. Mais il ne dit rien et elle prit visiblement son silence pour un encouragement à continuer.

— Lorsqu'elle avait dix-sept ans, Patsy, ma mère, tomba amoureuse d'un jeune homme dénommé Earl Truman Douglass, troisième du nom. Il venait de Houston et travaillait sur les champs de pétrole pendant les vacances universitaires. Elle l'appelait « démon aux yeux bleus » quand elle était dans ses bons jours et « enfant de salaud » le reste du temps. Je n'ai appris son véritable nom que quand elle est morte et que tu m'as aidée à le retrouver. Elle l'a laissé lui faire la cour et lui dire qu'il l'aimait. Et elle lui a tout donné. Son cœur, son corps et son âme.

Sans rien dire, mais l'oreille attentive, Chance disposait le charbon dans le foyer de briques.

— Et puis… elle a été enceinte.

Avant qu'il ait pu chercher des allumettes, elle lui tendit la boîte et quelques serviettes en papier. Devant eux, la rivière coulait. La pluie tombait, incessante, elle imprégnait tout, autour d'eux.

— Les parents de ma mère ont fini par trouver que Earl en prenait un peu trop à son aise et ils ont insisté pour qu'il assume la responsabilité de ses actes. Ils le forcèrent à épouser ma mère et Patsy a cru que c'était une bonne chose.

Chance se força à se concentrer sur l'allumage du feu, disposant le papier froissé entre les morceaux de charbon et y portant la flamme, puis attisant la braise qui commençait à se former.

— … Mais le mariage ne fit qu'empirer les choses. Earl trouvait répugnant le corps de Patsy qui se transformait. Il ne voulait plus la toucher et chercha des exutoires ailleurs. Patsy accepta le comportement de son mari. Il était riche, elle avait au moins un très bon confort de vie et la sécurité. Elle avait même des domestiques pour la servir. Et puis… Earl eut un accident. Sa voiture percuta un poteau électrique. Il était ivre, mais il n'était pas seul : une femme l'accompagnait. Elle est morte, elle aussi, dans l'accident…

La braise chauffait et Chance se trouva désœuvré. Il n'avait pas trop envie d'entendre la fin de cette triste histoire, mais il ne pouvait pas vraiment s'éloigner. Alors il essaya de se donner une contenance en manipulant tous les accessoires à sa disposition.

— … Barbara, la mère d'Earl, ne put supporter la mort de son fils et elle fit porter toute la responsabilité à Patsy. Selon elle, si ma mère avait su retenir son mari, il ne serait rien arrivé. Elle mit Patsy à la porte avec son bébé de deux ans. Ma mère fut alors obligée de retourner chez ses parents, toute honte bue. Son père venait de mourir et sa mère ne s'en relevait pas. Il ne lui restait plus qu'à s'occuper de leur petit restaurant. C'est ce qu'elle fit et elle devint une femme pleine d'amertume…

Et toi ? Que t'était-il arrivé ? Il brûlait de le lui demander, tout en redoutant de l'apprendre, craignant ce fantôme qui allait se dresser entre eux.

— … Patsy ne voulait pas que sa fille devienne le jouet d'un homme, alors elle lui tint les rênes très courtes, ne lui autorisa aucune sortie, aucune fête, et l'empêcha de se faire des amis. Elle la mit au travail, pour bien s'assurer qu'elle ne pourrait avoir aucune vie sociale.

Taryn s'interrompit et s'éloigna une fois encore.

Par-dessus son épaule, il la vit fourrager dans sa voiture. Elle revint avec deux pommes de terre et un rouleau de papier aluminium.

— Tu crois que les braises sont assez chaudes ? demanda-t-elle.

— Je pense, oui…

Elle enveloppa soigneusement chaque pomme de terre dans l'aluminium et il les disposa sous la braise.

— Mais, aussi obstinés qu'aient été les efforts de Patsy pour protéger sa fille, continua-t-elle en venant se rasseoir à côté de lui, elle ne pouvait pas la mettre tout à fait à l'écart du monde.

Leurs épaules se touchaient. Il ne bougea pas. C'était agréable.

Elle prit une branchette mouillée sur le sol et fourragea dans les aiguilles de pin à ses pieds.

— Une nuit, comme nous allions fermer le restaurant, un homme est entré, a passé commande, puis au lieu de payer il nous a demandé la recette de la journée. J'allais obéir, mais Patsy s'est jetée sur le tiroir-caisse et a dit au type d'aller se faire voir. Il a sorti un revolver et lui a tiré dessus…

A ces mots, il se tourna vers elle : ses mains tremblaient. Elle jeta la branchette dans le foyer et le bout de bois s'embrasa avec un sifflement. Des larmes roulaient sur ses joues. Il voulait lui passer un bras autour des épaules et l'attirer contre lui, mais il resta comme pétrifié.

— Je n'ai rien pu faire, que rester là, à voir la surprise sur le visage de ma mère et la tache de sang qui s'élargissait sur sa poitrine. Il y avait des gouttes rouges jusque sur mon tablier. Pendant des semaines, j'ai senti l'odeur de la poudre et du sang mélangés. Je me lavais jusqu'à m'arracher la peau, mais je voyais toujours les taches rouges sur moi. Et, chaque fois que je fermais les yeux, je voyais maman s'écrouler au sol.

Elle frissonna et, cette fois, il réussit à lui passer son bras autour des épaules. Elle y appuya sa tête.

— Je crois que j'ai crié. Je ne me rappelle plus très bien, en fait. Tout paraissait irréel, comme au ralenti. J'ai voulu me précipiter et j'ai vu cet homme tourner le canon de son arme vers moi. Ensuite, il était à terre et gémissait. Quelqu'un me retenait, me protégeait…

Les braises produisaient une lueur orange devant eux. Le parapluie leur faisait comme un cocon.

Chance avait la gorge serrée.

— … Le jeune adjoint du shérif qui me soutenait, je l'avais déjà vu en ville, mais je ne lui avais jamais parlé. Il ne m'a pas lâchée un seul instant, m'a soutenue et assistée pendant tous les interrogatoires. Quand l'avocat de l'assassin a essayé de faire passer l'idée que c'était moi la responsable, parce que je n'étais pas intervenue suffisamment, il a témoigné en ma faveur. Cet adjoint m'avait même promis de rechercher le nom de mon père et il ne m'a jamais laissée tomber, sans rien demander en échange…

Elle le regarda de nouveau. Son regard très bleu était noyé de larmes.

— Je suis tombée amoureuse de ce jeune adjoint du shérif. A partir de ce moment-là, je lui ai donné mon cœur, mon corps et mon âme.

Lui. C'était de lui qu'elle parlait. Et il ne se rappelait strictement rien de tout ce qu'elle lui venait de lui raconter.

Il posa sa main sur son épaule, la sienne l'y rejoignit et ils entrelacèrent leurs doigts. C'était comme un pacte d'alliance, ces doigts très blancs dans sa main brune.

— Je t'aime, Chance. Tu es resté auprès de moi quand il t'aurait été si facile de t'éloigner. Tu m'as montré le chemin de l'amour et tu as bâti un foyer pour moi. Je ne veux pas rentrer seule et te laisser affronter ton passé sans moi. Nous sommes ensemble. Ensemble, pour toujours. Je reste.

Il se tourna vers elle. Dans le grand vide de ses souvenirs et ici, dans cet endroit où on le rejetait, il avait besoin d'un point fixe, d'une ancre. Il avait besoin d'elle, de sa chaleur et de sa présence. C'était ce qu'elle lui offrait, comme elle le lui avait offert chaque jour depuis qu'il était sorti du coma, avec pour seule mémoire ses cauchemars. Pourtant, tout le sang qui paraissait couler dans l'eau de la rivière et qui colorait ses terribles visions, tout le dissuadait de la garder à ses côtés. Si elle restait avec lui, elle allait en souffrir.

— Je ne sais vraiment pas ce que je vais trouver, reprit-il.

— Quoi que ce soit, lui répondit-elle, nous pouvons y faire face ensemble, comme nous faisons tout depuis dix ans.

Sa détermination était visible dans ses yeux. Elle resterait à ses côtés, ne le quitterait pas, à moins qu'il ne tranche lui-même cet incroyable lien entre eux.

Il se leva et marcha jusqu'à la berge.

La rivière courait dans son lit, forte et indomptée, en de longs serpents noir et gris où se reflétait le ciel sombre. Sa rumeur, sur les rochers, semblait une menace, elle ne s'atténua ni quand il lui tourna le dos, ni quand il revint à pas lents vers leur abri. Il était en pleine confusion et les terribles images mentales revenaient le hanter dès qu'il fermait les yeux.

Il devait reprendre la route pour trouver la solution qui ferait enfin éclater ce cauchemar, comme une bulle de savon. Il ne pouvait penser à rien d'autre.

— J'ai tué quelqu'un, dit-il simplement.

Elle l'attira vers elle, sous le parapluie, comme si elle voulait le protéger, mais pas seulement de la pluie…

— Non, pas toi, lui répondit-elle avec ferveur. Ce n'est pas possible, ce n'est pas dans ta nature. L'homme que je connais n'a pas pu tuer, pas sans une bonne raison.

— Seulement, je ne suis pas l'homme que tu connais. Je ne suis pas Chance Conover. Je ne sais pas moi-même qui je suis.

— Peu importe. Qui que tu sois, tu n'es pas un tueur.

Il ferma les yeux, laissa se dérouler les images, intentionnellement cette fois.

— Il y a une fille avec de longs cheveux blonds, décrivit-il. Et il y a du sang dans l'eau. Elle a une blessure à la tête et ses yeux… semblent morts. Derrière la surface de l'eau, je peux voir mon visage, mes mains qui la tiennent, qui la noient sans doute.

Taryn toucha sa joue.

— Regarde-moi, murmura-t-elle à son oreille.

Les dents serrées, il obéit. Et son regard terrifié croisa les yeux si bleus de Taryn.

— Comment peux-tu voir la scène du point de vue de la victime ? lui dit-elle très doucement. Cela n'a aucun sens. Cela n'est pas réel.

Il s'était dit la même chose des centaines de fois, mais les images ne variaient pas pour autant. Il assistait à ce meurtre encore et encore, voyait son visage, ses mains dans l'argent mêlé de rouge de la surface.

— Je veux que tu sois en sécurité, répéta-t-il.

— Je sais ce que je fais.

— Je ne veux pas que tu payes mes erreurs.

— Tu étais à mes côtés après le meurtre de ma mère. Je suis aux tiens.

Un étrange silence pesait sur les bois. La pluie s'était arrêtée, Chance en était de plus en plus conscient. Il aurait voulu, tout à coup, entendre d'autres campeurs, même gênants. Le son d'un transistor, celui d'un canot à moteur sur l'eau : quelque chose, n'importe quoi, pour couvrir un peu la montée de ce singulier désir en lui.

Il la prit dans ses bras, lui fit poser la tête contre sa poitrine, déposa un baiser sur ses cheveux bruns, si doux. A son tour, elle lui entoura la taille de ses bras et soupira, comme si elle ressentait une intense satisfaction.

Il avait l'impression de marcher sur un fil. Avoir accepté de se rapprocher d'elle, de vivre sous son toit, avait été une erreur. Se mettre à avoir besoin d'elle n'était pas non plus une bonne idée.

Mais qu'aurait-il pu faire d'autre ? Si elle refusait toujours obstinément de rentrer chez elle, ce serait à lui de veiller à ce qu'il ne lui arrive rien de mal. Au moins, si elle restait avec lui, il pourrait voir arriver le danger et le déjouer.

— C'est comme si… Comme si quelqu'un avait pris une photo, puis l'avait effacée…

Pourquoi éprouvait-il soudain le besoin de partager avec elle les abominations qui lui passaient par la tête ? Etait-ce un dernier effort pour la dégoûter définitivement ?

— Tout est perdu, effacé, sauf ces images en couleurs, ces sons et odeurs que je vois défiler, où je tue, et tue encore…

— C'est l'idée qui te fait peur, mais ça n'est pas réel.

— Je ne veux pas qu'il t'arrive quelque chose de mal.

— Nous retrouverons toutes les images, Chance. Nous reconstituerons le puzzle.

Mais qu'allait-il donc découvrir qui pourrait remplacer ce qui était de plus en plus, pour lui, une certitude ?

6

Taryn se réveilla, ou plutôt se leva, en petite forme. Elle n'avait guère dormi. Le flic-flac des gouttes de pluie sur le double toit et Chance qui s'était retourné sans cesse sur le tapis de sol, tout s'était allié au grondement de la rivière pour la forcer à rester les yeux ouverts dans le noir. Une chouette s'était perchée juste au-dessus d'eux pour les régaler d'un concert qui lui avait paru durer une éternité. Puis un coyote, au loin, avait pris la suite. Un peu avant l'aube, l'appel d'un rossignol avait déchaîné un chœur d'oiseaux plus bruyants les uns que les autres. Le sol dur ne l'avait pas vraiment aidée à trouver le repos.

La nausée non plus… Elle était même nettement plus forte que les jours précédents. Le moindre mouvement semblait lui retourner l'estomac.

Le parc mettait des douches à la disposition des campeurs et, pendant que Chance était allé prendre la sienne, elle put discrètement se glisser jusqu'à la glacière, dans le coffre de sa voiture, et en extraire une demi-douzaine de biscuits salés, pour combattre les nausées du matin.

Elle n'avait pas entendu Chance revenir et le son de sa voix la fit sursauter, annihilant presque les effets positifs de son grignotage.

— Nous devrions y aller, lança-t-il. Nous pourrions poser quelques questions ici, à Ashbrook, puis partir pour Lufkin.

Elle rangea les crackers et prit la glacière, qu'elle alla déposer sur la table du pique-nique, à côté du barbecue. Là, elle leur prépara des sandwichs au jambon et au fromage.

— Pourquoi aller si loin, si nous trouvons ce que nous cherchons ici ? s'enquit-elle.

Chance, qui rangeait sa serviette et sa trousse de toilette dans son pick-up, se retourna vers elle. Aussitôt, elle se prit à espérer ne pas avoir trop mauvaise mine. S'il commençait à trop s'inquiéter pour elle, il allait encore vouloir la renvoyer.

— Tu disais que le shérif voulait qu'on quitte la ville…

Tout en plaçant les morceaux de jambon et de fromage entre les tranches de pain, elle choisit ses mots avec précaution.

— Il m'a donné jusqu'à ce soir.

— Tu crois qu'il est le genre d'homme à tenir ses engagements ?

Probablement pas… Mais elle n'avait pas envie de s'éloigner encore davantage de Gabenburg. Elle brûlait d'y retourner avec lui. Reprendre le cours de leur vie, de leur mariage.

— Maintenant que nous avons un nom, ajouta-t-il, nous aurons trouvé avant même qu'ils s'aperçoivent que nous sommes encore ici.

Elle lui tendit un sandwich et il le prit sans paraître y accorder la moindre attention. Elle ne pouvait s'empêcher de se rappeler les regards perçants qu'il lui lançait, après le meurtre de sa mère, pour essayer de jauger sa force, de déterminer ce qu'elle était capable de supporter. A ce moment-là, ses regards l'avaient fait se sentir en sécurité. A présent, ils l'inquiétaient.

— Je vais y aller, et tu pourras rester ici te reposer, lui proposa-t-il. Tu n'as pas beaucoup dormi, cette nuit.

Il était toujours prêt à jouer le rôle de protecteur. Elle lui fit un pâle sourire. Autrefois, il lui disait : c'est toi et moi contre le reste du monde. S'en souvenait-il ou bien n'était-ce qu'un instinct de protection ?

— Toi non plus, tu n'as pas beaucoup dormi…

— L'avertissement du shérif était pour moi et non pour toi. Je ne veux pas que tu prennes part à mes ennuis.

C'est trop tard, songea-t-elle, mais elle ne répliqua rien. Elle regarda les tranches de pain. Manger du jambon et du fromage lui soulevait le cœur. Peut-être pourraient-ils s'arrêter boire un soda au gingembre avant de partir pour Lufkin ?

— Non, rétorqua-t-elle, son avertissement était pour nous deux. Tu iras, j'irai. Mais je crois vraiment que nous pouvons trouver des réponses ici, puis rentrer.

Il posa son sandwich sur le couvercle de la glacière, s'approcha d'elle et planta ses mains dans ses poches. L'expression de son visage était impénétrable.

— Est-ce que tu peux comprendre que les images que je vois dans ma tête sont probablement bien réelles ?

— Tu n'as tué personne, lui répliqua-t-elle sans hésiter.

Il y avait beaucoup de choses en lui qui étaient encore obscures, mais sur ce point elle n'avait aucun doute. Un homme ne pouvait changer sa nature profonde aussi facilement.

— Il te faudrait vraiment une excellente raison pour prendre une vie, expliqua-t-elle. A la maison, tu ne me laisses même pas tuer une araignée. Tu insistes pour qu'on la relâche dehors.

Il secoua la tête. Le soleil donnait des reflets bleus à ses cheveux noirs encore humides de la douche, remarqua-t-elle.

— Ce n'est pas la même chose, reprit-il d'un air sombre.

Elle se leva de son banc et lui fit face. Les ombres, sur son visage, accentuaient son air tourmenté. Il n'y avait qu'une seule façon de le rasséréner : l'aider à trouver les réponses qu'il cherchait.

— Tu ne crois pas qu'il faudrait retourner à la bibliothèque ? lui demanda-t-elle.

— La collection de journaux d'époque a été détruite par un incendie.

— On peut peut-être trouver d'autres documents. Souviens-toi quand tu m'aidais à dénicher des renseignements sur mon père.

Ses yeux s'assombrirent encore et un muscle jouait nerveusement sur sa mâchoire.

Se souvenir ? Que venait-elle de dire ? Il ne le pouvait pas et c'était bien le problème. Elle soupira et regarda la rivière.

— Excuse-moi…, murmura-t-elle.

— Pourquoi tiens-tu tant à rester à Ashbrook ? lui demanda-t-il.

— Je veux que tu trouves rapidement ce que tu cherches, pour que nous puissions rentrer à la maison.

Il lui posa délicatement la main sur le cou et ce geste tendre fit venir en elle un délicieux frisson. Puis il prit son menton entre le pouce et l'index et la fit se tourner vers lui jusqu'à ce que leurs regards plongent l'un dans l'autre. Embarrassée, elle avala sa salive. Elle aurait voulu voir quelque chose de plus chaleureux dans ses yeux.

— Peut-être que tu n'aimeras pas ce que nous allons trouver, lui dit-il.

Le sentir si près augmentait son trouble. Elle aurait voulu poser sa tête sur sa poitrine, qu'il referme ses bras autour d'elle et lui murmure à l'oreille que tout irait bien. Mais elle ne voulait pas lui rendre les choses plus difficiles qu'elles ne l'étaient déjà. Elle ne voulait pas supplier, ni paraître pathétique. Il fallait qu'elle soit aussi forte pour lui qu'il l'avait été pour elle.

Délibérément, elle rompit le contact et entreprit de ranger dans la glacière le pain qui restait.

— Tu es vraiment décidé à imaginer le pire, remarqua-t-elle avec amertume.

— J'essaie de rester réaliste.

— Le réalisme, c'est de se dire que les réponses que nous cherchons sont ici, répliqua-t-elle en rangeant le jambon et le fromage. Le réalisme, c'est que nous allons les trouver. Le réalisme, c'est de penser que plus vite nous aurons réussi, plus vite nous pourrons reprendre le cours de notre vie.

— Je me sentirais mieux si tu restais ici, où tu es en sécurité.

— Moi, je me sentirais mieux si tu rentrais à la maison avec moi.

Elle leva les yeux vers lui, et il ajouta avec un petit sourire :

— Je crois qu'aucun de nous deux ne va se sentir mieux…

Elle montra le sandwich qu'il avait abandonné.

— Tu n'en veux plus ?

Il secoua la tête.

Elle emballa le sandwich, le rangea, prit la glacière et se dirigea vers sa voiture. Mais il lui prit la glacière des mains et la plaça à l'arrière de son pick-up.

— Alors, dépêchons-nous d'en finir, dit-il. Nous allons prendre la camionnette.

Ils firent la route en silence.

Ce Chance-là était un étranger, songea-t-elle en regardant le paysage. Les sourires auxquels elle était habituée et qu'elle aimait tant ne faisaient plus partie de ses habitudes. Les baisers tendres et les attouchements sensuels étaient relégués dans une partie inaccessible de sa mémoire. Toutefois, il y avait bien quelque chose d'inchangé, c'était la façon unilatérale dont il prenait ses décisions. Son instinct protecteur, aussi.

Mais pas cette distance, ni cette idée invraisemblable qu'il avait pu faire intentionnellement du mal à quelqu'un. Chance protégeait et défendait. C'était là sa vraie nature.

Un jour ou deux, juste un jour ou deux, se dit-elle en regardant défiler les sapins par la vitre, et tout redeviendrait normal. Il connaîtrait son identité, aurait toutes les réponses qu'il lui fallait. Ils rentreraient ensemble à la maison et elle pourrait lui annoncer qu'elle allait avoir un bébé.

Toute une vie de bonheur les attendait. Personne ne les en priverait.

Quand ils atteignirent la ville, ils évitèrent l'artère principale pour se garer dans une petite rue adjacente. Il n'y avait pas moyen d'éviter de longer quelques pâtés de maisons jusqu'à la bibliothèque, pas moyen d'éviter les regards en coin, les jugements silencieux, la haine à peine masquée.

Taryn était habituée à voir les gens traiter son mari avec respect. Chez eux, Chance inspirait à tous de la confiance et même de l'affection. Le voir considéré comme une sorte de monstre était insupportable. Elle aurait voulu le prendre dans ses bras et le protéger de cette boue, faire face et leur crier à tous qu'il était un homme honnête et bon.

Ils entrèrent dans la bibliothèque, et l'odeur de café faillit révulser son estomac sensible. Chance la conduisit vers la section des archives de presse. Il y avait là une bibliothécaire aux cheveux blancs, elle leva les yeux à leur approche.

— Tiens, constata-t-elle, vous êtes revenu…

Elle portait une chemise turquoise, une jupe noire et des bottes de cow-boy assorties. Ses cheveux étaient noués en queue-de-cheval par un ruban de velours noir. De petites turquoises pendaient à ses oreilles et elle arborait une mine légèrement rébarbative.

— Oui, madame, lui répondit Chance avec un sourire en coin.

Il aurait pu charmer un serpent à sonnette, s'il l'avait voulu… s'amusa Taryn.

— Je vous ai dit que les archives avaient brûlé, reprit la bibliothécaire. Tous les microfilms de cette époque ont été détruits.

— Oui, mais nous avons pensé que nous pourrions jeter un coup d'œil à d'autres documents. C'est possible ?

Joely parut hésiter.

— Je suppose que oui…

Chance prit Taryn par la main et l'entraîna entre les étagères. Il adoptait certainement cette attitude de façon plus ostentatoire que spontanée, pensa-t-elle, mais elle en fut tout de même heureuse.

— Par quoi crois-tu que nous devrions commencer ? lui demanda-t-il quand ils se furent suffisamment écartés du bureau de Joely.

— Les annuaires, répondit-elle. Nous avons un nom, à présent.

Il hocha la tête.

— Oui… Makepeace.

Ils prirent les annuaires téléphoniques de la ville et des environs, et les portèrent sur une table de consultation. Ils les épluchèrent les uns après les autres mais ni dans les pages blanches, ni dans les pages jaunes, ils ne trouvèrent un abonné du nom de Makepeace.

Joely les observait de son bureau, mais elle n'offrit pas son aide. Taryn retourna la voir.

— Vous avez un accès internet ? lui demanda-t-elle.

Il y avait deux ordinateurs en libre accès contre le mur, au bout de la salle.

— Il faut avoir une carte d'accès à la bibliothèque, répliqua l'employée.

— Bien, je vais en prendre une…

— Il faut pour cela être résident de la ville et montrer une preuve de propriété ou de bail, une facture de gaz ou d'électricité…

Un lourd silence s'établit entre elles, seulement troublé par les murmures de quelques lecteurs, la sonnerie du téléphone et les bips des ordinateurs.

Chance les rejoignit :

— Avez-vous les annuaires du lycée local ?

— Non…

Encore une fois, la réponse était venue trop vite, d'autant plus qu'ils étaient dans un meuble juste à côté. Chance alla les prendre, et Taryn en profita pour se pencher au-dessus du bureau de la bibliothécaire :

— De quoi avez-vous peur, exactement ?

— De quoi devrais-je avoir peur ? lui répliqua instantanément Joely avec un petit rire gêné et des regards à droite et à gauche pour vérifier que personne n'assistait à cet échange.

— Nous ne voulons de mal à personne, continua Taryn. Nous cherchons juste quelques réponses qui pourront aider Chance.

— Vous êtes sa petite amie ?

— Sa femme. Et je puis vous dire que c'est un homme bien.

La bibliothécaire désigna les rayons et les tables autour d'elles.

— Moi, c'est toute ma vie, ici.

— Moi, il est toute la mienne, répondit Taryn.

Elle se tourna vers lui. Il mettait des pièces dans la photocopieuse.

La machine se mit en marche, la lumière verte s'allumant sous l'abattant à intervalles réguliers.

— Eh bien, emmenez-le et rentrez chez vous, mon chou. Il ne faut pas trop remuer la poussière accumulée depuis tant d'années.

— Je ne comprends pas.

— Le shérif. Ça fait quinze ans qu'il cherche quelqu'un pour endosser la responsabilité…

Taryn se pencha de nouveau vers elle.

— La responsabilité de quoi ?

La bibliothécaire pâlit et ne répondit pas : un policier en tenue venait de s'approcher d'elles. L'étoile dorée sur sa poche de poitrine était au nom de Carter Paxton.

Taryn se redressa, l'estomac noué d'appréhension.

— Bonjour, shérif, articula-t-elle.

— Je croyais vous avoir donné un avertissement très clair, hier, madame Conover…

Il se tenait bien droit, massif, son crâne chauve brillant à la lumière des néons.

Chance s'approcha à son tour, ses photocopies pliées dans la poche arrière de son jean. Taryn lui jeta un coup d'œil. Sa présence lui donnait du courage :

— Vous m'avez donné jusqu'à ce soir, shérif, j'ai décidé d'en profiter.

— Je n'ai pas beaucoup de patience pour l'impertinence…

Il n'avait probablement pas de patience du tout, songea-t-elle. S'il avait été un taureau au pâturage, elle le verrait probablement frapper le sol du sabot et baisser ses cornes avant la charge.

— Je n'en ai pas beaucoup non plus pour les menaces, tonna Chance, en se plaçant entre eux. Vous avez une bonne raison d'empêcher d'honnêtes citoyens de fréquenter un lieu public ?

Un silence de plomb tomba sur la bibliothèque. Les lecteurs regardaient la scène, silencieux, les livres serrés sur leur poitrine comme pour se protéger. Joely avait l'air de vouloir disparaître derrière son bureau.

Le shérif se redressa de toute sa hauteur, affrontant Chance les yeux dans les yeux, les narines frémissantes.

— J'attends certains rapports, dit-il lentement. Et je n'hésiterai pas à vous coller en cellule si je ne suis pas satisfait de leur contenu.

— Et qu'attendez-vous donc de ces rapports ?

— Pourquoi tu es revenu ? demanda le shérif, ses yeux gris semblables à de l'acier. Tu n'as pas fait assez de mal, la première fois ?

— Je veux une explication, shérif. C'est tout ce que je demande.

— Makepeace, dit le policier, le visage très rouge et suant la haine par tous les pores de sa peau, tu ferais mieux de t'excuser pour ce que tu as fait. Et de l'assumer, au lieu de laisser les autres essayer de réparer ce que tu as détruit.

Taryn scruta Chance, inquiète. Elle sentait toute la tension qui vibrait en lui et craignait la libération de cette terrible force.

— Tu me l'as prise, gronda le shérif, tu me l'as enlevée.

Allaient-ils en venir aux mains au milieu de la bibliothèque ? Taryn regardait tantôt les poings serrés de Chance, tantôt le visage rouge et le regard plein de folie haineuse du policier.

Chance devait garder son calme. La pire des choses serait qu'il finisse derrière les barreaux pour avoir agressé un membre des forces de l'ordre. Elle tira sur sa manche.

— Tu as trouvé ce que tu cherchais, mon chéri ?

Il acquiesça, sans détacher ses yeux de ceux du shérif.

— Qu'est-il arrivé ? demanda-t-il d'une voix ferme au policier.

— Et maintenant, tu simules l'amnésie ? ricana celui-ci. De tous les tours de cochon que tu nous as joués, c'est le meilleur.

— Si nous allions déjeuner, maintenant, intervint Taryn, de plus en plus nerveuse. J'ai faim…

Chance ne bougeait toujours pas.

— S'il te plaît… insista-t-elle.

Il l'ignora et demanda au shérif :

— Que voulez-vous que je fasse ?

— Je veux que tu bouges de là quand je te le dis…

Le shérif enfonça son index dans la poitrine de Chance.

— Je t'en prie, allons-nous-en, implora encore Taryn, en tirant plus fort sur son bras.

Le shérif répéta son geste.

— Et surtout, je veux que tu payes pour ce que tu as fait…

— Chance… supplia-t-elle.

Elle voulut s'interposer entre le shérif et son mari et reçut à la place de Chance le doigt du shérif en pleine poitrine. Ce fut si rude qu'elle en eut le souffle coupé et fut projetée contre Chance. Il la rattrapa et la poussa doucement sur le côté, hors de portée du shérif.

— Je veux que tu croupisses en prison pour le reste de ta vie, conclut Carter Paxton.

Comme il avançait de nouveau sa main, Chance la lui bloqua d'un geste.

D'une voix calme et mesurée, il lui répondit :

— Si vous avez un motif légal de m'arrêter, alors faites-le maintenant. Sinon, merci de nous laisser tranquilles. Bonne journée, shérif.

Tenant fermement la main de Taryn dans la sienne, il passa en heurtant délibérément l'épaule de Carter Paxton au passage.

— Je suis un type régulier, lança le shérif, pendant que le couple fendait la foule des badauds qui s'écartaient sur son passage. Quand je te mettrai derrière les barreaux, je veux être sûr à 100 % que tu es bien celui que je cherche. Ton procès sera équitable. On te donnera les chances que tu n'as pas laissées à Ellen.

Taryn retint son souffle jusqu'à ce qu'ils eussent quitté le bâtiment. Quand elle lâcha main de Chance, elle tremblait comme une feuille.

— Tu n'aurais pas dû le défier, lui reprocha-t-elle. Il aurait pu t'arrêter tout de suite.

— Il n'a aucun droit de faire ça, et il le sait. Et puis, je n'ai pas fini ce que j'ai à faire dans cette ville.

— Tu n'as rien à y faire, Chance. Tu n'es pas d'ici.

— Si je suis bien le monstre qu'ils prétendent, il semblerait que si.

Elle refusait cette idée. Chance n'était pas un monstre. Sa place n'était pas en prison, mais avec elle, à Gabenburg.

— Qu'as-tu découvert ? demanda-t-elle en avançant à grands pas sur le trottoir, pour éviter que le sol ne se dérobe sous elle.

— Les photos de 66 élèves de terminale du lycée d'Ashbrook il y a quinze ans. Dont celles de Kent et Kyle Makepeace.

Taryn sentit son cœur se mettre à battre très fort dans sa poitrine. Elle s'arrêta, se campa devant Chance et lui posa les deux mains sur les bras.

Lequel était-il donc ? se demanda-t-elle.

Il déplia les photocopies et en tira une feuille. C'était la présentation classique d'une promotion de terminale, avec des photos d'identité. Justine Lassiter, Christine Lloyd, Mark Mac Donald… Elle retint son souffle. Kent Makepeace… Le tremblement de la main de Chance se communiquait à la feuille.

Elle se pencha plus avant. La petite photographie en noir et blanc lui parut très familière : les hautes pommettes, les cheveux noirs, les yeux sombres, la bouche sensuelle. Si familière en fait qu'elle avait l'impression de l'avoir déjà vue, ce qui n'était pas possible. Elle n'avait eu accès à aucun témoignage de la vie de Chance avant qu'il ait été retrouvé à demi mort au bord de la Red Thunder. Pas de photos de famille, de bébé souriant, de petit garçon sur un tricycle ou de photos de classe. Regarder ce portrait, c'était comme ouvrir une porte dont elle n'avait jamais admis qu'elle existait.

Or, elle existait bien, et en double.

Juste à côté de la photo de Kent, il y avait celle de Kyle. A part leur col de chemise, ils auraient pu être photocopiés l'un sur l'autre.

— Des jumeaux ? demanda-t-elle en regardant Chance.

Il semblait aussi confus qu'elle et hocha la tête.

— Certainement, ou au moins des frères, ou encore des cousins germains, peut-être.

Elle en restait bouche bée.

Il lui prit la main et la serra fort. Elle pouvait sentir à la fois son émotion et son angoisse.

— En tout cas, nous avons une piste, reprit-il, les yeux pleins d'espoir. Nous en avons même deux.

Kyle et Kent. Il y avait aussi Ellen, se rappela Taryn. Etait-elle la fille de ses cauchemars ?

Même si ces nouvelles informations les éloignaient encore de leur retour à la maison, elle ne pouvait lui dénier le droit de découvrir qui il était.

— Il ne nous reste plus qu'à les suivre, lui lança-t-elle.

— Tu veux un café ? lui demanda-t-il.

Taryn secoua la tête, le teint verdâtre.

— Je préférerais une limonade…

Ils sortirent de la supérette pour retourner dans la camionnette. Taryn buvait sa limonade à petites gorgées, ignorant les sandwichs au jambon et au fromage qu'ils avaient pris dans la glacière.

Chance la scruta. Cette femme était son épouse et il connaissait si peu de chose d'elle… Il aurait dû savoir si elle aimait le café et, si oui, comment elle appréciait de le prendre. Si elle achetait souvent de la limonade, il n'aurait pas dû l'ignorer non plus. Mais il ne savait rien de tout cela.

Il mordit dans son propre sandwich et regarda au-dehors.

— Depuis combien de temps sommes-nous mariés ? lança-t-il.

Il ne la regardait pas, mais il put entendre le bruissement soyeux de ses cheveux quand elle tourna la tête vers lui. Il eût aimé pouvoir sentir leur frôlement sur sa peau.

— Cela fera sept ans en septembre. Il y a dix ans que nous sommes ensemble.

Oui, au bout de dix ans, il aurait dû la connaître par cœur et il ne savait rien d'elle, à part qu'un effleurement de ses doigts parvenait à lui faire oublier un instant ses horribles visions, que sa fidélité à son égard était si bouleversante qu'elle arrivait à vaincre son amnésie, surtout quand il la voyait prête à le défendre jusqu'au bout, et que jamais, jamais la pensée qu'il pourrait lui faire du mal ne le quittait. Le peu qu'il venait d'apprendre dans sa confrontation avec le shérif le lui confirmait. Cette histoire n'en était peut-être encore qu'à son début. Regretterait-t-elle un jour d'avoir été à ses côtés ?

La distance, entre eux, lui paraissait plus infranchissable que le plus large des canyons. Il avait le sentiment, et la crainte, de la perdre. Cette obsession résonnait en lui comme la plainte du coyote autour de leur tente, la nuit précédente.

Auprès d'elle, l'acuité de ses sens se démultipliait, il était hypersensible à sa présence, au parfum subtil de sa peau, au charme de ses yeux si bleus. Il ne pouvait pas ignorer non plus l'immense curiosité qu'il avait pour leurs années d'intimité, dont le souvenir devait être profondément enfoui dans quelques recoins secrets de sa mémoire. Mais il aurait voulu venir à elle au complet, avec tous ses souvenirs d'elle et de leur bonheur.

Le besoin qu'il avait de la protéger n'était pas moins grand que cette joie profonde qu'il ressentait à la voir toujours si persuadée qu'il était un preux chevalier. De plus en plus, cela lui apparaissait comme une illusion.

Il mordit dans son sandwich. Ce n'était guère le moment de penser à tout ça : il devait focaliser toute son attention sur les faits. Tirer des conclusions avant d'avoir tous les éléments en main ne pouvait qu'exacerber les émotions qui se pressaient dans son pauvre cerveau surchauffé. S'il voulait découvrir la vérité et aussi protéger Taryn de toute cette boue que ne manqueraient certainement pas de produire ses recherches, il devait garder son esprit vif et disponible.

Du regard, il surveillait les alentours. Une voiture de police était garée en bas de la rue. L'homme qui était au volant était plus petit que le shérif Paxton. Etait-ce un adjoint chargé de les suivre et de les surveiller? Une raison de plus de se montrer vigilant.

— Bon, faisons le point, dit-il, soucieux de chasser toutes ces pensées démoralisantes. Qu'avons-nous trouvé ?

— Deux noms, répondit-elle en prélevant, du bout des doigts, de petits morceaux de mie de pain sur son sandwich. Non, pardon, trois noms : Kent et Kyle Makepeace, Ellen Paxton…

— Pas d'autre identification, pas de date de naissance…

— Pas de numéro de sécurité sociale, pas d'adresse…

— Nous savons tout de même qu'ils sont allés au lycée à Ashbrook, fit-il remarquer.

— Ce qui ne devrait pas nous valoir davantage d'aide de la part des gens d'ici.

Il garda un instant le silence, comme s'il évaluait ces pans entiers d'inconnu qu'il leur restait à découvrir.

— Il nous faut des faits, murmura-t-il.

— Je le sais bien ! conclut-elle.

Il y avait du regret dans sa voix, mais lui proposer de nouveau de rentrer chez elle n'aurait aucun effet, il le savait. Sa loyauté envers l'homme qu'elle croyait être celui qu'elle aimait était trop puissante pour qu'elle puisse l'abandonner, et il ne servait à rien non plus de lui dire qu'il n'était pas cet homme. Elle, elle lui voyait toujours le même visage que depuis dix ans.

La différence, c'était cette part de lui-même dont il ne savait rien, lui non plus.

— Nous allons devoir aller à Lufkin, soupira-t-il, espérant vaguement la décourager.

— Je sais.

7

La taille de la Kurth Memorial Library faisait paraître ridicule celle de la bibliothèque municipale d'Ashbrook, nota Chance en y entrant.

Avec Taryn, il y découvrit un large choix de périodiques locaux conservés en archives, dont le *Ashbrook Herald*, ainsi qu'un véritable trésor dans la collection généalogique Ora Mac Mullen : un historique de la famille Makepeace.

De lointaine origine écossaise, ils étaient, semble-t-il, implantés dans la région depuis des générations. Dans la forêt de noms qu'était leur arbre généalogique, les conflits entre pères et fils semblaient revenir régulièrement, comme une malédiction.

Beaucoup de liens brisés, de lignées interrompues. Quel événement avait pu séparer Kyle et Kent de leurs branches porteuses ? Rien dans l'arbre généalogique ne le disait. On n'y trouvait que des dates de naissance, de mariage et de décès qui ne dépassaient pas les années 1900.

Chance fit défiler dans la visionneuse les microfilms concernant les articles de presse, tandis que Taryn, non loin de lui, recherchait des indices et renseignements sur internet.

Ses yeux le brûlaient et la migraine le menaçait, mais il tint bon et ses efforts furent récompensés. Un titre attira son attention.

Il fit signe à Taryn de le rejoindre.

— J'ai trouvé quelque chose.

Elle se pencha par-dessus son épaule, l'envoûtant du frais parfum de ses cheveux. Il dut s'agripper à la table pour se retenir de la toucher et de se lever pour la prendre dans ses bras.

L'article évoquait deux jeunes disparus dans une tragédie au bord de la rivière.

ASHBROOK, TEXAS…

Deux jeunes gens de la ville, élèves de terminale au lycée, ont disparu au bord de la Red Thunder et sont présumés noyés… Une jeune fille a reçu de graves blessures à la tête, probablement causées par les rochers à fleur d'eau. Elle a pu néanmoins être sauvée par les gardes forestiers. Le capitaine Julio Arcaro, de la police de l'Etat, indique qu'ils sont entrés sans autorisation sur une portion intégralement protégée de la rivière, hier, probablement en milieu de journée. Une battue doit être organisée dans la matinée pour tenter de retrouver les deux disparus.

Un témoin a indiqué avoir vu quatre jeunes pique-niquer au bord de l'eau, puis se baigner. Une altercation aurait alors éclaté entre deux des garçons, qui ont été emportés par le courant. Le troisième l'aurait été en essayant de leur porter secours.

Le capitaine Arcaro a déclaré que ce tragique accident n'aurait pas eu lieu si les jeunes gens avaient respecté l'interdiction d'accès à ce secteur.

S'agissant de mineurs, notre rédaction a pris la décision, comme d'habitude en pareil cas, de ne pas mentionner leur nom avant d'avoir obtenu l'accord des familles.

Une dispute. Chance se souvint de l'état de colère diffuse qu'il avait ressenti à son réveil, à l'hôpital. Pourquoi les deux garçons s'étaient-ils disputés ? Et était-il, lui, personnellement responsable du désastre ? Etait-ce à cause de lui que cette… Ellen était morte ?

Tandis qu'il faisait nerveusement défiler le microfilm, ses visions repassaient devant ses yeux. Les cheveux blonds. Les yeux morts. Le sang, tout ce sang…

Et puis ses mains, ses mains à lui sur elle…

— Il y en a un autre, indiqua Taryn, ses doigts sur les siens pour interrompre le défilement de la visionneuse.

La chaleur de son contact lui fit du bien, tant son sang lui faisait l'effet de se glacer.

DEUX JEUNES PRÉSUMÉS NOYÉS.
ASHBROOK, TEXAS.

Deux frères, Kent et Kyle Makepeace, sont présumés noyés dans la rivière Red Thunder. Trois jours de recherches des gardes des Eaux et Forêts, aidés de nombreux volontaires, n'ont pas permis de les retrouver.

« La rivière est haute et rapide à cette période de l'année, nous a indiqué le capitaine Arcaro, de la police de l'Etat. Ils peuvent avoir été emportés jusque dans le golfe du Mexique, à l'heure qu'il est. » Il a également déclaré qu'en raison des nombreux rochers et des branchages charriés par la rivière les corps seraient probablement très endommagés et peu identifiables, lorsqu'on les retrouverait, si jamais on les retrouvait.

La troisième victime, Ellen Paxton, fille du shérif d'Ashbrook, n'a toujours pas repris connaissance, mais les médecins gardent espoir et estiment que, selon toute probabilité, elle devrait survivre.

— Je comprends mieux l'attitude du shérif… fit remarquer Taryn.

Elle se tourna vers lui. Ses yeux brillaient et son sourire aurait pu suffire à le convaincre de n'importe quoi.

— Elle n'est pas morte, reprit-elle, enthousiaste. Ellen n'est pas morte. Tu vois, tu t'es trompé. Tu ne l'as pas tuée…

— Elle a pu mourir plus tard, objecta-t-il. Et l'attitude du shérif implique que, même si elle est vivante, elle n'est plus dans la même condition physique ou mentale qu'autrefois. Il a bien dit qu'il l'avait « perdue ».

— Tes visions ne sont pas la réalité, insista Taryn en montrant le microfilm. Là, tu as des faits. Le psychiatre, à l'hôpital, disait bien qu'il ne fallait pas les confondre avec des émotions.

Des faits ? Voire. Ils étaient rapportés dans ces articles, mais ne paraissaient pas réels pour autant. Il n'y avait pas de logique dans leur déroulement, juste une masse confuse et chaotique. Et puis, ses propres impressions, ces images si précises qui le hantaient, pouvaient-elles se tromper ?

Taryn actionnait toujours la manette de défilement.

— Attends, lui dit-il soudain, reviens un peu en arrière.

Elle obéit.

— Un éloge funèbre ? s'étonna-t-elle.

— Et même deux…

Elle lut :

— Kent Aron Makepeace, 17 ans, vivait à Ashbrook. Il était né le 22 novembre 1970. Il suivait les cours de terminale en option agronomie au lycée. Au printemps, il avait participé à un comptage d'animaux sauvages à la réserve de Woodhaven. Bon joueur de saxophone, il faisait partie de la fanfare du lycée ainsi que de l'équipe de cross-country, se classant à la 13e place du championnat du Texas de cette discipline.

Elle fit une pause.

— Tout cela te dit quelque chose, Chance ?

Il secoua la tête.

— Rien du tout.

Elle continua sa lecture :

— Il était le fils de Lloyd Makepeace et de l'épouse de celui-ci, Sarah Jordan, tous deux décédés. Il vivait chez son grand-père paternel, John Henry Makepeace, d'Ashbrook. Une réunion de prière privée, en l'absence du corps, aura lieu au domicile de celui-ci, Twin Oaks Road, mardi à 16 heures.

Elle se pencha sur Chance, tout contre lui, puis lui massa doucement les épaules et le triangle de muscles hypertendus entre ses omoplates. Peut-être qu'il n'était pas Kent, puisque aucune de ces informations ne semblait lui rappeler quoi que ce soit.

Chance fixa son attention sur le deuxième éloge funèbre.

Kyle Brice Makepeace, 17 ans, vivait à Ashbrook. Il était né le 22 novembre 1970.

— Regarde, Chance, la même date de naissance, ce sont bien des jumeaux !

Taryn lui pressa les épaules, tout heureuse, et frotta sa joue contre la sienne. L'énergie dont elle rayonnait le revigorait.

Oui, un jumeau. Il avait un jumeau.

Une boule se forma dans sa gorge, mais il continua sa lecture :

> *Kyle Makepeace était un cavalier émérite, qui excellait dans toutes les figures de voltige. Jeune espoir de la East Texas High School Rodeo Association, il avait été engagé pour l'été au Ranch du Triple Z, à Ropestown, près de Lubbock...*

La suite de l'article était la même que pour Kent.

Chance soupira. Rien, toujours rien, ne réveillait ses souvenirs. Mais cette association de rodéo l'intriguait. Avait-il appris à dominer un cheval furieux ? Si tel était le cas, est-ce que ces animaux ne devraient pas encore l'attirer ?

Les photos qui illustraient ces articles nécrologiques lui ressemblaient beaucoup, mais il pouvait être indifféremment l'un ou l'autre des frères Makepeace.

Leurs parents étaient morts depuis longtemps, mais peut-être pas leur grand-père... Car oui, il en avait un.

Et puis aussi un frère, un jumeau. Quelqu'un dont le visage était semblable au sien, du moins s'il vivait toujours.

Il soupira de nouveau. Il n'était plus ce jeune homme sans nom que l'on avait retrouvé prostré sur la berge, près de Gabenburg. Il avait une histoire, une famille et un frère. Avait-il survécu à la rivière, lui aussi ? Et si c'était le cas, où était-il ?

Tandis que, sans relâche, il actionnait la manette de lecture, une crainte le pétrifiait, l'enserrait dans ses doigts glacés. Etait-il en train de rejeter la nouvelle vie que lui avait offerte Angus, son père adoptif, après l'accident ? Il n'y avait rien de bien attirant dans l'histoire de la famille Makepeace. Allait-il regretter de vouloir la creuser ?

Après tout, se rassura-t-il, les films d'horreur ont toujours une fin heureuse. Le monstre, quel qu'il soit, est vaincu. Mais généralement pas avant d'avoir éventré la plus grande partie de la distribution du film. Qu'allait-il devoir sacrifier, lui, pour apprendre la vérité ?

Il se tourna vers Taryn, tout entière concentrée sur l'écran de lecture des microfilms. De nouveau, il se sentit envahi par une sourde appréhension. « Ses » deux mystérieux passés revenaient, récurrents, comme des vagues sur une plage. A chaque passage, ils semblaient l'éroder un peu plus.

Oui, il voulait que Taryn soit à lui, mais qu'aurait-il à lui offrir s'il ne connaissait pas la vérité ? Devrait-il renoncer à l'une pour avoir l'autre ?

Les articles défilaient dans la visionneuse, dont le moteur ronronnait.

Soudain, Taryn bloqua la manette.

— Là, s'écria-t-elle, j'y suis : Ellen est vivante, elle a été transférée de l'hôpital dans un endroit appelé Angelina Rehabilitation Center.

— Il y a quinze ans de cela, objecta-t-il.

Elle le regarda, déçue.

— Oui, un fameux bout de temps…

Kent ou bien Kyle ? Il fallait qu'il sache…

Il manœuvra la manette en arrière, pour retourner aux éloges funèbres.

— En tout cas, nous avons une adresse, reprit-il. Pourvu que John Henry Makepeace soit toujours vivant, car si quelqu'un doit savoir la vérité…

— C'est bien lui, acheva-t-elle à sa place en souriant.

Il se sentit envahi une fois encore par l'angoisse, mais Taryn effleura sa main, le ramenant à la réalité. Une nouvelle vague d'émotion s'empara de lui, réconfortante, cette fois. Juste pour un instant…

Si quelque chose devait arriver à Taryn, il serait hanté par un fantôme de plus, et même l'amnésie ne pourrait l'en guérir.

— Chance ? l'appela-t-elle doucement.

Il se reprit.

— Retournons à Ashbrook, lui répondit-il. Je dois retrouver mon grand-père.

*
* *

Garth était particulièrement énervé. Le cours de la petite compagnie pétrolière qu'il envisageait d'acheter était en train, inexplicablement, de monter.

La sonnerie du téléphone fit culminer son irritation. Il arracha le combiné à sa base.

— Ramsey, dit-il sèchement.

— Ils reviennent vers nous. Ils ont repris la route d'Ashbrook…

Garth fit pivoter son fauteuil pour se retrouver face à la large baie vitrée. Il contempla le centre-ville étendu à ses pieds. Le soleil de midi effaçait toutes les ombres et la chaleur montait de l'asphalte. Pas un souffle de vent : les arbres étaient immobiles comme s'ils avaient été sculptés dans la pierre. Toutes les fleurs des massifs penchaient vers la terre comme si elles voulaient récupérer encore les dernières gouttes de la rosée du matin.

Pendant un moment, il regarda les silhouettes des passants, espérant vaguement déceler parmi eux celle qu'il attendait. Il n'était pas tellement mécontent à la perspective de la confrontation à venir. Jouer aux échecs contre un adversaire absent n'était pas aussi plaisant que de l'avoir en face de soi, de tenter de deviner ses coups et de jouir en voyant sur son visage l'instant précis où il devait s'avouer vaincu. Le face-à-face, il n'y avait décidément que cela de vrai.

— Eh bien, laissez-les venir, dit-il en reportant son attention sur les colonnes de chiffres alignées devant lui. Ah, et… Carter, assurez-vous que notre comité d'accueil reçoive dignement nos hôtes…

— Je ne pense pas que ce soit une bonne idée. Quand il se confirmera que ce type est vraiment Makepeace, il faudra au contraire rester dans l'absolue légalité.

Garth dut faire un effort supplémentaire pour se détacher des chiffres et soupira :

— S'il revient, c'est qu'il y a ici quelque chose qu'il lui faut. Il ne repartira pas sans l'avoir obtenu. L'idée, c'est de l'en empêcher suffisamment longtemps pour qu'il puisse tomber tout rôti dans votre bec…

*
* *

Au moins, songea Taryn, *nous roulons à présent dans la bonne direction. Celle qui mène chez nous…*

Elle étudia le plan qu'ils avaient trouvé sur internet et imprimé à la bibliothèque.

— A gauche, au prochain croisement, indiqua-t-elle.

Ils n'avaient pas trouvé le numéro de téléphone de John Henry Makepeace. Mais de toute façon Chance n'aurait pas voulu l'appeler directement, pour ne pas risquer une nouvelle rebuffade.

Elle passa doucement la main sur son ventre. La nausée matinale durait bien au-delà de ce qui était habituel, elle aurait eu besoin de son soda au gingembre, qui la soulageait toujours. Peut-être y avait-il une complication. Elle frissonna. Elle ne voulait pas penser à cela, mais se concentrer sur les ennuis de Chance.

De jolies écharpes de nuages roses striaient le ciel bleu. La brise agitait doucement les sapins. Les ombres du soir s'avançaient sur les collines. Une boîte aux lettres rouillée apparut derrière un tournant. Elle lut le numéro presque effacé, son estomac se noua.

Ils y étaient…

Elle regarda Chance, mais il n'affichait aucune expression. Juste ce vide qu'il avait sur le visage depuis Lufkin. Pourvu que John Henry Makepeace ait au moins quelques-unes des réponses qu'il cherchait et qu'il soit prêt à les partager avec lui, pensa-t-elle.

Chance emprunta l'étroit chemin de terre qu'elle lui avait indiqué. La camionnette cahotait dans les ornières, soulevant des nuages de poussière rouge qui poudraient les buissons. Chance l'arrêta devant une maison de bois qui semblait vermoulue et abandonnée depuis longtemps.

Les branches d'un vieux magnolia qui aurait eu bien besoin d'être taillé et ne portait pas de fleurs entraient dans une fenêtre. La grange attenante à la maison paraissait vide et une porte-moustiquaire à moitié dégondée bâillait au vent.

Les abreuvoirs, remplis d'eau croupie, n'avaient pas dû servir depuis des années. Pas de pots de fleurs aux balustrades du perron, pas de lumière derrière les fenêtres. Pas de vie !

— Reste là, lui lança Chance, je vais aller voir.

Elle ignora cette consigne et le suivit, à un pas derrière lui. Avec circonspection, il fit le tour de la maison, puis monta sur le perron pour regarder à travers les rideaux de poussière des fenêtres. Il essaya sans succès de tourner le bouton de porte et murmura, une forte déception dans la voix :

— Personne n'est venu ici depuis probablement des années.

— Il y a quelqu'un qui entretient les terres, pourtant.

Autour d'eux traînaient des coupes de bois récentes. Au-delà coulait la rivière.

— Peut-être qu'il a déménagé, ajouta-t-elle.

— Peut-être qu'il est mort, répliqua-t-il sombrement.

Elle chercha sa main pour y entrelacer ses doigts, faute de jeter ses bras autour de lui et de le serrer très fort. Elle n'aurait pas osé, elle ne voulait rien faire qui puisse être mal interprété ou, pire, ajoute à la confusion dans laquelle il se trouvait. Alors, elle lui prit la main, simplement, espérant que cela lui ferait comprendre qu'il n'était pas seul.

— Demain, nous pourrons aller consulter le cadastre et nous en aurons le cœur net, reprit-elle.

Le regard toujours fixé au loin, sur la rivière grondante, il hocha la tête.

— Bon, il n'y a plus qu'à manger un morceau et aller dormir.

— Cela me paraît une bonne idée…

Il la regarda et passa doucement son pouce sous ses yeux fatigués.

— Tu as l'air d'avoir besoin de repos, lui murmura-t-il.

— Ça va. Je tiens le coup.

— Tu devrais rentrer, tu sais.

— Pas sans toi.

Il ne répondit rien, mais passa un bras autour de sa taille et la ramena vers la camionnette. Il l'installa sur le siège avec des précautions de garde-malade. Voilà, songea-t-elle, l'homme qui croit qu'il a pu mettre à mort un autre être humain sans provocation. Elle secoua la tête. Quand allait-il l'écouter ?

Le temps qu'ils rejoignent leur campement, la nuit était tombée. En descendant de la camionnette, elle faillit vomir tout debout.

— Cela sent comme si quelqu'un avait écorché un putois, dit-elle.

— Et même deux…

— Chance…

Les yeux plissés, le corps tendu, il l'arrêta d'un geste.

— Retourne dans la camionnette.

— Mais que se passe-t-il ?

Sans répondre, il prit la lampe de poche dans la boîte à gants et dirigea le faisceau lumineux vers leur tente, dont les pans de toile se dessinaient dans la pénombre.

— Reste ici.

Son ton était sans réplique et, sans discuter, Taryn resta dans la cabine protectrice de la camionnette.

Tous les sens en alerte, Chance tira sur la fermeture Eclair de la tente. L'horrible odeur des glandes défensives d'un putois le prit à la gorge et le fit se couvrir le nez et la bouche de sa main libre. Le faisceau de sa lampe éclaira la traînée bien visible de musc sur les sacs de couchage. Tout cela n'était pas naturel, ce putois n'était pas venu de lui-même précisément à cet endroit.

Il recula et inspecta les alentours de la tente. Des traces de pas, presque invisibles sous les aiguilles de sapin, menaient à un petit sentier au bord de la rivière. Là, entre deux rochers, il trouva une fiole de verre qui sentait le musc de putois à plein nez.

A moins qu'un putois prévoyant ne transporte son musc dans une fiole, ce n'était pas naturel…

Son premier réflexe fut de tourner les talons et de s'en aller du campement, mais un coup d'œil sur Taryn, derrière le pare-brise de la camionnette, l'en dissuada. Elle paraissait pâle et épuisée. Elle avait besoin de repos…

Trouver un motel qui voudrait bien les accepter impliquait de retourner à Lufkin. Elle ne paraissait pas en mesure de tenir jusque-là. Certes, elle ne se plaignait pas, mais il voulait lui épargner cette nouvelle fatigue.

Le coup était signé : le shérif Paxton, ou un de ses sbires. Mais il ne tenterait probablement rien de plus durant la nuit. Il devait plutôt s'attendre à ce qu'ils détalent sans demander leur reste.

Après avoir trempé les duvets souillés dans la rivière et les avoir accrochés à un arbre pour qu'ils sèchent, il escorta Taryn aux douches, garda le bâtiment tandis qu'elle se lavait, puis installa une sorte de couche dans le plateau de la camionnette avec toutes les couvertures qu'il put trouver dans les deux véhicules. Il resta assis à côté d'elle jusqu'à ce qu'elle s'endorme.

Lui n'y arrivait pas. La rivière qui grondait plus bas semblait rouler jusque dans ses veines, rendant tout assoupissement impossible, sans même parler de sommeil. Il se mit à surveiller les bois alentour, à l'affût du moindre mouvement, de la plus petite ombre suspecte. Il se souvint de l'arme de service accrochée à une chaise dans la chambre de leur maison. Pour la première fois depuis son départ, il regretta ne pas l'avoir emportée.

Il allait veiller jusqu'au matin. Ensuite, il renverrait Taryn chez elle. C'était le mieux, pour eux deux.

Une heure plus tard, il se réveilla brusquement. Le sommeil avait avivé les couleurs des images récurrentes dans sa tête. Les rouges, les argentés, les noirs étaient plus vifs, plus tranchés. Les émotions, plus exacerbées, le désespoir, plus profond.

Désespérément, il chercha de l'air, comme s'il se noyait de nouveau. Il avait bel et bien tué cette fille. Sinon, comment expliquer qu'il vît son visage penché juste au-dessus de l'eau ? Mais, d'un autre côté, pourquoi visualisait-il toujours cette scène du point de vue de la victime ? En plus, d'après les journaux, Ellen était toujours en vie, après… l'accident.

Tout cela n'avait aucun sens…

Taryn l'entoura de ses bras, se pressa contre lui, l'embrassa doucement dans le cou.

— Là… là… tout va bien…

Elle l'embrassa encore, et il se calma. Mais, sous le souffle du vent, il entendit des mots qui le glacèrent d'angoisse.

— Je t'aime…

— Non, il ne faut pas, dit-il en s'écartant brusquement.

— Je te connais et je vois clair dans ton cœur. Tu n'as rien fait de mal.

Son baiser était si convaincant, il pouvait presque la croire. En fait, il voulait la croire. Mais ces maudites images étaient trop fortes, trop présentes. Il ne pouvait pas garder Taryn auprès de lui avec la conscience tout à fait tranquille.

8

— Tu auras beau dire et beau faire, tu ne me convaincras pas, le défia-t-elle.

Elle lui parlait le dos tourné, en mettant un peu d'ordre dans le campement. Elle semblait avoir mangé quelque chose qui ne passait pas, et son teint était anormalement pâle, mais elle refusait d'entendre raison.

— Tu peux crier et tempêter jusqu'à en devenir tout rouge, dit-elle en secouant les couvertures pour en faire tomber les aiguilles de sapin, je ne rentrerai pas seule à la maison et tu ne pourras pas m'y obliger.

— Ce serait pourtant bien…

Elle montra la tente.

— Je ne crois pas que l'on puisse la récupérer…

— Ce n'est qu'un morceau de toile, je m'en fiche !

Il lui prit la couverture des mains et la lança sur le plateau de la camionnette.

— Je veux que tu rentres chez toi, là où est ta place…

Elle eut le front de lui faire un grand sourire.

— J'y suis déjà, à ma place.

Elle entra dans la cabine du pick-up et poursuivit son rangement.

— Si nous ne revenons pas ici ce soir, reprit-elle très calmement, je suggère que l'on mette la tente et le duvet à la poubelle. On peut bien passer deux ou trois nuits dans un motel… Je vais garer la voiture de Lucille devant le bureau des gardes forestiers. Je ne pense pas qu'elle craigne grand-chose, là…

— Toi, répéta-t-il, tu ne vas nulle part, tu rentres !

Elle déposa posément sa valise à l'arrière de la camionnette, se frotta les mains et enchaîna :

— Je suggère que nous commencions par le tribunal, avant que le shérif ne s'aperçoive qu'il ne nous a pas effrayés et que nous sommes toujours là.

Il perdait patience, mais resta coi. Elle ajouta, en se tournant vers lui :

— Eh bien, qu'est-ce que tu attends ?

— Un miracle, grommela-t-il en s'installant au volant.

Avait-elle toujours été aussi entêtée ? Et dire qu'en d'autres circonstances il aurait trouvé cela admirable… Mais, là, cela compliquait particulièrement sa vie…

Et c'était une bataille qu'elle n'avait visiblement pas l'intention de lui laisser gagner. S'il la ramenait à Gabenburg par la peau du cou, elle trouverait le moyen de le rejoindre à la première occasion. De toute façon, il ne pouvait pas interrompre sa quête. Pas alors qu'il était aussi près d'obtenir des réponses.

Ils n'arrivèrent pas au tribunal au bon moment. L'employée surmenée au comptoir de réception, sa nervosité accrue par la tasse de café qu'elle gardait visiblement toujours à portée de la main, ne voulut rien entendre.

— Je ne peux rien faire. Darryl Hager est en congé et ne reviendra que la semaine prochaine.

— Nous voulons seulement jeter un coup d'œil aux archives… insista Taryn.

Elle lui dédia son plus beau sourire, mais en vain. Le résultat eût été beaucoup plus assuré si l'employé avait été un homme, songea Chance. Toutefois, la secrétaire, une blonde peroxydée, ne le regardait jamais en face. Elle s'adressait uniquement à Taryn.

— Ça ne prendra qu'une minute, reprit celle-ci.

Subrepticement, elle glissa un billet de vingt dollars sur le plateau de bois ciré.

L'employée but une gorgée de café et, sans quitter Taryn des yeux, fit glisser vers elle le bout de papier vert à l'effigie du président Jackson, puis le fit disparaître dans son sac d'une main aux ongles manucurés.

— Je n'ai pas la clé de la salle des archives, mon chou, expliqua-t-elle. Je ne suis que la réceptionniste…

— Y a-t-il quelqu'un d'autre à qui je puisse demander ?

— Darryl Hager, le greffier, mais comme je vous le disais il est en vacances. Et le juge Frasier ne passera pas non plus avant vendredi…

Chance tira discrètement sur la manche de Taryn. Pourquoi personne dans cette ville ne voulait dire la vérité ? Est-ce que le shérif était si puissant qu'il tenait tout le monde sous son coude, ou y avait-il autre chose ?

La frustration le submergeait. S'il ne sortait pas d'ici très vite, il allait exploser et faire quelque chose qu'il regretterait, comme secouer cette cruche en la tenant par les pieds jusqu'à ce que les clés en question, qu'elle avait à l'évidence sur elle, tombent sur le linoléum.

— Ça ne nous mène nulle part, dit-il.

— Mais elle doit nous laisser consulter, marmonna Taryn. C'est de l'information ouverte à tous, non ?

— Oui, et on peut probablement la trouver aussi ailleurs…

Taryn soupira et regarda une dernière fois l'employée :

— Savez-vous où l'on peut trouver quelqu'un du nom de John Henry Makepeace ?

Les doigts aux ongles manucurés tambourinaient nerveusement sur le comptoir.

— Allez voir à Gum Spring Road…

— Pas d'adresse plus précise ?

— Un portail blanc… Vous ne pouvez pas le manquer…

Le téléphone se mit à sonner et l'employée leur tourna ostensiblement le dos.

Taryn suivit Chance au-dehors, et la chaleur leur tomba dessus dès la porte franchie. Le vent soulevait la poussière et les petits grains cinglaient leur peau partout où elle était exposée. Sous un soleil accablant, un filet de sueur leur coulant entre les épaules, ils remontèrent la rue.

— Tu crois qu'elle dit la vérité ? lança Taryn.

Elle essayait d'adapter son pas à ses grandes enjambées.

Il ralentit un peu, toujours brûlant d'évacuer la tension qu'il sentait en lui, mais désirant malgré tout épargner Taryn.

— Je pense qu'on ne va pas tarder à le savoir…

Il mit le contact dans la voiture, tourna le bouton de l'air conditionné au maximum, puis prit le plan de la ville et chercha Gum Spring Road. Il ne tarda pas à la trouver…

— Voilà, dit-il. A l'est d'ici, juste à la limite de la ville…

Ils en prirent la direction, sans parler tant il faisait chaud. Une fois passées les deux premières maisons, c'était les bois. Puis une clôture blanche apparut. Chance ralentit. Le portail décrit par l'employée du tribunal était celui d'un cimetière.

Il resta impassible.

— Tu veux aller voir ? lui demanda doucement Taryn.

Il acquiesça silencieusement, coupa le moteur et ils descendirent de voiture, suivant le chemin pavé qui, passé le portail, longeait un petit torrent presque à sec.

Taryn glissa sa main dans la sienne et il lui fut, sans le lui dire, immensément reconnaissant pour ce geste d'affection et de soutien.

Dans un coin délaissé du cimetière, près de la statue couverte de mousse d'un ange, ils trouvèrent ce qu'ils cherchaient : une pierre tombale au nom de John Henry Makepeace. Il reposait là depuis dix ans. A côté de lui, la tombe des parents des jumeaux et une plaque pour chacun des deux garçons, puisqu'on n'avait jamais retrouvé leurs corps.

— Quelqu'un pense toujours à lui, chuchota Taryn en montrant des fleurs fraîches dans une vasque de pierre, sur la tombe.

Mais qui ? se demanda-t-il. Et comment savoir ? Ses parents étaient morts, son grand-père aussi, et il ne savait même pas ce qu'était devenu son jumeau…

Comme il gardait toujours le silence, elle pressa doucement sa main.

— Alors, que faisons-nous ?

Toujours sans un mot, il l'entraîna loin des tombes de sa famille. Elle le surveillait du regard, ses grands yeux bleus désolés essayaient d'évaluer l'effet de cette découverte sur lui. Pouvait-elle imaginer qu'il ne ressentait rien du tout pour ce grand-père dont il ne se rappelait rien ? En serait-elle choquée ? Finirait-elle, lassée, par se sentir dégoûtée et par rentrer chez elle ? Elle devait lui faire confiance…

Il ravala son amertume et sa colère.

— Le mieux à faire, pour toi, serait de rentrer…

— Je t'ai déjà dit que…

— Oui, tu me l'as dit, mais tu es tellement entêtée… Il ne nous reste plus qu'à passer au plan B…

— Qui est… ?

Il lui tint la portière de la camionnette. Il y avait un autre témoin de cette journée fatale, quinze ans auparavant.

— Retrouver Ellen.

— Et comment allons-nous faire ça ?

Après avoir refermé la portière, il s'appuya à la vitre.

— Tu vas appeler l'Angelina Rehabilitation Center. Tu prétendras être une amie perdue de vue qui cherche à la retrouver…

Elle secoua la tête, son sac à main en protection devant son ventre.

— Je ne peux pas faire ça. Tu sais bien que je ne suis pas douée pour le mensonge. Je deviens toute rouge et je me mets à trembler.

— Personne ne le verra, au téléphone. Et tu t'y entraîneras un peu, avant…

Il la regarda attentivement et quelques remords l'envahirent : elle semblait avoir peur. Mais il devait lui démontrer l'inanité de son attitude. En découvrant ce qu'il avait fait, elle comprendrait qu'il n'était pas l'homme qu'elle croyait.

— Tu peux aussi, si tu préfères, rentrer chez toi et me laisser faire seul.

— Tu triches, bouda-t-elle.

— J'en conviens, mais il n'y a rien de très honnête, dans tout ça, depuis le début.

Alors, elle hocha la tête, en regardant droit devant, à travers le pare-brise.

— Très bien. Qu'est-ce que je vais devoir dire ?

Elle allait vomir d'un instant à l'autre, elle le sentait. Elle tremblait si fort qu'elle avait l'impression d'entendre ses os cliqueter.

Chance conduisait, en direction de Lufkin, mais elle ne voyait même pas le paysage. Son attention était fixée sur le téléphone portable dans sa main gauche et le petit papier portant le numéro du centre hospitalier dans l'autre.

— Je ne peux pas faire ça, Chance, soupira-t-elle. Je ne peux pas…

Rechercher Ellen n'était peut-être pas une si bonne idée que ça. Etait-elle seulement en vie ? Quinze ans, c'est long. Elle avait tout à fait pu mourir dans l'intervalle.

Et, sinon, elle était quand même dans un centre de rééducation fonctionnelle, elle n'était peut-être pas en mesure de répondre à des questions. Est-ce que le journaliste n'avait pas parlé, dans son article, de graves blessures à la tête ? Elles peuvent avoir pour conséquence des dommages cérébraux. Comment pourrait-elle leur être utile, alors ?

— Je crois que nous devrions plutôt essayer de savoir si quelqu'un gère toujours les biens de ton grand-père, reprit-elle en regardant fixement le téléphone.

Bizarrement, il ne répondit rien. Cela ne lui ressemblait pas de la laisser ainsi en proie à ses doutes et à ses tourments. Bien sûr, dans le passé, il lui avait appris à combattre elle-même ses propres peurs. Si elle ne les dépassait pas, cette fois encore, elle allait le décevoir et se décevoir elle-même. Après tout, peut-être que connaître le destin d'Ellen le soulagerait d'au moins une partie de son cauchemar.

Il n'avait aucune responsabilité dans ce qui s'était passé quinze ans auparavant. Et le seul moyen qu'elle avait de commencer à le lui prouver était de parler à Ellen. Pour cela, elle devait vaincre son appréhension et prendre ce maudit téléphone portable…

— Je ne suis pas une bonne menteuse, répéta-t-elle, dans une ultime tentative pour l'inciter à passer à un hypothétique plan C.

— Nous recherchons vraiment Ellen. Ce n'est pas si loin de la réalité.

Elle acquiesça. Pas vraiment un mensonge, non. Plutôt une distorsion de la vérité.

Elle composa le numéro sans trop se presser. Quelqu'un décrocha, et il lui fallut toute sa volonté pour ne pas couper brutalement la communication.

— Pouvez-vous me passer la chambre d'Ellen Paxton, s'il vous plaît ?

— Un instant, je vous prie…

La voix distante revint plusieurs longues secondes plus tard.

— Je suis désolée, madame, mais cette personne n'est plus parmi nous.

— Ellen est morte ? s'écria Taryn, que cette perspective terrifiait.

Chance la fixa du regard, il avait déjà l'air coupable.

— Oh ! non, pas du tout, reprit la voix, soucieuse de la rassurer au plus vite. Mlle Paxton a simplement été transférée dans un autre centre…

— Ah, tant mieux ! soupira Taryn avec un soulagement qui ne devait rien à ses pauvres talents de comédienne.

Dans ce cas, elle était peut-être encore en vie.

— Quand a-t-elle été transférée ?

— Je ne le sais pas de façon certaine. Avant mon arrivée ici, en tout cas. Ce qui nous donne bien… plus de huit ans, en tout cas.

— Je suis une amie de lycée à elle. Je suis de passage et espérais bien pouvoir lui rendre visite. Pouvez-vous me dire où elle a été transférée ?

— Je suis désolée, nous n'avons pas le droit de transmettre ce genre d'informations sur nos patients.

— Je suis seulement de passage à Lufkin, pour affaires… Une vieille amie… J'espérais tellement la voir… Est-ce que vous ne pouvez pas regarder son dossier, ou quelque chose… ?

— Puis-je savoir votre nom ?

— Oh ! pardon… Je croyais vous l'avoir donné…

Elle fouilla désespérément dans sa mémoire, essayant de se souvenir des pages de l'annuaire scolaire que Chance avait photocopié. Avec un peu de chance, dans ce centre, on n'appliquait pas les règlements de façon trop stricte.

— Mon nom est Justine Lassiter, reprit-elle.

Les touches de l'ordinateur que l'employée consultait cliquetèrent.

— Malheureusement, Mlle Paxton n'est plus en traitement chez nous, ce qui fait que son dossier n'est plus consultable dans le système. Il faut faire des recherches dans les archives. Et pour cela il nous faut une demande écrite.

Taryn n'eut pas besoin de feindre la déception…

— Est-ce qu'il n'y aurait pas… un membre du personnel qui aurait été en poste à l'époque et qui pourrait m'aider ? Je suis tellement déçue d'être si près et de ne pas pouvoir la voir…

La réceptionniste hésita une seconde.

— Euh… un instant, je vais voir ce que je peux faire…

Une musique d'attente résonna dans le récepteur et Taryn put entendre tout aussi clairement les battements de son cœur.

— Elle vérifie, chuchota-t-elle à Chance. Ellen a été transférée dans un autre centre hospitalier.

— Formidable ! Tu t'en tires très bien, lui dit-il chaleureusement, sur le même ton.

Il esquissa un baiser avec ses lèvres et elle en eut chaud au cœur.

La réceptionniste reprit le combiné.

— Je suis sincèrement désolée, mais nous n'avons vraiment pas le droit de communiquer ce genre d'information.

— Même à une amie de la personne ?

— J'en ai bien peur.

— Ah…

Taryn chercha ses mots, pour se donner le temps de réfléchir.

— … Je pensais que lui montrer une photo de notre vieille bande lui aurait fait grand plaisir…

— Je suis vraiment navrée, répéta la réceptionniste. Mais,

vous savez, il n'y a pas beaucoup d'établissements pouvant rendre ce genre de services, dans les environs… Il y en a un à Lufkin. Je… suis sûre que vous pourrez trouver rapidement votre amie. Je vous le souhaite, en tout cas.

Taryn sourit, comprenant l'allusion et le conseil à demi-mot.

— Merci beaucoup ! Vous avez été très aimable…

Elle raccrocha et se tourna vers Chance avec un sourire de triomphe.

— Eh bien, voilà, quand nous serons à Lufkin, il nous faudra regarder dans l'annuaire quel est le centre de rééducation en question…

Chance se gara devant une clinique privée nommée Pine Creek Home. Comme son nom l'indiquait, cet établissement alignait ses bâtiments le long du cours paresseux de la petite rivière du même nom. Des chênes majestueux et de grands magnolias ombrageaient les pelouses impeccablement entretenues et apportaient un air de calme et de sérénité. Quelques patients, escortés par des infirmières en blouse blanche, profitaient de la fraîcheur du jardin. Des parterres fleuris, colorés et eux aussi parfaitement soignés, mettaient une touche finale de bon aloi à ce charmant tableau. Une véranda courait tout autour du bâtiment principal de style victorien, peint en blanc, rehaussé d'une frise noire.

Malgré le calme et l'agrément des lieux, quelque chose dans l'atmosphère mit Chance mal à son aise.

Taryn lui prit la main et ils montèrent les marches du perron. La porte d'entrée n'était signalée que par un panneau très discret. Il voulut l'ouvrir, mais elle était verrouillée. Il dut sonner. Pourquoi maintenir close l'entrée d'un lieu public ? Pour se garder des intrus ou pour empêcher les pensionnaires d'en sortir ? Ni l'une ni l'autre de ces hypothèses ne le rassuraient.

Au bout d'un long moment, la porte tourna sans bruit sur ses gonds. Une infirmière avec un pimpant uniforme et une coiffe un brin désuète parut dans l'entrebâillement. Elle avait un visage agréable et un chignon bien serré sur sa nuque.

— Bonjour. Vous désirez ?

Chance sentit Taryn presser doucement sa main pour l'encourager.

— Nous voudrions voir Mlle Ellen Paxton. C'est une ancienne amie d'école de mon épouse et, comme nous sommes de passage dans la région, nous aimerions en profiter…

L'infirmière se renfrogna visiblement.

— Je crains que ce ne soit pas possible…

— Nous ne resterons que très peu de temps, insista Chance.

— Oui, c'est seulement pour lui dire bonjour, ajouta Taryn avec un sourire. Il y a longtemps que je ne l'ai pas vue et, comme nous sommes de passage dans la région, c'est l'occasion, vous comprenez ?

— Je comprends, répondit l'infirmière. Mais je suis désolée : c'est interdit par notre règlement.

— Nous sommes au-delà des heures de visite ? demanda Chance en consultant sa montre.

— Oui, c'est ça.

De toute évidence, ce n'était pas vrai. L'infirmière avait saisi ce prétexte au vol. Que se passait-il donc derrière ces portes closes ?

— Nos patients sont habitués à une vie ordonnée, régulière…

— Quand pouvons-nous revenir ? la coupa Chance.

— Le mieux serait de voir ça avec son mari, d'abord. Il… la protège beaucoup et refuse qu'elle reçoive une visite s'il ne l'a pas approuvée…

— Son mari ? répéta Chance, éberlué.

Comment diable pouvait-on être enfermée dans une clinique depuis quinze ans et se marier ? Son malaise augmenta encore, au point même de bourdonner à ses oreilles comme un frelon. Il serra plus fort la main de Taryn, faute de pouvoir l'entourer de ses bras pour la protéger… Mais de quoi ?

Elle sembla surprise de son trouble et lui lança un regard anxieux.

— Je ne savais pas qu'Ellen s'était mariée, dit-elle à l'infirmière.

— Oui… D'ailleurs, si vous êtes allée au lycée avec elle, vous devez le connaître aussi. C'est Garth Ramsey.

— Ellen a épousé Garth ?

L'étonnement de Taryn paraissait tout à fait réel, se réjouit Chance. Elle faisait des progrès à vue d'œil.

— Tiens ! Je ne l'aurais pas cru…

— Il a été très bon pour elle. Après tout ce temps, il aurait pu l'oublier et mener sa propre vie, mais il est toujours venu la voir, deux fois par semaine, toute l'année, sans faute. Et ce ne sont pas des visites rapides. Il s'assied auprès d'elle et lui parle pendant des heures.

— Il a l'air particulièrement dévoué…

— Oh, oui, nous aimerions bien que les familles de tous nos patients le soient autant que lui.

— Où pouvons-nous le trouver ? demanda Chance.

L'infirmière sourit.

— On voit bien que vous avez quitté la région depuis longtemps. M. Ramsey est probablement à l'un de ses bureaux en ville. Vous pouvez essayer la Ramsey Oil Company, la Ramsey Cattle Company ou encore la Ramsey Land Company.

— Entrez ! Entrez donc !

Garth introduisit ses visiteurs et en profita pour examiner Chance à la dérobée. Pour une fois, Carter n'avait pas exagéré. Voir cet homme en chair et en os ne laissait que peu de doutes sur son identité réelle. Les hautes pommettes indiennes, le pli rebelle, bien écossais, de la bouche et les yeux sombres qui semblaient refléter la lumière…

Il s'était toujours cru bien armé pour affronter le passé, mais cette confrontation le rendait nerveux. La vue de Kyle Makepeace le considérant de son regard sombre et grave lui faisait remonter le temps, jusqu'à ses dix-sept ans, si décisifs pour la suite de son existence. La dame ou demoiselle à ses côtés était bien jolie à regarder, mais cela n'avait rien d'étonnant : Kyle avait toujours eu bon goût en matière de femmes… Ellen, aussi, avait été très belle, avec ses cheveux blonds et ses yeux verts ensorcelants. Au fond, c'était Kyle qui l'avait fait rêver d'elle, de ses yeux et de longues soirées au bord de la rivière, à deux sur la même couverture.

L'air de rien, il posa un instant sa main sur l'épaule de la visiteuse. Cette femme avec ses yeux bleus et sa peau de velours lui mettait instantanément les sens en feu. L'âge venant, il préférait décidément l'embrasement du sexe au romantisme !

Elle regardait le bureau autour d'elle avec curiosité, tandis que Kyle s'asseyait, très raide dans un fauteuil, avec l'air traqué d'un animal que l'on menait à l'abattoir.

La jeune femme s'approcha d'une photo : c'était celle où il était à la Maison-Blanche. Elle écarquilla les yeux de surprise.

— Vous êtes avec le président, là… s'étonna-t-elle.

Il eut un petit sourire satisfait. Il n'était décidément pas bien difficile de faire bonne impression.

— Eh oui… j'étais avec une délégation d'entrepreneurs du Texas. Il y a eu un dîner officiel, et ensuite j'ai passé la nuit dans la chambre de Lincoln.

Elle hocha la tête et il eut un petit frémissement de plaisir en la devinant favorablement impressionnée.

Et tu n'as pas tout vu, ma belle, attends un peu le reste…

Il laissa son regard descendre de son joli visage à ses seins parfaits, puis le long de ses autres courbes. Une silhouette qui méritait la caresse de la soie. Et surtout d'être nue…

— Ce sont là quelques bons souvenirs, reprit-il de l'air très étudié du monsieur qui a réussi mais n'en fait pas une histoire.

— Je vois ça, commenta-t-elle en faisant le tour des trophées accrochés aux murs. Vous semblez avoir accompli beaucoup de choses en quinze ans…

Pour la dévorer des yeux à son aise, il s'installa dans son fauteuil directorial et le cuir en crissa délicatement. Cette femme-là devait cacher son jeu. Cette tenue décontractée, ce maintien modeste et naturel dissimulait probablement un tempérament de feu. La séduire serait une vraie conquête, rien à voir avec le genre de poupées trop dociles qui se jetaient volontiers à son cou. Un véritable défi…

— Vous voulez connaître mon secret ?

Elle haussa légèrement les épaules, mais il ne se découragea pas pour autant.

— Le foncier, se rengorgea-t-il, cachant mal sa lubricité et son désir de cette peau douce qui le fascinait. J'ai fait tant de juteux investissements en rachetant et en vendant des terres qu'ensuite j'ai pu financer n'importe quel projet…

Il se tourna vers Chance.

— Tu te souviens de l'été où je suis allé travailler chez mon oncle ?

— Non, répondit-il assez sèchement.

Décidément, songea Garth, Kyle savait toujours se montrer très mauvais coucheur…

— Eh bien, c'est là que j'ai entrevu le principe pour la première fois. Seulement, mon oncle Walden était trop pusillanime. Il avait peur de prendre des risques…

— Et pas vous, apparemment !

Il la dévisagea de nouveau : cette jeune femme savait attirer son attention.

J'ai eu Ellen et je t'aurai aussi, ma jolie…

— On n'a rien sans rien, vous savez… répondit-il, tout sourire.

— Cela vous a réussi, c'est évident.

Elle essaya de prendre la main de Kyle, mais celui-ci l'ignora.

— Chance et moi aimerions passer voir votre femme, dit-elle encore.

— Chance ? s'étrangla-t-il.

Celle-là, c'était la meilleure. Se faire appeler Chance, comme s'il en avait besoin, l'animal ! Il avait donc changé d'identité et embobiné cette fille. Il avait même réussi à garder son secret pendant quinze ans. Alors pourquoi voulait-il le briser maintenant ?

— Pourquoi as-tu changé de nom ? lui demanda-t-il tout à trac.

A peine eut-il posé la question que son regard revint immédiatement se poser sur sa compagne. L'inquiétude rendait ses yeux si grands ouverts et d'un bleu si profond qu'il en fut ému. Il y avait bien longtemps qu'une femme n'avait pas autant fait monter sa tension…

— Depuis qu'on m'a retrouvé, à demi noyé et ayant perdu la mémoire, au bord de la rivière…

Pas plus commode que l'ancien, le nouveau Kyle… Il se tenait toujours très droit et la colère bouillonnait en lui.

Justement, il avait envie de l'attiser un peu, cette colère, de défier Kyle…

— Toi, amnésique ? Non, mais tu plaisantes ! fit-il en se penchant vers lui au-dessus de son bureau. C'est moi, Garth, ton vieux copain. Tu n'es pas obligé de me raconter des histoires, tu sais…

— Je n'ai aucun souvenir de vous.

Garth leva les sourcils.

— Non ? C'est intéressant, étant donné que tu m'as dit tous tes secrets. Je sais que c'est ta faute si Kent a été pris dans un conduit d'irrigation, quand vous aviez cinq ans. Je sais où tu as volé ta première bouteille de mauvais whisky et à qui. Et aussi qui était la première fille avec qui tu as couché…

— Bon, ça suffit, maintenant ! Nous sommes venus voir Ellen…

— Mais tu cherches des réponses, j'en suis sûr…

Cette mâchoire qui se serrait, cet emportement… Garth les savourait : c'était des victoires, des revanches.

— Acceptez-vous de nous laisser parler à Ellen ? demanda sa compagne à son tour.

Sa voix était tendue et rapide, remarqua Garth. Elle est sur les dents, elle aussi. Jusqu'où irait-elle, pour lui ?

— Pourquoi voulez-vous la voir ?

De toute façon, elle ne pourrait rien leur dire. De cela, au moins, il était sûr.

— Je veux savoir ce qui m'est arrivé il y a quinze ans.

Est-ce que Kyle souffrait vraiment d'amnésie ? Le rapport médical qu'il avait réussi à se procurer le prétendait, mais il avait toujours cru à une manœuvre frauduleuse. Si sa perte de mémoire était bien réelle, cela le rendait quasiment inoffensif et il tenait là sa chance de conserver tout ce qu'il avait acquis. Et si, pour encore plus de sûreté, un accident lui arrivait un peu plus tard sur la route, qui pourrait le reprocher au riche entrepreneur qui avait été son camarade de lycée ? Tout le monde savait bien, dans le coin, que Kyle Makepeace conduisait comme un fou.

— Ce qui est arrivé, c'est que ton frère et toi, vous avez fait les idiots…

— Comment ça, les idiots ?

Les yeux de Garth s'étrécirent.

— J'étais là, tu sais…

— Au bord de la rivière ? l'interrompit sa compagne, éberluée.

Garth acquiesça sans la regarder.

— Kent et toi, vous…

— Comment savez-vous qu'il est Kyle ? le coupa-t-elle de nouveau.

Il haussa les épaules.

— Kent ne savait pas nager…

Il désigna le visage de Chance.

— Et puis, il y a le nez… Kyle avait eu le sien cassé plusieurs fois.

— Cela ne prouve rien. Chance avait été très malmené par les rochers et le bois flottant, quand on l'a retrouvé.

— Laisse, lui intima Chance.

Puis il se tourna vers Garth :

— Continue…

— Tu t'es mis en rogne à propos d'Ellen et de Kent, et tu es allé trop loin. Tu n'as jamais su t'arrêter, en fait…

— Ce n'était pas Chance, intervint encore sa compagne en secouant la tête. Et d'ailleurs les journaux parlaient d'un accident. Ils étaient partis nager et…

— Kent n'a jamais su nager. Son frère l'a poussé dans la rivière.

— Nous nous disputions à propos d'Ellen ?

Kyle semblait avoir du mal à respirer. Il était si tendu qu'on l'aurait fait basculer d'une pichenette.

Son épouse chercha sa main, mais il la lui retira. Décidément, tout n'allait pas pour le mieux dans le meilleur des mondes, songea ironiquement Garth. Quel dommage…

— Kyle avait largué Ellen. Elle l'a supplié de la reprendre. Kent s'en est mêlé et il a fini dans la rivière pour lui apprendre à se mêler de ses affaires…

Voilà, elle était en colère, remarqua-t-il. Les petites rides, autour de ses yeux, semblaient lancer des étincelles. En faisait-elle aussi, au lit ? Sûrement ! Un véritable ouragan, il en était sûr, prêt à foudroyer un homme d'une inoubliable façon.

— Comment Ellen et Kyle ont-ils fini dans la rivière ? demanda-t-elle.

Cette femme le troublait beaucoup, mais il ne devait pas trop se laisser distraire. C'était Kyle qui représentait un danger pour lui, pas elle. Et il devait savoir à quel moment exact ce fou furieux avait perdu la mémoire, si tant est qu'il l'ait effectivement perdue.

— Ellen s'est jetée à l'eau pour sauver Kent, et Kyle, ensuite, pour l'en empêcher.

De nouveau, elle intervint.

— Je ne veux pas croire qu'il y ait autant de haine entre deux frères, que l'un des deux laisse l'autre se noyer.

— Vous ne les connaissez pas…

— Continue… lui demanda Chance.

Il avait la voix tout à fait éteinte. Un bon point.

— Et vous ? Où étiez-vous ? Que faisiez-vous pendant ce temps ? reprit-elle, un bras autour de son ventre.

Voir l'homme qu'on aimait accusé d'être un assassin ne devait pas être bien agréable, songea Garth.

Ne t'inquiète pas, ma jolie, je te le ferai oublier…

— J'étais dans la clairière quand j'ai entendu leurs disputes. Quand je suis arrivé, il était déjà trop tard.

Il avait une grande habitude de ce conte et veillait attentivement à ne se trahir par aucun langage du corps. C'était vital, il devait jusqu'au bout jouer les braves types dans cette affaire.

— Kyle était très coléreux. Il s'était retrouvé dans un nombre incalculable de bagarres au lycée. Et il aimait le danger. On lui avait retiré son permis de conduire six mois auparavant, en raison de ses nombreux excès de vitesse. Le shérif l'avait souvent enfermé dans ses locaux, pour de nombreuses violences. Il détenait une sorte de record, pour un lycéen…

Il ponctua son récit d'un rire bref, en gardant l'œil sur Kyle. Celui-ci semblait décidément ne se souvenir de rien. Lui, il s'en rappelait une bonne…

— Une fois, reprit-il, il a même mis un veau, la mascotte d'un rodéo, dans le bureau du proviseur. Et on a bien rigolé, sauf M. Talberg… Et il a fallu une journée entière à Kyle pour nettoyer la… enfin, vous voyez ce que je veux dire.

— Qu'est-il arrivé à Ellen ? dit la jeune femme, l'interrompant.

Il se tourna vers elle. Le sourire qu'il lui adressa se voulait confiant, séducteur et assuré. Celui d'un homme qui savait qu'il ne pouvait que gagner.

Tu ferais bien de t'en apercevoir, ma jolie, tu es avec un pauvre type…

— Ellen a subi un grand choc. Elle n'en est pas morte, mais son esprit est en quelque sorte resté prisonnier de ce souvenir. D'après les médecins, physiquement, elle n'a aucune séquelle, mais elle ne peut pas supporter le traumatisme que le garçon qu'elle aimait ait voulu la noyer. Alors elle s'est réfugiée dans son monde, où nous ne pouvons l'atteindre que très partiellement.

La jeune femme se leva et, toujours loyale comme une vraie lionne, vint poser sa main sur l'épaule de son mari. Il tressaillit à ce contact.

— Pourquoi l'avez-vous épousée, si elle est dans cet état ? demanda-t-elle.

Elle le fixait, le menton levé, et ses yeux lançaient des éclairs. Il devait le reconnaître : elle avait beaucoup de cran.

— Parce que, voyez-vous, j'aime Ellen depuis toujours. C'est pour ça que j'étais au bord de la rivière, ce fameux jour, pour tenter de la protéger de Kyle.

Il regardait celui-ci, bien en face.

— Et c'est ce que je fais, aujourd'hui. Je la protège de Kyle.

— Il n'est pas celui que vous dites. C'est Chance Conover, le shérif de Gabenburg.

Tant de dévotion ! C'en était touchant… Et quelque peu archaïque.

— J'admire beaucoup votre loyauté. C'est une qualité rare, de nos jours. Mais je connais les frères Makepeace depuis l'enfance. S'il y a sur terre quelqu'un d'assez dur et mauvais pour survivre aux rapides de la Red Thunder, c'est bien Kyle. Et je ne le laisserai pas déranger la vie d'Ellen après toutes ces années !

Ni surtout détruire le beau petit système que j'ai échafaudé et mis en place…

Elle se pencha au-dessus du bureau pour le regarder encore plus droit dans les yeux.

— Même s'il a été ce Kyle autrefois, il est un homme tout différent, à présent.

— Laisse, chérie… soupira-t-il.

— Différent, alors qu'il prétend ne pas se souvenir de qui il est ? ricana Garth.

— Il ne le prétend pas, il est amnésique !

— Ça suffit ! gronda Chance.

Garth le défia du regard.

— Tu crois que tu peux me faire avaler ton histoire d'amnésie ? A elle, peut-être, mais pas à moi. Il m'en faut un peu plus. J'ai bien voulu vous recevoir tous les deux, en souvenir du bon vieux temps, mais je protège ce qui est à moi !

Chance se leva d'un bond, comme un fauve, fit le tour du bureau en deux enjambées et saisit Garth par le devant de sa chemise. Son visage à quelques centimètres du sien, il lui parla d'une voix basse et menaçante.

— Et pourquoi, à ton avis, je simulerais l'amnésie ?

Garth eut un ricanement.

— Pour éviter d'être accusé de meurtre, par exemple…

Chance s'arrêta net et vacilla, comme si Garth l'avait frappé. Il le lâcha et ses bras retombèrent le long de son corps.

— Un meurtre, Chance ? Non, non, pas lui ! balbutia la jeune femme en secouant la tête.

— Et tu n'as pas pris qu'une seule vie, Kyle, tu en as détruit une autre aussi, déclara Garth. Un avenir brillant… Ellen venait d'être acceptée à l'école vétérinaire, tu savais, ça ?

— Viens, Chance, allons-nous-en, supplia-t-elle.

Garth se leva pour le défier encore, mais en gardant le bureau entre eux, quand même…

— Tu croyais que Carter allait oublier ? Tu croyais vraiment qu'il allait te laisser t'enfuir, après que tu as brisé tous ses espoirs ? Mais si je te disais que ta tête est mise à prix, Kyle… tu le savais, ça ? Non, n'est-ce pas ? Eh bien, vois-tu, je vais me montrer magnanime. En l'honneur du passé, je vais te permettre de disparaître avant qu'il ne mette la main sur toi.

La jeune femme prit le bras de Chance et tenta de l'entraîner.

En se regardant dans le miroir, par-dessus l'épaule de son interlocuteur, Garth rajusta son col et sa cravate. Déplaisant incident, mais il gardait l'avantage…

— Au fond, dit-il avec un sourire mauvais, je pense que ça peut être bon pour toi de voir Ellen. Tu t'apercevras alors de ce que tu as fait, et, qui sait ? ça t'incitera peut-être à prendre tes responsabilités…

Il pressa le bouton de l'Interphone.

— Mary, annulez tous mes rendez-vous de cet après-midi, je vous prie…

9

Un peu plus tard, les doigts crispés sur le volant, Chance se forçait à se concentrer sur la circulation dans Chestnut Street et à surveiller les feux tricolores. Il n'avait pas besoin du souffle frais de l'air conditionné pour régler la température, ses pensées suffisaient à le glacer jusqu'à l'os.

Les fameuses images tourbillonnaient dans son esprit, mais venaient toujours se fracasser aux parois infranchissables de sa mémoire. Depuis des jours et des jours, il espérait que ce cauchemar récurrent n'était rien d'autre, comme l'avaient dit les médecins, qu'une séquelle d'un traumatisme passé. Il avait secrètement espéré qu'il y eût une explication logique au sang, aux yeux vides, aux mains qui noyaient…

En un certain sens, il y en avait bien une…

Le cauchemar était réel.

Il avait laissé son frère jumeau se noyer et empêché celle qui l'aimait de le sauver. Il l'avait d'ailleurs presque tuée, elle aussi.

Les couleurs, les images, les sentiments. Tout était réel.

La colère, aussi, qui faisait toujours rage en lui et visiblement l'avait toujours poussé, dans sa vie, à des actions désastreuses.

N'avait-il pas failli perdre son sang-froid dans le bureau de Garth et se laisser aller à frapper cet homme qui lui apportait pourtant ce qu'il désirait ardemment depuis le début : la vérité…

— Tu as tort de prendre tout cela pour parole d'Evangile, lui dit Taryn d'une toute petite voix.

Voilé de lourds nuages d'inquiétude, le ciel bleu de ses yeux lui demandait l'impossible : l'oubli et le retour. Sa peau délicate paraissait presque trop pâle sous la lumière blanche du soleil au zénith. Et jamais des rides d'inquiétude n'auraient dû enlaidir son joli front, sa peau aurait dû être lumineuse de bonheur, sa bouche, rieuse, et ses yeux auraient dû faire des feux de joie.

Je protégerai ce qui est à moi. Il avait à la bouche un goût de fiel.

— Il m'a très bien connu… répondit-il d'une voix sépulcrale.

Il aurait préféré de beaucoup ne pas croire ce que lui disait Garth, mais chaque nouveau détail qu'il lui apprenait corroborait ses visions, leur donnait du sens et du poids.

— Ça n'est pas pour autant qu'il dit la vérité ! dit Taryn.

— Il sait des choses que seuls ceux qui se trouvaient là, ce fameux jour, peuvent savoir…

Kyle s'est jeté à l'eau pour empêcher Ellen de sauver son frère…

Les rides d'inquiétude s'accentuèrent sur le visage de Taryn.

— Il ne dit pas la vérité, reprit-elle.

— Pourquoi donc mentirait-t-il ?

Kyle était d'un tempérament coléreux.

— Je ne l'aime pas, affirma-t-elle.

— Tu ne l'aimes pas parce que tu ne veux pas entendre la vérité et que cela ne colle pas avec ce que tu considères comme la réalité.

Ellen n'a pas pu supporter le traumatisme de se voir à demi noyée par le garçon qu'elle aimait.

— Mais quelle réalité, Chance ? C'est toi qui ne la vois pas.

Il serra les dents.

— La réalité, c'est que Kyle essayait d'empêcher Ellen de sauver Kent, ce qui explique parfaitement l'image que je vois dans ma tête, où je la pousse sous l'eau.

Elle se tourna sur son siège pour lui faire face, une main en protection sur son ventre.

— Non ! Ton cauchemar montre plutôt que tu as été poussé à l'eau !

Respirer, respirer, respirer à tout prix, se rappela-t-il. Le cœur qui bat, qui bat. Les longs cheveux blonds dans le courant. Le sang qui coule d'une blessure à la tempe, tout près des cheveux… Les mains qui poussent, qui poussent sous l'eau, qui noient…

— Attention ! s'écria Taryn.

Chance n'eut que le temps de chasser les maudites images et d'appuyer sur le frein pour éviter de percuter l'arrière d'un minivan.

— La vérité n'est pas toujours aussi belle et propre qu'on le voudrait, marmonna-t-il.

Il sentait un grand vide se creuser en lui. Il aurait aimé mériter cette extraordinaire loyauté ! Mais il en était loin…

Toutefois, elle sembla se reculer un peu. Avait-elle peur de lui ? Elle aurait bien dû…

— Le Dr Benton disait que… commença-t-elle.

— Ah, je me fiche de ce que raconte cet imbécile de psychiatre ! Je sais ce que je vois, et ce que je vois, c'est la mort !

Elle se détourna et regarda ostensiblement le paysage par la portière.

— Je ne crois pas que tu aies raison de vouloir revoir Ellen, murmura-t-elle.

Etait-ce parce qu'elle tenait absolument à préserver l'image qu'elle avait de lui, qu'elle se refusait très obstinément à voir la vérité en face ?

— Il faut que je la revoie.

Comment pourrait-il, sinon, commencer à réparer ? Garth avait raison. Il devait faire face à ses responsabilités. Il avait essayé d'oublier et de fuir, mais les crimes que vous avez commis vous poursuivent et vous hantent.

— Il faudrait vérifier, Chance, et c'est ce que tu ferais si tu étais toi-même. Tu ne te contenterais pas des dires d'un individu qui ne t'est rien et dont le moins qu'on puisse dire est qu'il n'inspire guère confiance…

Il eut un ricanement bref en freinant devant un feu.

— Il n'y a pas, il n'y a plus de Chance Conover, shérif de Gabenburg, Texas… Il n'existe pas.

Le feu passant au vert, il embraya et accéléra.

— Je ne suis pas un policier, Taryn. Je ne suis même plus bien sûr de qui je suis…

Elle le regardait avec amour et compassion, il le sentait, mais se refusa à croiser son regard.

— Tu es mon mari et je t'aime, insista-t-elle. Tu es aussi mon meilleur ami. Je ne te laisserai pas l'oublier.

Le policier, le mari, l'ami. Tout cela, c'était bâti sur un mensonge. Il était temps d'affronter la réalité.

— Voir Ellen est justement, répondit-il, une forme de « vérification ».

— Je ne te laisserai pas abandonner la partie.

Pelotonnée sur son siège, elle avait l'air d'une petite fleur fragile au bord d'un chemin abondamment piétiné. S'il n'y prenait pas garde, il la détruirait. Il aurait voulu hurler sa honte et son désarroi.

— Mais je n'abandonne pas… soupira-t-il.

Le temps était venu de prendre toutes ses responsabilités, quelles qu'en soient les conséquences.

La porte du Pine Creek Home tourna de nouveau sur ses gonds et la même infirmière brune apparut. Mais cette fois, nota Taryn, un sourire extatique était sur ses lèvres.

— Oh ! bonjour, monsieur Ramsey !

Elle regardait Garth comme s'il était un dieu descendu de l'Olympe. Taryn faillit pouffer nerveusement de rire, en voyant l'adoration se peindre sur son visage.

Elle aussi avait été sensible au charme de l'homme d'affaires. Au moins, pendant une minute ou deux. Mais très vite il lui avait fait penser à un chien de race pomponné pour un concours. Puis elle avait assisté à sa parade assez pathétique de monsieur-qui-avait-réussi, et l'avait trouvé finalement bien creux.

Elle avait eu peur, aussi. Non pas pour elle, une femme comme elle n'avait rien pour intéresser un homme comme lui. Mais ce genre de fanfaron n'avait aucun respect pour la vie d'un homme. Sur l'échelle des valeurs de Garth Ramsey, Chance restait certainement tout en bas, d'autant qu'il acceptait un peu trop volontiers un blâme qu'il ne méritait pas…

Chance n'était plus habité, désormais, que par un immense

remords et elle ne savait plus quoi faire pour le réconforter. Elle avait espéré combler le fossé entre eux en restant à ses côtés, mais il était en train de s'élargir. Elle risquait bien de le perdre à cause de ses maudites images, qui l'empoisonnaient.

Que se passerait-il s'il choisissait de redevenir Kyle ? Que deviendrait-elle ? Et son bébé ?

— Par ici…

Garth les entraîna le long d'un couloir du deuxième étage où une épaisse moquette lie-de-vin assourdit leurs pas.

Le Pine Creek Home n'avait rien de la froide atmosphère de clinique à laquelle elle s'attendait : pas de murs blancs ou verts, mais des revêtements aux tons délicats beiges ou roses, de temps en temps rehaussés d'un rien de bordeaux ou de noir. Elle sentait même, de-ci de-là, le parfum de fleurs sauvages.

N'était le petit guichet de surveillance pratiqué dans la porte de la chambre, on aurait pu se croire dans les pages d'un magazine de décoration.

A l'intérieur, des rideaux aux délicats tons pastel voilaient les fenêtres, assortis au baldaquin du vaste lit, que l'on aurait cru destiné à l'usage d'une princesse, plutôt qu'à la malheureuse pensionnaire à vie d'un centre hospitalier. Les rayons du soleil filtraient à travers les voilages et venaient jouer sur une collection de chevaux en cristal, disposés sur la commode.

Mais elle eut un choc en découvrant Ellen : une frêle silhouette à la peau presque translucide, drapée dans un peignoir blanc, un châle d'un vert très clair sur les épaules et des cheveux blonds cascadant jusqu'à la taille. On eut vraiment dit une héroïne de conte de fées rêvant à son prince, songea Taryn, sauf qu'une infirmière était obligée de la nourrir à la cuillère et que ses yeux verts semblaient fixés dans le vide. Rien ne passait sur son visage, elle faisait penser à une porcelaine de Chine oubliée sous la pluie.

— Ellen, ma chérie, je t'ai amené des amis.

Elle n'eut aucune réaction, ne leva pas même les yeux vers eux, se contentant d'ouvrir la bouche pour accepter une nouvelle cuiller de potage.

Garth prit sa main et s'assit sur le matelas à côté d'elle. Du doigt, il lui fit tourner le menton vers lui. Agacée, elle fronça les sourcils et émit un curieux petit gémissement de protestation.

— Là, là, ma chérie. Tout va bien. Regarde qui est là…

Il lui tourna le visage vers Chance.

Celui-ci avait l'air d'un condamné attendant son exécution et retenant son souffle avant d'être déchiré par la salve.

Ellen se mit alors à gémir comme un animal blessé. Ses efforts désespérés pour se redresser et bondir hors du lit firent jaillir en tous sens plateau, bol de soupe, serviettes et couverts. Elle était comme un animal, une bête blessée et paniquée, tentant de fuir.

Garth la retint.

— Là, tout va bien, ma chérie, n'aie pas peur. Il ne te fera plus de mal, je te le promets. Je te protégerai…

Taryn était médusée. Les cris et les larmes d'Ellen lui déchiraient le cœur. Elle voulut s'avancer pour offrir son aide, mais Garth l'en dissuada en secouant la tête. Puis il échangea un regard bref avec l'infirmière et celle-ci quitta immédiatement la chambre.

— Je crois qu'il vaut mieux que vous partiez, maintenant, leur dit-il enfin.

Taryn acquiesça, mais Chance restait comme foudroyé, vissé sur place, interdit et pâle comme un linge. Tous les fantômes qui le torturaient semblaient s'être donné rendez-vous dans ses yeux et sur son visage.

Taryn sentait les larmes lui brûler les yeux. Non, ce n'était pas vrai, ce n'était pas possible. Garth venait de confirmer la réalité du cauchemar de son mari. Elle aurait voulu se jeter sur lui et étrangler cet homme qui assassinait ses rêves et son avenir de façon si brutale et irréfléchie.

Elle n'en fit rien.

Elle se contenta de s'approcher de Chance et de prendre son bras. Il était tendu comme un câble d'acier et la douleur profonde dans ses yeux lui déchira le cœur.

— Allons, viens, Chance, allons-nous-en…

Mais, le regard toujours fixé sur Ellen, il ne bougeait pas, comme s'il n'avait rien entendu. La malheureuse se tordait en tous sens et finalement échappa à l'étreinte de Garth. Elle tendit ses bras décharnés, le visage déformé par la peur et le chagrin. Les larmes coulaient à flots sur ses joues et elle poussa un cri parfaitement inhumain :

— Kyyyyyyyyle !

Il chancela comme si on l'avait frappé.

— Kyyyyyyyyle ! Kyyyyyyyyle !

— Mais va-t'en, bon Dieu ! lui intima Garth en tentant de la retenir.

La porte de la chambre s'ouvrit et l'infirmière revint en trombe, une seringue à la main qu'elle planta immédiatement dans le bras d'Ellen. Le cri, alors, ne fut plus qu'une plainte :

— Kyyyle !

… Et elle s'effondra dans les bras de son mari.

A demi aveuglée par les larmes, Taryn entraîna Chance hors de la chambre, du couloir, puis du pavillon, pour se réfugier avec lui dans la camionnette.

Elle voulait pouvoir pleurer tout son soûl, exprimer toute sa douleur et que quelqu'un lui dise enfin que tout irait bien.

Mais rentre donc chez toi, lui disait cependant une petite voix intérieure insistante. *Tu es enceinte… Tu dois prendre du repos et non pas courir dans une quête sans fin. Il n'y a aucun homme qui vaille un sacrifice pareil.*

Non ! Elle n'était pas comme sa mère.

Pas question de fuir comme une pauvre fille rejetée, ni de se réfugier dans le silence en laissant son monde s'écrouler.

Tout cela n'avait aucun rapport avec le Chance qu'elle connaissait. Il était égaré, confus et blessé. Pourtant, l'homme qu'elle aimait existait toujours, quelque part, emmuré dans ses souvenirs.

S'il ne parvenait pas à se retrouver, elle, elle y parviendrait.

Assise sur la banquette avant, à côté de Chance qui ne bougeait pas, elle essuya ses larmes d'une main et chercha quelque chose dans son sac, de l'autre. Elle prit son téléphone portable et composa le numéro d'Angus.

— Oui ?

— Angus, c'est Taryn. Dites-moi, c'est très important :

que portait Chance, quand vous l'avez trouvé sur la berge de la rivière ?

— Comment ça ? Pourquoi tu me demandes ça ?

— Je vous expliquerai. Quels vêtements portait-il ?

— Mais, Taryn, je…

— Je vous en prie, Angus, répondez !

Il y eut une seconde de silence, puis :

— Pas grand-chose, en fait. Juste un jean, qui était en lambeaux. Tout son corps était tailladé par les rochers et les branches, et il avait abondamment saigné dans l'eau.

— Portait-il un ceinturon ?

— Non.

— Des bottes ?

— Non plus.

— Une chemise, un T-shirt ?

— Non, je te l'ai dit, il était torse nu. Taryn, vas-tu me dire ce qui se passe ?

Pas de ceinturon à boucle de rodéo, pas de bottes de cow-boy, rien qui l'identifie formellement comme Kyle. Cela ne prouvait rien, bien sûr, mais ne confirmait rien non plus.

Elle s'interrogeait, perplexe. Même après avoir vu son mari mener des enquêtes durant dix ans, elle ne savait pas comment exploiter cette information qui lui paraissait pourtant décisive. Angus, lui, saurait certainement ce qu'il fallait en déduire et quelle décision il fallait prendre.

— Chance croit qu'il est Kyle Makepeace, reprit-elle. Un garçon qui serait responsable de la mort de son frère jumeau ainsi que de l'enfermement d'une jeune fille qui a, en réaction, à peu près perdu l'esprit. Mais je suis sûre qu'il se trompe, Angus, j'en suis certaine. Cela ne lui ressemble pas. Oh ! Angus, que dois-je faire ?

Son beau-père hésita une seconde au bout du fil.

— Je pense… Que tu devrais rentrer, mon petit.

Non, jamais. Abandonner, c'était le trahir.

— Je ne peux pas quitter Chance.

— Il faut le laisser. Il doit réfléchir à tout cela sans ton aide…

… Et retourner au point de départ : c'est-à-dire être seule

et enceinte. Allait-elle devenir un cœur brisé et froid, comme sa mère ? Quel serait l'avenir de leur enfant si elle acceptait d'être, pour lui, un tel exemple ?

Bien sûr, la mère de Chance pourrait s'occuper de lui et contrebalancer son influence, mais elle ne voulait pas d'une telle vie. Si elle ne se battait pas, elle le regretterait toujours, comme sa mère.

— Angus, reprit-elle, vous voulez faire quelque chose pour moi ?

Son cœur battait à tout rompre et elle avait, de nouveau, l'estomac retourné. Elle n'était pas même sûre d'aller dans la bonne direction. Et si elle se trompait ? Elle avala sa salive avec difficulté. Eh bien, si c'était le cas, elle aurait tout de même lutté. Pas question d'abandonner, c'était pour le bébé.

— Tout ce que tu veux, Taryn, tu le sais bien.

— Alors, voyez ce que vous pouvez trouver sur un certain John Henry Makepeace. Il est mort, mais quelqu'un s'occupe certainement d'entretenir sa propriété et je dois trouver cette personne.

— Taryn, mon chaton, je ne crois pas que ce soit une très bonne idée…

— Angus, je vous en supplie, faites-moi confiance. Chance a besoin de savoir la vérité, toute la vérité, pas les morceaux épars qu'il a trouvés pour l'instant.

Il y eut encore une hésitation et Angus demanda :

— Comment va-t-il ?

Elle lança un regard furtif de côté, sur Chance. La violence du choc émotionnel était toujours visible sur son visage. Mais il était fort et elle avait confiance dans son instinct de survie. Comment, autrement, son cerveau aurait-il pu effacer, par deux fois, les souvenirs de cette tragédie ? Pas question de le laisser se condamner et se donner lui-même le coup de grâce. Elle voulait seulement, comme le psychiatre l'avait suggéré, recréer toute la scène et lui démontrer qu'il s'était trompé. Elle parviendrait à mettre au jour les souvenirs qu'il ne retrouvait pas. La nature d'un être ne pouvait pas changer ainsi du tout au tout, et Chance était un homme bon.

— Je pense que tu ne sais pas vraiment à quoi tu te prépares, reprit Angus.

— Que voulez-vous dire ?

— Qu'à la place de Chance j'aurais fait comme lui : je serais parti et je t'aurais laissée à la maison.

— Je vous aurais suivi.

— Je le sais bien ! marmonna Angus.

Chance réprima un soupir. Il ne pouvait échapper à la boucle sans fin qui l'obsédait et l'enfermait dans une logique infernale et destructrice. Il était Kyle. Il avait laissé son frère se noyer et il avait fait d'une jeune fille pleine de promesses une sorte de coquille vide. Elle était devenue folle, un légume qui ne goûtait plus rien de la vie.

— J'ai regardé les pages d'annuaire que tu as photocopiées à la bibliothèque…

Le froissement des feuillets, la voix de Taryn et aussi les rumeurs du restaurant, autour d'eux, le tirèrent de ses pensées.

— … Nous pourrions vérifier quelques noms, voir si certains des amis des jumeaux vivent toujours à Lufkin, poser des questions…

Il fixa l'œil très bleu de Taryn. Le pouvoir hypnotique de ce regard le saisit tout de suite, lui faisant refouler dans sa gorge une boule de détresse.

Il aurait voulu accepter avec simplicité son amour, mais il n'en avait pas le droit. Il n'était pas vraiment Chance Conover, l'homme qu'elle avait connu. Il était Kyle Makepeace, un homme dont la fureur avait détruit la vie de gens qu'il était supposé aimer. Il n'avait pas la moindre intention de lui faire du mal, mais ce serait sans doute inévitable si elle restait auprès de lui. Il allait devoir mettre de la distance entre eux.

— Tu veux des confirmations, dit-il, agacé. Eh bien, allons-y !

Il appela la serveuse et lui demanda un annuaire téléphonique.

Une heure et deux sodas au gingembre plus tard, ils avaient pu parler à trois des anciens camarades de classe de Kyle et Kent. Les trois en firent un portrait peu reluisant. Deux avaient eu à subir les effets de la colère de Kyle : l'un pour s'être moqué de son cheval, l'autre pour avoir fait une réflexion à propos de l'une des fréquentes absences de son grand-père. La personnalité de Kent était beaucoup plus floue dans leurs souvenirs.

Deux de leurs autres anciens camarades refusèrent même catégoriquement de parler d'eux et raccrochèrent immédiatement.

— Tu es satisfaite ? lança Chance.

— Encore un, répondit-elle en feuilletant l'annuaire d'une main et en se massant le ventre de l'autre.

— Qu'est-ce qui t'arrive ? demanda-t-il.

Surprise, elle leva les yeux.

— Comment ça ?

— D'abord, tu dévores comme si tu n'avais pas mangé de toute la semaine, et ensuite tu n'as pas l'air bien du tout.

Elle se garda de répondre et mit le doigt sur un nom dans l'annuaire.

— Il y a deux Talberg, remarqua-t-elle.

— Talberg ?

— Le proviseur du lycée. Garth Ramsey a parlé de lui…

— Cela fait deux jours que tu n'as pas l'air bien…

— Ecoute, je ne suis pas malade, c'est juste…

Elle ne put s'empêcher de se frotter le ventre de nouveau.

— Quoi donc ?

— Eh bien… J'ai besoin de mon petit déjeuner. Je ne devrais jamais en manquer un. Mais là j'ai trop mangé, c'est tout.

Pas bien convaincu par cette explication, il la regarda composer le numéro. Il aurait voulu la prendre dans ses bras, la consoler et lui dire que tout irait bien. Mais il ne pouvait pas, ne devait pas. Plus elle se tiendrait à l'écart de lui et mieux cela vaudrait.

— M. Talberg est à la pêche, reprit Taryn après quelques instants. Mais sa femme m'a dit qu'il nous recevrait volontiers.

— Tu es sûr que c'est ce que tu veux ?

Elle acquiesça et baissa les yeux sur son verre aux parois embuées.

— Même si tu interroges toute la classe, cela ne changera rien. Pourquoi tu ne le comprends pas ?

— Nous devons avoir toutes les données du problème. Tu n'as que trop tendance à vouloir prendre tout le blâme pour toi.

Il résista à l'impulsion de prendre sa main, elle l'avait souvent fait pour le réconforter. Mais, s'il la touchait, il ne pourrait plus la laisser partir, et ce n'était pas juste pour elle.

Il aurait bien aimé, lui aussi, que la vérité soit différente. Elle méritait d'être heureuse et ne pourrait pas l'être avec Kyle Makepeace.

— Toi, tu n'as que trop tendance à nier les faits, même quand ils crèvent les yeux.

Il désigna son verre.

— Tu as fini ?

Elle acquiesça. Il régla la note et ils retournèrent à leur camionnette.

Dans une circulation devenue plus fluide, ils roulèrent vers la limite de la ville, vers la petite maison de style ranch où le proviseur du lycée d'Ashbrook passait sa retraite.

Il n'y avait pas une ride à la surface de la jolie rivière dans laquelle Doug Talberg trempait son fil. De grands chênes penchaient leurs branches au-dessus de l'eau, et le soleil, à travers les feuilles, projetait une mosaïque d'ombres qui ressemblaient au cuir d'un alligator. Le vent, dans la ramure, se chargeait d'animer cette mosaïque et de donner vie à l'illusion.

M. Talberg était appuyé contre un tronc, une canette de bière dans une main, un livre dans l'autre. Il paraissait parfaitement adapté à sa vie de retraité. C'était à peine s'il regardait sa ligne. La prise de poissons n'était visiblement pas ce qui l'intéressait le plus.

— Monsieur Talberg, l'aborda prudemment Chance, votre épouse nous a dit que cela ne vous dérangeait pas trop si nous venions vous poser quelques questions.

— Le croiriez-vous, après trente-cinq ans de mariage, la très chère ne sait toujours pas que j'aime bien pêcher seul ! soupira l'ancien proviseur.

Il posa précautionneusement sa bière à côté de lui et cueillit une herbe, dont il se servit comme marque-page pour son livre.

— Nous ne vous dérangerons pas longtemps, lui dit doucement Taryn.

Il se leva en s'appuyant au tronc.

— Ah, les jumeaux, soupira-t-il. Comme vous vous y entendiez bien pour gâcher une bonne journée…

Il fronça les sourcils sous sa casquette à longue visière pour mieux examiner le visage de Chance.

— Par contre, lui dit-il, je ne vous remets pas exactement. Lequel des deux êtes-vous ?

— J'espérais que vous alliez pouvoir me le dire, lui répondit Chance.

M. Talberg haussa ses sourcils broussailleux.

— Ainsi donc, la rumeur est vraie…

— Quelle rumeur ?

— Que vous prétendez être amnésique.

On venait de le traiter de menteur pour la deuxième fois de la journée. Il n'était pas question pour Chance de le supporter. L'amnésie, c'était la seule chose, hélas, dont il était sûr.

— Je n'ai jamais cru que la rivière vous avait emporté, lui lança M. Talberg sans bouger de son tronc d'arbre.

Chance, surpris, ouvrit de grands yeux…

— Et pourquoi cela ?

Personne ne semblait remettre en cause le fait qu'il ait été quasiment avalé par la Red Thunder. En sous-entendant, d'ailleurs, qu'il méritait son destin…

— Teigneux comme vous étiez, elle aurait dû vous recracher tout de suite, expliqua le proviseur avec un sourire qui allait d'une oreille à l'autre.

Chance ne put s'empêcher de rire.

— Vous parlez de Kyle ou de Kent ?

— Pour le coup, plutôt de Kyle…

— J'ai même entendu dire que votre bureau avait reçu la visite d'un veau…

— … Et le réfectoire a toujours une tache d'huile au sol,

à l'endroit où vos copains et vous avez décidé d'y garer ma voiture…

M. Talberg sourit de nouveau.

— J'avais souvent l'impression, les jumeaux, que je vous connaissais mieux que votre grand-père lui-même. J'avais même vaguement dans l'idée que vous ne faisiez des bêtises que pour pouvoir venir ensuite m'en parler…

— Il ne semble pas qu'il ait été un garçon très heureux, hasarda Taryn, les mains jointes devant elle comme une écolière appliquée.

M. Talberg se mit à tourner la manivelle de son moulinet.

— Kyle n'était pas un mauvais diable. Simplement, il ne savait pas comment s'accommoder de toute cette colère en lui. Faire des rodéos l'y aidait… un peu.

Il haussa les épaules.

— Mais il lui aurait fallu quelqu'un qui sût le cadrer… ajouta-t-il.

— Lucille et Angus Conover l'ont recueilli et élevé comme leur fils, souligna Taryn.

M. Talberg hocha la tête.

— Un nouveau départ, c'est ce que j'espérais pour lui.

— Ils le lui ont donné, et maintenant il lui faut une autre chance, plaida Taryn.

M. Talberg vida sa canette de bière et l'écrasa distraitement dans sa main.

— Eh bien, pourquoi ne pas rentrer chez vous, alors ?

— Parce que je ne me contente pas d'un mirage, répondit Chance.

Aucune de ces anecdotes ne lui rendait Kyle Makepeace beaucoup plus sympathique…

— Alors, il faut croire que vous n'êtes pas le garçon dont je me souviens, répondit négligemment M. Talberg en nouant son mouchoir autour de la poignée de sa canne à pêche. Kyle, lui, il voulait tout : la gloire, la richesse, les filles… Il s'en donnait l'air, en tout cas. Moi, j'ai toujours pensé que ce dont il rêvait vraiment, au fond de lui, c'est quelqu'un qui l'attendrait, un jour, à la maison. Quelqu'un qui l'aimerait…

Il regarda Chance bien en face.

— Si c'est bien vous, il semble que vous ayez réalisé votre rêve… Pourquoi tout risquer, pour retrouver un passé que vous avez voulu fuir ?

— A quoi bon un rêve que l'on a bâti sur des mensonges ?

— Ah, cela, jeune homme, c'est un problème dont vous devrez trouver la clé par vous-même… Si vous voulez bien m'excuser, je crois que le poisson ne mordra plus aujourd'hui…

Taryn le remercia et ils prirent congé de lui.

Les poings serrés, bouillonnant de colère sans pouvoir l'extérioriser, Chance se remit au volant et tourna la clé de contact.

— Où allons-nous, maintenant ? lui demanda Taryn.

Il ne répondit pas, les yeux rivés sur la route.

— Chance… Tu ne vois donc pas ce que M. Talberg essaye de te dire ?

Qu'il avait tout sacrifié à un rêve égoïste ? Cela n'était pas vraiment une rédemption…

— Reste en dehors de ça, lui ordonna-t-il.

— Je ne peux pas. Pas quand je te vois comme ça…

— Je t'avais dit de rester chez toi.

— Ma place est ici, avec toi.

— Je suis Kyle Makepeace. C'est maintenant vérifié, établi. J'ai détruit la vie d'une femme. Qu'est-ce qui te fait croire que je ne détruirai pas la tienne ?

— Parce que ça n'est pas dans ta nature !

Il grinça des dents. Elle avait tort et elle avait raison. La nature profonde ne changeait pas. La sienne n'était que colère et violence.

— Il n'y a rien dans mon cœur, que du fiel.

— Alors, où allons-nous ?

— On retourne à Ashbrook.

Il allait la raccompagner à sa voiture et la renvoyer chez elle, pour son bien. Il devait la mettre en sécurité, ce qui signifiait : à distance. Elle en aurait certainement du chagrin, mais cela valait mieux que le désastre inévitable si elle restait. Elle risquait de finir comme Ellen. Il n'en était pas question.

— Bonne idée, lança-t-elle. On pourrait aller voir le site de l'accident…

— Non, je…

Il s'interrompit. Une forte odeur l'essence lui montait aux narines. Surpris, il regarda le tableau de bord. Tout avait l'air normal.

— Que se passe-t-il ? demanda Taryn.

— Bah, probablement rien du tout…

La jauge ne bougeait pas, elle était à mi-réservoir, et aucun indicateur n'était au rouge. La circulation n'était pas très dense et il y avait bien trois fois la distance de sécurité entre eux et la Lincoln qui roulait devant.

— Quand a-t-on fait la révision de cette camionnette ? demanda-t-il.

— Il y a deux mois environ. Tu es toujours très pointilleux sur l'entretien des véhicules…

Il ne voyait toujours rien d'anormal, mais il se passait pourtant bien quelque chose.

— On dirait qu'il y a un garage, là-bas, aux feux. Je vais m'y arrêter…

Le moteur ne lui en laissa pas le temps. Il se mit à tousser. Chance appuya sur les freins, mais ils ne répondirent pas. Le voyant « stop » du tableau de bord s'alluma et le moteur mourut brusquement. Le volant se bloqua. Toujours pas de freins…

Le chauffeur d'un camion qui venait en face appuyait désespérément sur son Klaxon.

— Chance ? cria Taryn.

— Tiens-toi bien !

Une fraction de seconde avant que le camion ne les percute, il se coucha à demi sur Taryn pour la protéger du choc et de l'impact. Puis le métal mordit le métal. Le plastique et le verre explosèrent. Du fracas, des sifflements… Des cris et des sirènes emplirent l'air, qui sentait le caoutchouc brûlé et l'essence répandue au sol.

Chance arrêta un instant de respirer. Sous lui, plus rien ne semblait bouger.

— Taryn ? appela-t-il.

Sa voix lui semblait venir d'une autre dimension. Il se mouvait comme dans un rêve, les membres presque trop lourds pour être soulevés. Il prit dans ses mains le visage pâle, trop pâle, de Taryn. Ses yeux étaient clos. D'une blessure, à sa tempe, le sang coulait.

10

— Vous avez eu de la veine, vous savez, dit le médecin en finissant de fixer les points de suture sur l'arcade sourcilière gauche de Chance. Si le camion avait enfoncé votre habitacle de quelques centimètres en plus, la dame et vous, vous ne vous en seriez pas tirés aussi facilement…

Chance ne s'était pas aperçu qu'il saignait. Il ne s'était préoccupé que de Taryn. Bien qu'elle lui ait dit qu'elle n'avait rien, il l'avait portée sur le talus herbeux du bas-côté, l'avait allongée et fait se tenir tranquille jusqu'à l'arrivée des secours. La police était arrivée en même temps que l'ambulance et les questions avaient tout de suite fusé. On le soupçonnait visiblement d'imprudence, mais lui ne s'inquiétait que pour Taryn. Le camion, les assurances, les responsabilités, on s'occuperait de tout cela plus tard.

— Comment va ma femme ? demanda-t-il au médecin avec anxiété.

Le mot sonnait bizarrement dans sa bouche. Comment quelqu'un dont il ne se rappelait rien pouvait-il bien être sa femme ? Mais elle n'était plus une étrangère. Les quelques semaines passées avec elle, tant à Gabenburg que sur les routes, avaient refait de cette femme une part de sa vie, de son être. Il ressentait chaque jour davantage le besoin de la voir auprès de lui, à toute heure. Il était, bien malgré lui, habitué à son indéfectible soutien, et son absence l'inquiétait.

— Comment va-t-elle ? répéta-t-il.

— Très bien, répondit le médecin. Elle n'a qu'une petite entaille très nette, qui ne nécessite pas de points de suture.

Une porte s'ouvrit derrière Chance et l'homme de l'art sourit.

— Tenez, dit-il, la voilà…

Il se retourna et la vit. Elle était plus pâle que le portail du cimetière.

— Vous êtes sûr que ça va ? demanda-il, inquiet, au médecin. On ne dirait pas…

Les yeux de Taryn s'agrandirent de surprise et l'homme en blouse blanche se mit à rire.

— Rien qui ne puisse s'arranger avec le temps, répondit-il avec un clin d'œil.

— Elle ne se sentait pas bien ces derniers jours. Peut-être que vous devriez la garder un peu en observation, insista Chance.

— Votre épouse est la personne en meilleure santé que j'ai vue de toute la journée. Comme vous n'allez pas mal, non plus, je crois que nous allons réserver nos lits, dans cet hôpital, à des gens qui ont en besoin…

Il termina son travail en plaçant une bande adhésive sur les points, tout en murmurant :

— Voilà, ça devrait faire l'affaire…

Il rit en montrant le même pansement au-dessus de l'œil droit de Taryn.

— Vous voilà parfaitement assortis et même symétriques. Si vous rentriez chez vous, maintenant ? Il y a quelqu'un qui peut venir vous chercher ?

Ils appelèrent un taxi qui les conduisit dans un motel à quelques pâtés de maisons de l'hôpital.

Chance insista pour que Taryn prenne un bain relaxant, puis fasse une petite sieste.

Après avoir lui-même pris une douche, il essuya un peu la buée sur le miroir pour examiner son visage. Il lui parut à la fois inconnu et familier. Au moins, c'était bien les traits d'un homme et non d'une sorte de fantôme, qui le hantait.

Tandis qu'il se séchait, toujours les mêmes questions se bousculaient en lui. Qui était-il ? Kyle, l'adolescent en colère ? Chance, l'irréprochable shérif, le mari modèle, estimé de tous ? Il ne se sentait à sa place dans aucune de ces deux « peaux ». Qui était-il vraiment ? Sans mémoire, il n'avait pas davantage de consistance que cette buée sur la glace. Sa seule réalité, au fond, c'était cette femme allongée sur le lit, de l'autre côté de la porte. La confiance inébranlable qu'elle avait en lui était à la fois une douleur et un soutien.

Il était profondément perdu dans ses pensées et la serviette lui tomba des mains sans qu'il songe à la ramasser. Elle lui avait dit qu'il était très pointilleux sur l'entretien des voitures. Les accidents arrivaient, c'est vrai, même aux gens prévoyants. Garth, lui, avait dit que jamais Carter Paxton ne pardonnerait. Est-ce que la soif de vengeance du shérif d'Ashbrook aurait pu le pousser à saboter leur camionnette ?

Il enfila son jean et sortit de la salle de bains. Au lieu de faire la sieste, Taryn était en train de vider dans des assiettes en carton des plats venus de chez un traiteur chinois. Elle s'était octroyé une dose généreuse de riz et rougit quand il s'en aperçut.

— J'ai faim, expliqua-t-elle.

— Tu as ton portable ? demanda-t-il.

Elle montra l'appareil en train d'être rechargé, sur la commode.

— Qui veux-tu appeler ?

— Le garage où la camionnette a été déposée.

Le mécanicien prit tout son temps pour décrocher et Chance se mit à marcher de long en large, de la porte à la table. Le regard de Taryn sur lui ajoutait encore à sa tension. Ses yeux bleus, si fascinants, suivaient chacun de ses mouvements. Elle regardait son torse nu et une vive chaleur se répandit en lui. Il essaya de repousser cette soudaine flambée de désir, mais sans succès. Le bleu des yeux de Taryn devint plus profond et l'arrondi de ses lèvres autour de la paille, dans son verre, lui fit imaginer des choses si précises qu'il dut lui tourner le dos pour garder tous ses esprits.

Lorsque, enfin, son interlocuteur lui répondit, il ne se souvint plus, pendant un quart de seconde, de la raison pour laquelle il lui téléphonait.

— Je suis content que vous m'appeliez, dit le mécanicien.

Chance s'éclaircit la gorge.

— Bon, demanda-t-il, quels sont les dégâts ?

Il entendait en fond sonore les bruits familiers de l'atelier.

Le mécanicien énuméra une liste de pièces qui devaient être remplacées.

— Il y a quelque chose de plus intéressant, ajouta-t-il, c'est que j'ai trouvé une mine de critérium qui bloquait la valve d'arrivée d'essence.

— Une mine de critérium ?

— Oui, vous savez bien, ces sortes de crayons en métal dont on peut changer facilement la mine…

— Oui, parfaitement, mais qu'est-ce que ça pouvait bien faire là ?

— Bonne question. Vous connaissez quelqu'un qui vous en veut assez pour saboter votre voiture ?

Est-ce que Carter avait vraiment eu l'aplomb de faire ça ? Et s'y connaissait-il suffisamment en mécanique ? D'autant que Lufkin n'était pas sur sa juridiction. Je protégerai ce qui est à moi, avait dit Garth. Pensait-il, lui aussi, que le « revenant » était une menace pour Ellen ? Difficile de croire qu'il salirait sa belle chemise blanche avec de la graisse de moteur…

— Combien de temps faut-il pour mettre en place cette mine et bloquer la valve ? demanda-t-il.

— Pas plus de trente secondes sous le capot, si vous savez exactement où la mettre…

— Et au bout de combien de temps le moteur va-t-il s'étouffer, ensuite ?

— Dix, quinze minutes.

Exactement le temps qui s'était écoulé depuis leur départ de la maison de M. Talberg. Celui-ci avait-il toujours une raison d'en vouloir à Kyle ?

Il détestait se poser ce genre de questions, où tout le monde apparaissait comme suspect.

Il discuta encore quelques minutes avec le mécanicien, puis raccrocha et vint s'asseoir à table. Son pied nu frôla la cheville de Taryn. Ce simple contact entraîna une réaction de désir tellement forte qu'il dut s'écarter.

— La camionnette va être immobilisée une bonne semaine, dit-il en essayant désespérément de se concentrer sur la nourriture.

Ce n'était pas cela qui risquait de combler le vide qui était en lui. Son estomac n'était pas en cause…

— Il va falloir louer une voiture pour rentrer à Gabenburg, ajouta-t-il.

Taryn était en train de porter sa fourchette à ses lèvres. Elle suspendit son geste.

— Mais… commença-t-elle.

— La camionnette a été sabotée. Nous aurions pu y rester…

Elle posa calmement sa fourchette et pencha la tête un peu de côté pour le regarder.

— Et ça ne te fait pas te poser des questions ? demanda-t-elle d'une voix douce.

— Ça me fait surtout penser à l'urgence de te mettre en sécurité. Je pense que nous devrions partir dès ce soir.

— Il faudra bien, d'abord, retourner à Ashbrook, fit-elle remarquer.

— Pour que Carter Paxton finisse ce qu'il a commencé et que tu risques d'être prise dans sa vengeance ? Pas question.

— Mais la voiture de Lucille est là-bas, dans le parc…

— J'enverrai quelqu'un la récupérer.

Taryn joua avec la dernière fourchettée de riz sur son assiette. Elle rougit et se tortilla sur sa chaise.

— C'est que… ton arme de service est dans cette voiture…

— Qu'est-ce qu'elle y fait ?

Elle haussa les épaules.

— Angus tenait absolument à ce que je l'emporte.

Elle ne développa pas, se contentant de ramasser en silence les emballages plastique pour les mettre à la poubelle.

— Nous devons aussi passer au bord de la rivière, ajouta-t-elle au bout de quelques secondes.

Il fronça les sourcils.

— La rivière ? Non. Qui je suis importe peu, quand il s'agit de ta sécurité. L'important, c'est que tu rentres saine et sauve.

Taryn se rassit en froissant une serviette en papier dans ses mains.

— Tu sais bien que ce n'est pas vrai, soupira-t-elle.

Il se leva, agacé et désorienté. Comment pouvait-elle voir aussi clair en lui, alors que lui-même s'y perdait ?

— Récolter encore quelques anecdotes ne va pas changer profondément la donne, lança-t-il.

— Tu ne seras pas satisfait tant que tu n'auras pas toutes les réponses, et tu le sais.

Elle le rejoignit, se blottit derrière lui et posa sa joue contre son dos. Il sentit une étrange et profonde paix l'envahir.

— Ce n'est pas ce que je veux pour toi, murmura-t-elle en l'entourant de ses bras.

C'était merveilleux de les sentir autour de lui, leur chaleur et leur douceur, le réconfort.

Mais ce n'était qu'un rêve, un mensonge. Et les mensonges lui avaient déjà coûté bien assez cher.

— Je ne suis pas Chance, Taryn…

Bon, mais qui suis-je, en fait ?

— … Je ne peux pas te donner ce que tu souhaites.

— C'est pour ça que tu dois terminer ce que tu as entrepris.

— Pas si tu dois courir des risques, de quelque sorte que ce soit…

Elle le lâcha, pour se retrouver face à lui.

— Tu te souviens, lorsque tu étais dans cet hôpital, à Beaumont ?

— J'essaie de ne pas trop y penser, répondit-il.

— Les médecins disaient que la raison pour laquelle tu avais de nouveau perdu la mémoire était que les conditions étaient les mêmes que lors de l'accident d'il y a quinze ans. Quelque chose, qui tenait à la rivière, avait ramené ton passé à la surface.

Les doigts de Taryn effleurèrent son torse, son cou, puis se posèrent sur sa joue. Il avait la gorge sèche.

— J'ai pensé que, si nous allions à l'endroit où l'accident s'est déroulé, la mémoire pourrait peut-être se remettre en marche…

La tentation était grande et si douce…

— Taryn…

La sonnerie du téléphone portable rompit brutalement le

charme. Taryn dut s'écarter pour aller le prendre et répondre. Elle écouta, puis le regarda.

— C'était Angus, lui dit-elle. Nous avons une autre raison de nous arrêter à Ashbrook…

— Laquelle ? demanda-t-il.

Il était décontenancé de ne plus l'avoir contre lui, il ne savait plus très bien quoi faire de ses bras et de son corps. Elle avait raison : tant qu'il n'aurait pas toutes les réponses, il ne serait plus que l'ombre de lui-même.

— Joely Brahms est l'administratrice en titre de la propriété appartenant autrefois à John Henry Makepeace.

Le lendemain matin, la pluie tombait sans discontinuer sous un ciel aussi noir que sa mémoire et Chance reprit la route d'Ashbrook. Il avait passé une nuit sans sommeil, délicieusement torturé par la sensation du corps de Taryn contre le sien.

A côté de lui sur le siège de la voiture, elle lui racontait des histoires du passé, et sa douce voix était comme une caresse. L'air s'était considérablement rafraîchi et Chance aurait voulu y voir la cause de son mal de tête persistant. Mais la cause en était tout autre, il le savait bien.

— Il y a une place, là, dit Taryn en montrant un trottoir près de la bibliothèque.

— Reste ici, lui conseilla-t-il en coupant le moteur. Inutile d'être deux à prendre la pluie.

Elle ignora sa remarque et le suivit au-dehors. Il soupira. Elle était aussi entêtée qu'une enfant de deux ans.

Malgré lui, il ne put s'empêcher de sourire. Avec elle, la vie ne serait jamais ennuyeuse. Comme elle marchait auprès de lui, il la protégea comme il le put de la pluie, avec un journal qu'il avait acheté en quittant le motel.

Joely était à son bureau, habillée d'une jupe à rayures rouges et d'un gilet assorti sur un chemisier blanc. Elle arborait un bolo de cow-boy, orné d'une hématite. Un « chouchou » également rouge retenait ses cheveux blancs en une queue-de-cheval.

— Bonjour, madame Brahms… murmura malicieusement Chance.

Une lueur apeurée passa dans les yeux de la bibliothécaire.

— Partez, s'il vous plaît, je ne veux pas d'ennuis.

— Pourquoi ne pas m'avoir dit que vous étiez administratrice des biens de mon grand-père ?

Elle se leva tellement vite que le dossier de sa chaise alla heurter les étagères métalliques derrière elle. Un dictionnaire tomba au sol avec un fracas insolite dans la bibliothèque silencieuse.

En jetant des regards inquiets autour d'elle, Joely chuchota :

— Venez avec moi, mais après il faudra partir…

Elle les entraîna tous deux vers une porte située sur le côté, puis se ravisa, revint en courant à son bureau et attrapa son sac à main. Elle trottina ensuite vers la porte.

Puis, dans l'escalier de service, elle s'arrêta, fouilla dans son sac et en sortit une clé.

— Voilà, dit-elle à Chance, sa voix résonnant dans les hauteurs. C'est celle de la maison de votre grand-père. Je vous y retrouverai, dès mon travail terminé…

— Pourquoi ne pas en finir tout de suite ? demanda Taryn.

Redoutait-elle, elle aussi, que la bibliothécaire ne soit pas au rendez-vous, si on lui laissait un peu trop de temps pour réfléchir ? se demanda Chance.

D'une main tremblante, Joely referma son sac.

— Je ne peux pas, répondit-elle d'une voix mal assurée.

Comme elle tournait déjà les talons, il la prit par le bras.

— Vous viendrez, n'est-ce pas ?

En se mordant les lèvres, la bibliothécaire hocha nerveusement la tête plusieurs fois. Puis ses talons résonnèrent sur les marches de métal et elle disparut.

Chance referma ses doigts sur le bout de métal dentelé. Son estomac se crispa. Avait-il peur de ce qu'il allait apprendre, ou était-ce autre chose ?

— Tu es près du but, à présent, chuchota Taryn en prenant son bras.

Oui, si près qu'il pouvait presque toucher la vérité du doigt.

— Passons au supermarché acheter quelques bricoles pour

déjeuner… ajouta-t-elle. Ensuite, on jettera un coup d'œil autour de la cabane. Peut-être que cela te rappellera quelque chose.

Ils sortirent et Chance sentit la pluie ruisseler sur ses joues comme des larmes. Il allait regretter d'être venu à Ashbrook, il en était persuadé.

— Bonjour, ma toute belle…

La pluie cinglait les vitres du bureau de Garth, dissimulant les contours du monde dans un brouillard argenté. La vue des gouttes sur les parois de verre, leur crépitement, l'avaient toujours apaisé.

— Qu'est-ce que tu veux, Garth ? Pourquoi tu m'as demandé de passer te voir ?

— Allons, Joely, c'est comme ça que tu salues ton petit-cousin ?

— Au second degré, et encore… répondit la bibliothécaire, l'air pincé.

— Je suis tout de même de la famille…

— Bon. Qu'est-ce que tu veux ?

— Rien… Juste savoir comment tu vas… Si tu rencontres des gens…

— Je ne lui ai rien dit, si c'est ce que tu veux savoir.

— Bien !

— Mais tu disais que je serais protégée…

— Tu l'es, Joely. Et tu le seras aussi longtemps que tu tiendras ta langue.

— La famille, tu parles ! Tu tuerais père et mère, si cela pouvait favoriser tes projets…

Il n'aimait pas beaucoup le ton d'amertume et de désillusion dans sa voix. Les gens que la vie avait sévèrement étrillés avaient souvent tendance à penser qu'ils n'avaient rien à perdre et, par là même, devenaient dangereux.

Lui, il ne se fiait qu'à lui-même, le sentimentalisme était un luxe qu'il n'avait jamais désiré s'offrir, et ce n'était pas, à son avis, une valeur sûre. Les liens familiaux n'existaient pas. Quant à la loyauté, il était bien placé pour savoir qu'elle s'achetait : il payait celle de Joely un bon prix.

— J'ai peu d'indulgence pour la trahison, lui dit-il doucement en détachant bien les syllabes.

Joely semblait réfléchir à toute vitesse. Une bataille se livrait très certainement sous son crâne. Mais laquelle ?

— Moi aussi, répondit-elle finalement.

— Bon…

Il fit pivoter son fauteuil de façon à faire face au mur et regarda rêveusement la vitrine qui s'y trouvait. Il y avait là un morceau de ruban bleu, en exposition. C'était le seul souvenir d'enfance qu'il gardait avec lui.

Une année, sa mère avait décidé qu'il avait besoin d'exemples, de modèles, et elle l'avait inscrit chez les scouts. Il avait détesté chaque minute de cette expérience, mais il avait néanmoins gagné quelque chose.

Quand il avait remporté ce stupide bout de ruban, pour avoir réussi à vendre davantage de pop-corn que les fiers-à-bras de sa patrouille, lors d'une vente de charité, il avait vu son destin se profiler nettement devant lui. Il en serait le maître, tant qu'il ne laisserait personne d'autre le lui dicter.

Il n'avait jamais eu besoin de recevoir ce genre de leçon plus d'une fois.

Il décrocha son téléphone.

11

Là où le sable recouvrait la terre rouge, la pluie avait raviné la route qui menait à la maison de son grand-père. Derrière le chalet, on avait fait reculer les bois à la tronçonneuse, ce qui donnait un paysage étrange et désolé. Chance regarda autour de lui.

Il ne ressentait rien, ni la nostalgie douce-amère des souvenirs d'enfance, ni même le réveil de ceux-ci. Aucun souvenir, même fugace, aucune image, aucun flash ne passait devant ses yeux.

Finalement, quand il eut épuisé toutes les ressources du paysage, son regard revint se poser sur la maison. Il retint son souffle, attendant que quelque chose se passe…

Rien…

Il entra. Les lieux n'étaient sans doute pas très régulièrement entretenus : de la poussière recouvrait la table de la salle à manger, ainsi que les fauteuils et la table basse du salon. Un fin nuage s'éleva des coussins lorsque Taryn s'y assit. Les bras autour des genoux, elle le regarda aller et venir dans les différentes pièces.

Lui aussi la regardait, à la dérobée. Etait-elle toujours souffrante ? Le matin, à la différence des jours précédents, elle n'avait pas bu des litres de soda au gingembre. Son teint était joliment rose et ses yeux brillaient. Passer la nuit au motel avait été une bonne idée. Elle paraissait reposée. A moins que ce fût une des lois écrites du mariage, que de devoir se sentir mal à tour de rôle ?

Dans l'une des chambres, deux lits jumeaux étaient recouverts du même édredon. Deux étagères vissées au mur servaient de tête de lit et de chevet. Sur la première reposaient des livres, surtout sur la faune et la flore de la région, ainsi que quelques trophées sportifs, d'athlétisme à en juger par les figures représentées. La seconde était remplie de livres sur les chevaux et de récompenses gagnées à des rodéos : rubans, figurines, boucles de ceinture décorées.

Il prit sur la commode une photo encadrée représentant un garçon de treize ou quatorze ans sur un cheval noir. Coincés sous le bord du cadre, il y avait aussi deux tickets d'entrée jaunis pour le bal de fin d'année du lycée.

Il s'assit sur le lit de Kyle, faisant grincer les ressorts. Bon sang, il aurait tout de même bien dû ressentir quelque chose ! Mais toujours rien. Il essaya de s'y étendre, comme il avait dû le faire bien souvent, quand il était un adolescent. Il espérait toujours un flash, une amorce de souvenirs. Mais rien ne vint. Rien que le vide, dans un silence désespérant.

De quoi avait-il bien pu rêver, là ? Quelles pensées avaient été les siennes ? Pendant toutes ces années où il avait dormi à cet endroit, quels sentiments avaient été les siens ?

Taryn vint s'asseoir à côté de lui. Du bout des doigts, elle caressa son visage. Il sentit une traînée de chaleur sous sa peau.

— Il ne pleut presque plus, remarqua-t-elle. Nous pourrions ouvrir un peu les fenêtres pour aérer et aller manger au bord de la rivière ?

Comme il ne pouvait supporter de rester là, au milieu de souvenirs qui ne lui évoquaient rien, il accepta.

De chez son grand-père, une vieille piste menait à une scierie abandonnée. De là, en prenant à droite, un sentier conduisait à la réserve de Wood Haven, sur les bords de la Red Thunder.

L'averse avait libéré toutes les odeurs de la nature. Il pouvait humer les frais parfums des aiguilles de sapin et des feuilles de noyer. Il aimait sentir la mousse s'écraser souplement sous ses pas. Au loin, on entendait le craquement sec d'une branche morte, ainsi qu'une dispute d'écureuils. Un magnolia sauvage éclairait tout ce vert de ses fleurs blanches, et c'était comme un sourire. La nature entrait en lui par tous les pores de sa peau, sans pourtant réussir à éveiller ses souvenirs.

Il étendit la couverture qu'il avait prise dans la camionnette et y déposa le sac de sandwichs et de fruits achetés en route. Perdu dans ses pensées, il regardait le flot tumultueux de la rivière comme pour essayer de percer ses secrets.

— A quoi penses-tu ? lui demanda Taryn.

Elle passa son bras autour de sa taille, et ce contact plein d'intimité le fit tressaillir. Elle avait fait cela auparavant, il le sentait. Non seulement récemment, mais des millions de fois depuis des années. Ce geste éveillait en lui quelque chose de familier. C'était un début, bien sûr, mais pourquoi ne parvenait-t-il pas à se souvenir de quelque chose de plus précis, puisqu'elle le touchait si profondément ?

— J'étais en train de me dire que ce n'était peut-être pas là que « cela » s'était passé… commença-t-il.

— Peut-être pas, mais les conditions ne sont pas non plus les mêmes. Il ne fait pas aussi chaud, et ce n'est pas le crépuscule…

Il se mit à regarder fixement la surface de l'eau. Des rubans d'argent semblaient se dérouler sur un parcours sinueux et rapide. Rien n'arrêtait le cours de la rivière. Avec une certaine réticence, il fit un pas, puis un autre pour s'approcher du bord, la main de Taryn dans la sienne. Il cassa une branche morte de sapin, la jeta dans le courant, puis la regarda être emportée et disparaître dans un tourbillon. Il ferma les yeux.

Taryn, devinant probablement son trouble, se serra davantage contre lui.

Il se retourna pour lui faire face sans se détacher d'elle et écarta une mèche de cheveux de sa tempe. Dans ses bras, il pouvait tout oublier. Il lui suffisait de plonger ses yeux dans les siens pour ne plus avoir peur. De toutes ses forces, il voulait être celui qu'elle désirait qu'il soit. Une fois déjà, semble-t-il, il s'était réinventé une vie. Pourrait-il recommencer ?

Il regarda au fond de ses yeux sombres et la vit ouvrir ses lèvres comme pour une invite. Comme s'il était une eau claire dont elle aurait eu soif. Le désir gronda en lui comme la rivière tumultueuse et il se laissa emporter par son baiser.

Au bout de longues secondes d'éternité, leurs regards se rencontrèrent. Les yeux de Taryn brillaient d'émotion et d'amour pour lui. Il sentit son cœur gonfler dans sa poitrine. Rien ne comptait plus qu'elle et lui, et ce lien entre eux, si fort et si mystérieux.

— Taryn…

— La première fois que nous avons fait l'amour, chuchota-t-elle en lui glissant la main sous le T-shirt, juste au-dessus de la ceinture de son jean, c'était par une journée comme celle-ci…

Ses mains passèrent sous le tissu et sur son ventre, puis sur les contours de son torse. Il pouvait sentir son propre sang bouillir et affluer plus bas.

— … C'était le week-end de l'Independence Day, un 4 juillet, donc. Il avait plu depuis le matin et cela s'était dégagé seulement à la tombée du soir, juste à temps pour le feu d'artifice.

Elle lui posa la main sur la nuque et lui caressa du doigt le lobe de l'oreille.

— … Nous n'avons même pas mis le nez dehors pour aller le voir, mais ce fut pourtant bel et bien un feu d'artifice.

— Tu es une sorcière, lui dit-il en souriant.

Et il l'attira au sol, sur la couverture.

Elle rit, d'un rire délicieux, profond et sensuel qui était comme un baume sur son cœur souffrant. La hanche relevée contre sa cuisse, elle glissa son pied hors de sa chaussure et lui caressa malicieusement la jambe avec.

— C'est aussi ce que tu m'as dit cette fois-là…

Il passa son T-shirt par-dessus sa tête tandis qu'elle défaisait les premiers boutons de son jean. Puis elle lui retira ses bottes et, avec une lueur provocante dans l'œil, fit lentement descendre le pantalon le long de ses jambes. Il n'y avait rien de plus sauvagement sensuel que les yeux de cette femme, rien de meilleur au monde que la sensation de ses mains sur sa peau.

De nouveau, il l'attira à lui et se mit à jouer avec une mèche de ses cheveux pour tenter de récupérer un peu d'empire sur lui-même.

— Qu'est-ce que tu aimes tant que cela chez moi ? murmura-t-il, curieux de sa réponse.

— J'aime tout de toi, tout. J'aime la façon dont tu retrousses ta lèvre un peu plus haut de ce côté, lorsque tu souris.

Elle toucha, du bout du doigt, le coin gauche de sa bouche, et il la referma dessus pour le sucer.

— Hmmm… soupira-t-elle. J'aime les mille et une façons que tu as de t'occuper de moi…

Du pied, elle frôlait toujours sa jambe.

— … J'aime le rosier que tu as planté pour moi derrière la maison…

Avec ses doigts, elle lui caressa langoureusement les épaules.

— … J'aime la façon dont tu m'écoutes quand je te parle. Celle que tu as de prendre soin de tous ceux qui t'entourent, non seulement parce que c'est ton métier, mais parce que tu les aimes.

Elle se redressa sur ses coudes et le regarda avec franchise.

— J'aime la manière dont tu remets toujours tout en ordre, même si cela me rend folle, car ensuite je ne retrouve plus rien…

Elle posa une main sur son cœur.

— J'aime ce soupir profond, qui semble venir du tréfonds de toi, lorsque tu me tiens dans tes bras. Cela me fait me sentir…

Elle baissa les yeux, ses cheveux noirs lui voilant le visage.

— Oui, cela me fait me sentir importante.

Il lui prit le menton entre les doigts et la força à relever la tête pour le regarder.

— Mais tu es importante pour moi…

Il était au moins sûr de cela.

Lentement, délibérément, il l'embrassa de nouveau. Il aimait le contact de sa langue, c'était comme de la douceur mêlée à la chaleur du péché. Doucement, comme négligemment, il défit les boutons de son chemisier, posant sa bouche brûlante sur chaque centimètre de peau ainsi exposée. Une odeur de femme, qui se mêlait à toutes les senteurs de la nature, montait à ses narines, irrésistible. Il dégrafa son soutien-gorge en grognant de plaisir, et ses mains, parties à l'aventure, purent bientôt peser le poids de ses seins lourds. Prenant une pointe déjà dressée entre ses lèvres, puis l'autre, il savoura les petits halètements de plaisir qu'elle laissa échapper. D'une main, il la débarrassa de son short et de sa culotte.

— Est-ce que je t'ai déjà dit que tu étais belle ?

— Une fois ou deux, répondit-elle avec un sourire enjôleur, la voix toujours aussi chaude d'une délicieuse promesse. Et je ne suis jamais lassée de l'entendre…

Il embrassa le sillon, entre ses seins.

— Tu es belle…

La paume de sa main.

— Tu es belle…

Le creux de son bras.

— Tu es belle…

Elle éclata d'un rire délicieux. Il ne se souvenait pas s'être jamais senti aussi bien de toute sa vie. Solide. Vivant…

Soudain, la panique le saisit. Son cœur se mit à battre la chamade. Il se noyait. Il ne pouvait plus respirer.

— Chance ?

Il roula sur le dos et abrita ses yeux de son avant-bras. Il n'était plus qu'eaux grondantes, qu'eaux rugissantes, en mouvement vers il ne savait trop quoi. Rien que de l'eau fluide, pas de souvenirs, pas de passé, pas d'identité qui pût le retenir.

Il voulait désespérément être quelqu'un. Pas quelqu'un de célèbre et d'admiré comme on le voudrait lorsqu'on est adolescent, mais quelqu'un qui saurait qui il était, ce qu'il voulait et d'où il venait. Il voulait des buts à atteindre, des tâches à accomplir. Il voulait le confort d'une routine bien huilée, bien connue. M. Talberg avait raison : il voulait que quelqu'un l'attende à la maison quand il rentrerait le soir.

Par-dessus tout, il voulait mériter l'amour de quelqu'un comme Taryn.

Avait-elle fait quelque chose qu'il ne fallait pas ? Quelque chose qui lui avait fait de la peine ? Les ombres douloureuses avaient reparu dans ses yeux, avant qu'il ne les couvre de son bras.

— Chance ? murmura-t-elle.

Il la regarda, sous son bras replié.

— Voudrais-tu toujours de moi, si j'étais Kyle ?

— Mais oui.

Bon Dieu, oui. Elle le voudrait toujours.

— Et même si je ne parviens jamais à me rappeler qui je suis ?

— Oui.

La fermeté de sa réponse la surprit elle-même, mais elle ne rectifia pas.

— Pourquoi cela ? s'enquit-il.

— Parce que tu es un homme bon.

Il secoua la tête et ouvrit la bouche pour parler, mais avant qu'il ait pu articuler un mot elle posa un doigt sur ses lèvres.

— C'est en toi, Chance, reprit-elle doucement. Profondément. Même si tu essaies désespérément d'y échapper, c'est en toi.

— Je ne suis pas Chance.

— Regarde-moi.

Elle lui fit soulever le bras qui couvrait ses yeux.

— Peu importe le nom que tu te donnes. Chance, Kyle, ou un autre. Cela n'a aucune importance, parce que c'est toi que j'aime.

Il était la seule personne au monde qui la faisait se sentir unique et en paix avec l'univers. Il était son meilleur ami et le père de son enfant. Elle ne pouvait imaginer l'avenir sans lui.

Elle lui entoura une jambe de la sienne, pressa son corps contre le sien, heureuse de sentir la robuste virilité de ses muscles, comme de voir au plus près le feu qui brûlait dans ses yeux. Même les cicatrices qui creusaient son dos et ses épaules ne parvenaient pas à lui gâcher le plaisir qu'elle avait de l'admirer. Un simple effleurement de ses doigts carrés suffisait à la rendre folle et elle pouvait, elle aussi, lui faire perdre la tête, elle le savait.

Elle glissa sa main le long de son torse chaud et soyeux, respira l'odeur salée et musquée de sa peau. Puis elle referma ses doigts autour de son érection. C'était dur et doux à la fois, du fer sous du satin. Elle reprit sa bouche comme il avait pris la sienne, lentement et profondément.

Alors, il la souleva et entra en elle, la remplissant complètement, absolument. Un petit gémissement de plaisir s'échappa malgré elle de ses lèvres : il paraissait venir du plus profond d'elle-même.

Chance referma ses mains sur ses hanches rondes et imprima à sa pénétration un rythme plus rapide.

— Oh, non, non, pas tout de suite ! soupira-t-elle.

La joie éclatait en elle, mêlée de rires. Elle entrelaça ses doigts aux siens et plaqua leurs mains jointes au sol, autour de sa tête.

Elle l'embrassa jusqu'à ce qu'il se tortille sous elle et, de nouveau, plaqua ses hanches contre les siennes. Avec une lenteur délibérée, elle le laissa encore une fois entrer en elle, puis elle se retira sans le quitter des yeux avant de recommencer, son regard toujours planté dans le sien. Elle pouvait voir la tension monter en lui, comme elle montait en elle.

— Je t'aime, Chance, et je t'aimerai toujours.

Elle lui donna chaque millimètre de son corps jusqu'à ce que leurs deux corps se tendent, jusqu'à ce qu'il tremble, saisi de vagues successives d'extase, jusqu'à ce qu'elle ne fût plus rien qu'une eau dormante, qu'une chair rassasiée.

Il poussa un cri presque douloureux et la fit rouler sur le dos. Elle allait toucher la récompense de son jeu de séduction.

Comme toujours, son corps répondait au sien et brûlait de désir pour lui. Dans l'intensité et la concentration de leurs jeux amoureux, dans les mots de passion murmurés, elle retrouvait son mari tel qu'il avait toujours été. Il n'était pas question de l'abandonner, ni de renoncer à leur mariage.

Après leur jouissance simultanée, elle le garda longtemps contre elle, leurs deux cœurs battant l'un contre l'autre.

— C'est ainsi que cela a toujours été entre nous, susurra-t-elle.

Allait-il comprendre ce lien puissant entre eux, plus fort même que la mémoire ? Elle l'espérait de tout son cœur.

Le sentir tout contre elle lui faisait comme un cocon de chaleur et de douce satisfaction. Elle lui caressa songeusement le dos, détendue pour la première fois depuis leur accident.

— Nous ne faisons qu'un, depuis le début, murmura-t-elle.

Leurs corps emmêlés, ils restèrent un moment ainsi, sans bouger, tandis que la pluie se remettait à tomber.

Ils se rhabillèrent en riant et coururent jusqu'à la camionnette, comme deux adolescents heureux. Et bientôt, quand ils rentreraient à la maison, elle pourrait lui parler de ce bébé qui était la création de leur amour.

— C'est que je ne sais pas bien par où commencer, bafouilla Joely.

Chance la dévisagea. Elle était assise au bord de l'un des fauteuils du grand-père, son sac à main sur les genoux et les deux mains agrippées au fermoir métallique.

Dans la lumière de la lampe-tempête posée sur la table basse, son teint paraissait jaunâtre et maladif. Avec ses yeux toujours en mouvement, ses gestes désordonnés et sa diction précipitée, elle instillait dans l'atmosphère une sorte d'énergie nerveuse, désagréable et même éprouvante, songea-t-il.

La pluie crépitait contre les vitres et tambourinait sur le toit comme une menace des dieux. Toute la sérénité qu'il avait trouvée en faisant l'amour avec Taryn s'était évaporée à l'arrivée de la bibliothécaire.

— Essayez donc par le début, marmonna-t-il en tournant la bouteille de thé glacé entre ses doigts.

Elle acquiesça.

— John Henry a eu le cœur brisé lorsque les garçons ont disparu. Voyez-vous, il était absent, à ce moment-là…

Elle jouait mécaniquement avec le fermoir de son sac à main. Le cliquètement en était désagréable à l'oreille, pensa Chance, agacé.

— Il était avec vous ? demanda doucement Taryn.

Joely secoua la tête.

— Non… Il était…

Elle se pencha en avant.

— Ce n'était pas un ivrogne, vous comprenez, mais parfois la douleur dans son genou, depuis son accident à la scierie, le faisait souffrir d'une façon insupportable. Alors il buvait et il ne voulait pas que les garçons le voient comme ça.

Elle détourna le regard et ses yeux devinrent vagues, comme si elle revoyait apparaître des fantômes du passé.

— Il ne s'est jamais pardonné ne pas avoir été là, ce jour-là.

— Cela n'aurait rien changé, lâcha Chance.

Joely le regarda, avec une lueur de soulagement dans l'œil.

— Je le sais bien.

Elle ouvrit son sac et en tira quelques feuilles de papier pliées, puis les lissa sur ses genoux.

— Il a fait un avenant au testament de votre père pour que la propriété soit toujours entretenue, de façon à ce que les garçons aient un toit, s'ils revenaient. Les droits et taxes sont payés par la succession.

Les yeux brillants de larmes, elle ajouta :

— Il n'a jamais abandonné l'espoir de vous revoir tous les deux. Il répétait à qui voulait l'entendre que vous étiez en vie. Il vous a cherchés jusqu'au bout, jusqu'à sa mort.

Taryn lui tendit un mouchoir et elle s'essuya les yeux. Chance les regarda tout à tour, Taryn lui prit la main et la garda dans la sienne.

— Pourquoi ne pas nous en avoir parlé plus tôt ? reprit-elle.

La lèvre tremblant un peu, Joely baissa les yeux.

— Parce que j'avais peur.

— De quoi ? demanda-t-il.

Tout cela n'avait aucun sens et la colère montait en lui. Il se carra contre le dossier du canapé.

Il devait se dominer, sinon il n'obtiendrait jamais les réponses qu'il attendait.

— Vous savez, poursuivit Joely, je n'ai jamais demandé à être l'exécutrice testamentaire de John Henry, mais il n'a voulu confier cette responsabilité à personne d'autre…

— Etiez-vous… euh… ?

Taryn s'interrompit et rougit violemment. Chance avait du mal à reconnaître sa séductrice de l'après-midi.

— Amants ? continua Joely. Oui.

Elle releva fièrement la tête.

— John Henry était un homme bien, je l'aimais.

— Pourquoi pensez-vous qu'il ne pouvait faire confiance à personne d'autre qu'à vous ? demanda Taryn.

— A cause de ce qui était arrivé à Ellen. Le shérif Paxton accusait les garçons, et comme John Henry était leur tuteur il sentait qu'on le considérait un peu comme leur complice.

Elle pinça les lèvres et reprit :

— Il aurait pu partir, vous savez… Il aurait pu quitter la ville, au lieu de subir sa dose quotidienne de haine de la part de ses concitoyens.

— Je ne l'accuse pas, non plus que vous, d'ailleurs, intervint Chance. Je cherche seulement à savoir la vérité.

Il avala une gorgée de thé glacé. Il aurait eu bien besoin de quelque chose de plus fort.

— … Mais continuez, je vous en prie…

— Votre père avait déjà cédé une partie de ses terres pour en faire la réserve naturelle de Wood Haven. Il voulait que ses fils puissent profiter de ce coin de nature tel qu'il avait toujours existé. Mais le bout de terrain sur lequel est construite cette maison n'a pas été donné à l'Etat et ne se trouvait donc pas protégé…

Elle prit une profonde inspiration et lui tendit les feuilles de papier. Il les prit et les reposa sur la table sans les regarder.

— En tant qu'exécutrice testamentaire, poursuivit Joely, on me réclamait des taxes et je n'ai pas voulu entamer le capital. Mais j'avais fait un serment à John Henry. Quelqu'un m'a fait une offre pour les terres…

— Quelqu'un ?

— La société des bûcheronnages Ramsey.

Chance resta un moment interdit. Est-ce que Garth détenait la clé de toute l'économie de la région ?

— Pourquoi n'avez-vous pas fait don de la propriété à la ville, pour agrandir la réserve ? demanda Taryn après avoir bu une gorgée de son sempiternel soda au gingembre.

— Pour une raison bien simple, une raison de politique locale. Il aurait fallu faire approuver cela par le conseil municipal. Lequel se préoccupe avant tout de l'économie et de l'emploi dans la région.

— Et alors ? demanda Chance, les sourcils froncés. Je ne comprends pas.

— Les bûcheronnages Ramsey sont de loin le plus gros employeur à des kilomètres à la ronde. Ici, deux personnes sur trois travaillent pour eux…

— … Et Ramsey voulait le bois des Makepeace, alors la donation n'avait aucune chance d'être acceptée, termina Chance d'un ton amer.

— Oui, c'est ça. Il n'a cessé de me pousser à lui vendre la propriété. Je savais très bien qu'il ne laisserait pas un seul arbre sur pied, c'est pourquoi j'ai toujours refusé. Mais il m'a tellement harcelée que j'ai compris que le seul moyen de protéger cette terre était d'en vendre quelques hectares pour sauver le reste.

Elle semblait, par toute son attitude, implorer leur bienveillance.

— … Moi, je croyais sincèrement que vous et votre frère étiez morts dans cet accident. John Henry avait dépensé beaucoup d'argent pour vous retrouver, et le capital était très entamé. Malgré cela, j'avais promis de protéger vos biens et je m'y tenais…

— Je ne comprends toujours pas pourquoi vous n'avez pas dit tout ça plutôt, objecta Chance.

Joely n'hésita qu'un instant.

— Parce que j'ai cru vendre ces quelques hectares à un homme qui avait le projet d'y faire construire sa maison, mais je me suis aperçu qu'il n'était qu'un prête-nom et que c'était à Garth Ramsay que j'avais en fait cédé ce terrain. Quand il a fait raser tous les arbres, moins d'un mois après la signature de l'acte de vente, j'ai été horrifiée. Ce fut pire quand je suis allée m'expliquer avec lui. Il a sorti de son chapeau un règlement stipulant que l'exécutrice testamentaire de John Henry n'avait pas le droit de vendre un seul mètre carré de cette terre…

Elle s'affaissa dans son fauteuil.

— Si, pour une raison ou pour une autre, la succession ne pouvait plus payer les impôts fonciers, alors la ville récupérerait le terrain et Garth pourrait avoir le tout pour une bouchée de pain. Je ne voulais pas que cela puisse arriver, mais j'étais coincée, je n'ai rien pu faire.

— Est-ce qu'il vous a menacée ? demanda Chance.

Un homme qui menace une femme est la pire espèce de lâche.

Cette phrase résonna soudain dans sa tête. Il ne savait pas d'où elle lui venait.

Joely leva un sourcil surpris.

— Bien sûr, qu'il l'a fait ! Il a dit que si cela venait à se savoir je pourrais aller en prison et aussi payer une très lourde amende…

La honte se peignit sur le village de la bibliothécaire et elle baissa les yeux de nouveau.

— Je n'ai pas un gros salaire et je ne peux pas imaginer me retrouver en prison. Pas à l'âge que j'ai. Garth m'a dit que, de toute façon, il n'aurait pas grand mal à acheter toute la propriété s'il le désirait et même à payer l'amende s'il était découvert, mais que ni lui ni moi ne le serions s'il choisissait de me protéger. C'était à moi de voir ce que je voulais.

— Vous avez agi de bonne foi, la réconforta Taryn. Aucun tribunal ne pourrait vous condamner pour cela…

— J'ai surtout choisi le parti des lâches, corrigea la bibliothécaire.

Son regard, très intense, revint se poser sur Chance.

— Lorsque vous êtes réapparu, j'ai cru que vous veniez récupérer votre héritage et j'ai eu doublement honte de m'être laissé rouler par Garth. J'ai pensé que je vous avais lésé…

— La terre ne m'intéresse pas, dit-il, l'interrompant. Tout ce que je veux, c'est savoir qui je suis.

Contre toute attente, Joely eut alors un sourire très doux et un peu lointain.

— Vous ressemblez énormément à votre grand-père, quand il avait votre âge, lui confia-t-elle.

— Oui, mais est-il Kyle ou Kent ? demanda Taryn en se levant.

Elle alla jusqu'au comptoir qui séparait le salon de la cuisine et dévissa le bouchon d'une nouvelle bouteille de soda au gingembre. S'adossant au meuble, elle frotta doucement son ventre du plat de la main.

Chance la scruta. Elle lui avait dit ne pas attacher d'importance à son ancienne identité. Regrettait-elle cette affirmation ? Pourtant, elle se dévouait corps et âme pour l'aider à retrouver son passé. Elle n'avait pas pu mentir, il y avait bel et bien de l'anxiété dans chacun de ses gestes.

Il voulait désespérément la revoir sourire, l'entendre rire et puis lui faire l'amour, encore et encore. Il ferait tout pour retrouver la paix qu'il avait connue auprès d'elle durant l'après-midi.

Restait que, s'il était bel et bien Kyle, il avait une dette à payer. Carter Paxton ferait en sorte que le prix en soit élevé et Taryn risquait bien de ne pas le revoir de sitôt. A regret, il se détourna du visage inquiet de son épouse et concentra de nouveau toute son attention sur Joely.

Celle-ci le regardait, étudiant attentivement ses traits, mais au bout de quelques instants elle secoua la tête.

— Je suis désolée, j'aurais bien aimé pouvoir vous répondre. Malheureusement, je ne vous ai jamais vus, votre frère et vous, que d'assez loin. Je ne suis jamais venue ici quand vous y viviez, et John Henry ne vous a jamais emmené chez moi. Il y tenait… A sa manière, je suppose que votre grand-père essayait de vous protéger.

Elle avança sa main vers lui par-dessus la table basse et lui serra le genou.

— Vous savez, il vous aimait beaucoup.

Emu et embarrassé, Chance ne put qu'avaler sans répondre la boule qu'il avait dans la gorge.

Joely se redressa et regarda sa montre.

— Je ne peux pas rester, s'excusa-t-elle. Je suis attendue dans une demi-heure à la bibliothèque pour une réunion.

Elle attrapa son sac, passa la lanière de cuir sur son épaule et se dirigea vers la porte. Comme elle l'ouvrait, le roulement de tambour de la pluie sur le porche résonna plus fort, à l'intérieur.

La main sur le bouton de cuivre, Joely se retourna.

— Savez-vous où se trouve Melody Road ? leur demanda-t-elle.

Chance secoua la tête.

— Suivez Gum Springs Road jusqu'au bout, puis tournez

à gauche. Ma maison est la seule sur le côté droit. Venez pour le petit déjeuner. J'ai gardé les albums de photos de John Henry. Peut-être que les regarder vous aidera à savoir lequel des jumeaux vous êtes…

— J'aimerais bien…

Il se leva et s'approcha d'elle. Il aurait voulu lui offrir des mots de réconfort et d'excuses, tout à la fois pour la mort de John Henry et pour leur disparition, à son frère et à lui. Mais il avait beau chercher, il ne trouvait rien qui pût réparer plus de dix ans de chagrin.

— Merci de m'avoir dit la vérité, lui dit-il simplement.

— J'aimerais avoir eu le courage de vous le dire plutôt.

Elle haussa légèrement les épaules et ajouta :

— Et aussi pouvoir vous en dire plus…

Il hocha la tête.

Elle se tourna pour prendre congé, un coup de feu déchira alors le silence. Joely porta la main à son épaule. Une deuxième détonation retentit, faisant éclater le montant de la porte et projetant des éclats de bois au-dessus de leurs têtes.

Chance se précipita vers la bibliothécaire et elle s'écroula dans ses bras. Des taches rouges s'élargissaient sur son chemisier blanc.

Taryn poussa un cri de terreur. Une bouteille explosa sur le plancher.

— Baisse-toi ! lui cria Chance.

Taryn se jeta au sol. Les yeux grands ouverts de terreur, elle le regardait. Quelque chose lui traversa alors l'esprit. Dans la nuit noire de sa mémoire, un flash. Du sang sur du tissu blanc, comme à l'instant, et sa voix à lui, qui criait aussi à Taryn de s'aplatir sur le sol, Taryn, les cheveux coupés court comme ceux d'un garçon, qui obéissait et se couchait aussitôt contre le linoléum. Le visage éclaboussé d'un sang qui n'était pas le sien, elle le fixait. Ce film vieux de dix ans se déroulait devant lui, à présent. Le procès. Et puis… L'amour entre eux. Le mariage…

Oh, mon Dieu ! Taryn.

Un autre coup de feu le ramena à la réalité de l'instant. Une vitre explosait…

— Reste à terre, lui cria-t-il. Essaie de ramper jusqu'au comptoir.

Courbé en deux, il tira Joely à l'intérieur de la maison et referma la porte d'un coup de pied.

— Où est votre téléphone portable ? demanda-t-il.

— Dans mon sac…

Celui-ci était tombé au sol et se trouvait près du comptoir.

Il s'en saisit et le lui passa. Elle en tira le petit appareil.

— Appelez la police, lui dit-il.

Il retira son T-shirt pour comprimer la blessure de la bibliothécaire. Elle respirait de plus en plus difficilement et s'accrocha à son bras.

— La… vérité… haleta-t-elle. Cela… valait bien…

Les yeux de Joely se révulsèrent. Sa poitrine se souleva avec difficulté et une longue expiration s'ensuivit, comme un ballon qui se dégonfle. Elle ne fut suivie d'aucune inspiration. Dans le silence, il entendit Taryn appeler au secours.

Sa quête venait de nouveau de blesser gravement une femme et peut-être pire…

Etait-ce Taryn, la prochaine sur la liste ? Sa Taryn. Son épouse, son amante, son âme sœur. Il l'avait retrouvée, il ne voulait plus la perdre.

12

— Kyle Makepeace, je vous arrête ! tonna le shérif Paxton.

Taryn le fixa du regard : le policier rayonnait, cette arrestation était de toute évidence une joie immense pour lui.

Ecœurée, elle se jeta entre Chance et les adjoints du shérif qui s'avançaient vers lui.

— Non ! cria-t-elle.

Mais Chance la prit par le bras et l'écarta au moment où l'un des policiers allait la saisir.

— Reste en dehors de ça, lui ordonna-t-il. Je ne veux pas qu'on te fasse du mal.

— Mais ce n'est pas juste ! Il ne cherche même pas à savoir qui a tiré sur Joely !

— Je vais m'occuper de ça, répliqua-t-il.

— Les mains en l'air et qu'on les voie bien ! hurla le shérif Paxton.

— Non !

— Taryn… répéta Chance.

Le cœur brisé, elle accepta finalement de s'écarter.

— Tu ne peux pas les laisser te faire ça ! implora-t-elle encore.

— Ne t'inquiète pas, cela va bien se passer…

L'un des adjoints braquait un pistolet sur Chance et un autre le poussa contre le mur comme un criminel pour le palper à la recherche d'une arme. Cela ressemblait à une scène vue mille fois dans tant de mauvais films que Taryn ne parvenait pas à le croire.

Des policiers de brigade d'intervention, dans des treillis noirs luisants de pluie, envahirent bientôt la pièce. Deux d'entre eux enfermèrent le corps de Joely dans un sac muni d'une fermeture Eclair. Les autres fouillèrent tous les recoins de la maison, laissant partout sur le plancher des traces boueuses et des flaques d'eau. Personne ne semblait se soucier que des indices puissent ainsi être détruits et aucun d'eux ne posa aucune question, ni ne lut à Chance ses droits constitutionnels.

— Mais vous êtes fous ! lança Taryn au shérif en le tirant par la manche.

Paxton se dégagea brutalement.

— Ne la touchez pas ! l'avertit Chance d'une voix basse et dangereuse, tout en luttant contre l'un des adjoints, qui voulait le maîtriser.

— Tu n'es pas vraiment en état de menacer quiconque, lui rétorqua le shérif en ricanant.

L'inquiétude exonérait Taryn de toute crainte de l'autorité. Elle s'avança de nouveau vers Paxton.

— Quelqu'un a essayé de le tuer, lui cria-t-elle, vibrante de colère. Et c'est lui que vous arrêtez ?

— Oui, pour le meurtre de Joely Brahms.

— Vous êtes complètement cinglé, ma parole !

Elle aurait voulu marteler de ses poings le visage de cette brute, mais se retrouver en prison pour avoir agressé un policier n'arrangerait certainement pas les affaires de Chance.

— Cela ne prendra que quelques minutes pour recueillir ses empreintes digitales et prouver qu'il est bien Kyle Makepeace, répliqua Paxton.

— Comment cela ?

— Par le fichier des naissances de l'hôpital de Lufkin.

Taryn se maudit intérieurement. Comment n'y avait-elle pas pensé la première ?

Un adjoint vint tordre les bras de Chance dans son dos et lui passer les menottes. Il ne broncha pas, son visage aussi impénétrable que celui d'une statue de cire. Taryn se frottait machinalement la poitrine, là où elle avait si mal. Non, ce n'était pas possible !

— Mais Chance n'a pas pu tuer Joely, voyons ! s'exclama-t-elle. Comment aurait-il fait, alors qu'il était à l'intérieur de la maison et que le coup est venu du dehors ?

— Nous avons suffisamment de preuves contre lui pour l'arrêter.

Le shérif fit un geste et deux de ses adjoints prirent chacun Chance par le bras pour l'entraîner au-dehors.

Taryn fit un pas pour barrer la route de Paxton.

— Quelle preuve ? Puisque je vous dis qu'il était à l'intérieur et qu'on a tiré du dehors.

— Nous avons l'arme du crime.

Le shérif ouvrit sa serviette et en tira le pistolet de service de Chance. Taryn en resta bouche bée.

— Vous la reconnaissez ?

A l'évidence, quelqu'un avait forcé la portière de la voiture de Lucille et volé l'arme. La situation était particulièrement grave.

— Cette arme a été volée, déclara-t-elle. Il n'y a pas d'autre explication. Et le tireur l'a abandonnée là pour que vous la trouviez.

— On ne nous a signalé aucune arme volée.

— Bien sûr que non. Nous ne le savions pas. Vérifiez ses mains, voyons ! Vous verrez bien qu'il n'a pas pu tirer.

Le shérif ne répondit rien, se contentant de discuter à mi-voix avec ses adjoints.

Le cerveau de Taryn fonctionnait à toute vitesse, il fallait à tout prix qu'elle fasse cesser cette mascarade.

— Quel serait son mobile, d'abord ?

— Le plus vieux du monde, répliqua Paxton. L'argent.

— L'argent ? Que voulez-vous dire ?

— Il a certainement exigé que Mme Brahms lui remette l'héritage des Makepeace.

De nouveau, Taryn demeura un instant bouche bée devant l'absurde énormité de cette accusation.

— Mais pas du tout, ce n'est pas ce qui s'est passé !

— … Comme elle refusait, il a tiré.

— Mais ça n'a aucun sens, répliqua Taryn, le cœur battant la chamade. Si elle meurt, le testament stipule que la gestion de la succession reviendra à la ville. Chance n'avait rien à y gagner.

— Oui, mais il ne le savait pas !

Elle menait un combat perdu d'avance, mais n'en avait cure.

— Je viens de vous le dire, voyons ! Si je le sais, il le sait aussi.

— Il n'avait pas encore lu le testament de son grand-père.

— C'est une machination, et vous le savez !

Le shérif lui lança un coup d'œil rageur qui lui fit penser à un taureau devant la cape rouge d'un toréador.

— Non, madame, ce sont des faits, gronda-t-il. Et vous ne pouvez rien contre ça.

— C'est votre parole contre celle de Chance, et rien de plus.

Les yeux de Carter Paxton s'étrécirent et il s'approcha d'elle à la toucher, le visage mauvais. Des années de douleur impuissante l'avaient transformé en une boule de haine glacée. Il ne laisserait pas Chance s'en tirer.

— Qui le jury va-t-il croire, à votre avis ? demanda-t-il, les dents serrées et les narines frémissantes de colère. Un représentant de la loi ou bien un étranger que l'on a arrêté alors qu'il était encore penché sur le corps de celle qu'il venait de tuer ?

— Cela ne se passera pas comme ça. Je l'aiderai !

— Toutes les apparences sont de mon côté.

— Vous ne pourrez pas les manipuler comme ça !

— Je produirai un témoin.

Grassement rétribué pour ses services… La situation empirait à chaque seconde.

— Qui ça ?

Le shérif ne répondit pas, se contentant de replacer crânement son chapeau sur sa tête.

— Pourquoi faites-vous ça ? murmura Taryn.

— Pour que justice soit faite.

Il mit la main au rebord de son Stetson en manière de salut et tourna les talons. Mais elle l'agrippa par l'épaule pour le forcer à s'arrêter et à se retourner vers elle.

— Si c'était vraiment la justice qui vous intéressait, lui

dit-elle, furieuse, vous seriez dehors à essayer de trouver qui a vraiment tué Joely Brahms !

— Je l'ai déjà trouvé.

Le shérif secoua sèchement son épaule pour se libérer d'elle et sortit dans la nuit.

Elle le suivit. L'éclairage rouge et blanc de la voiture de police projetait des lueurs brèves. Par moments, les radios crépitaient, lançant leurs messages.

Taryn réprima un soupir d'exaspération. La pluie tombait sans discontinuer, glaçant ses jambes nues.

— Où emmenez-vous mon mari ? demanda-t-elle, toujours décidée à en découdre.

— Dans les locaux de sûreté du comté, répondit le shérif en glissant sa massive carcasse dans sa voiture.

— Et où est-ce ?

— Ici, au poste de police d'Ashbrook.

Il claqua sa portière, mais consentit toutefois à baisser la vitre pour continuer à lui parler.

— Si j'étais vous, lui conseilla-t-il, flegmatique, je rentrerais chez moi.

— Mais voilà, vous n'êtes pas moi, lui répliqua-t-elle sèchement, les mains sur les hanches. A combien sera fixée la caution ?

— Il sera transféré dans le comté d'Angelina demain dans la matinée. Ne comptez pas trop sur une caution. Etant donné le danger qu'il représente, je recommanderai qu'il ne soit pas remis en liberté.

Le danger qu'il représentait… Pas de remise en liberté… Non, ce n'était pas possible !

Aucun de ces policiers ne voyait Chance comme un être humain. Il n'était que l'objet d'une vengeance, celle du shérif Carter Paxton. Parviendrait-il vivant jusqu'à sa cellule ou se contenteraient-ils de l'abattre sur la route, dans un fossé, comme un chien enragé ?

Taryn monta dans sa voiture de location et suivit le convoi de police jusqu'en ville. Elle ne cessait de se maudire d'avoir pris ce fichu pistolet avec elle et de l'avoir laissé dans la voiture de Lucille. Elle se sentait tellement impuissante à aider l'homme qu'elle aimait !

Arrivée à destination, elle ne prit pas la peine d'aller au parking et gara son véhicule derrière la file de voitures de police.

Chance se tenait debout, trempé par l'averse, toujours sous la menace d'une arme, tandis qu'un adjoint du shérif prenait tout son temps pour ouvrir la porte arrière du bâtiment.

Taryn courut vers lui.

— Attendez ! cria-t-elle.

— Rentre chez toi, Taryn, soupira Chance.

— Pas question, je reste avec toi ! Je ne te laisserai pas accusé d'un crime que tu n'as pas commis.

— Si tu restes, je m'inquiéterai pour ta sécurité.

— Je ne suis pas en danger, c'est toi qui l'es ! Chance, ils se moquent complètement de la loi !

Il la fixa, les yeux durs comme deux pierres, et sa voix devint glaciale :

— Je ne veux pas de toi ici.

— Mais, Chance…

Il lui tourna délibérément le dos et s'adressa au shérif :

— Escortez-la hors de la ville, lui demanda-t-il. Je ne veux plus la voir.

— Mais avec plaisir ! répondit Carter Paxton, les gratifiant d'un sourire lourd d'ironie.

La porte d'acier se referma sur lui.

— Ne t'installe pas trop confortablement, lui lança le gardien, hilare. Si tout va bien, dès demain, tu seras transféré…

Chance regarda autour de lui la cellule nue et rébarbative. Il ne risquait guère de s'installer dans trop de confort : un bat-flanc de métal, encastré dans le mur, avec un matelas sale de l'épaisseur d'une feuille de papier à cigarettes, un casier à vêtements lui aussi en métal et un lavabo à peine plus large que sa main. Pas de drap ou de couverture, pas même un vasistas : l'endroit n'était qu'une cage. Un spot lumineux vicieusement tourné vers le lit l'éclairait en permanence. Il ne s'éteignait probablement jamais : dormir était impossible.

Sans être beaucoup plus luxueuses, les cellules de Gabenburg étaient tout de même un peu plus accueillantes.

Il se laissa tomber sur le matelas, les mains derrière la tête. Durant l'après-midi, il s'était laissé aller à imaginer que les choses pourraient, après tout, s'arranger et Taryn lui avait elle aussi laissé croire que leur amour était assez fort pour passer par-dessus tous les obstacles.

Tout cela n'avait été qu'une illusion. Il était Kyle Makepeace. Il avait brisé la vie et l'avenir d'Ellen Paxton. Et il allait payer, pour cela. La colère qui avait vibré en lui se dissipa, laissant place à la résignation.

Il ne regrettait pas d'avoir renvoyé Taryn chez elle. C'était la meilleure décision à prendre. Là-bas, elle serait en sécurité. Angus et Lucille prendraient soin d'elle, sa grand-mère également. Lui, il avait voulu savoir qui il était et il le savait à présent. Il n'était pas nécessaire qu'elle assiste à son — juste — châtiment.

Mais son cœur se serrait au souvenir de son regard blessé quand elle l'avait vu avec des menottes au poignet. Il songea à son long cri silencieux, quand il s'était délibérément détourné d'elle. Refuser d'échanger un dernier regard avec sa femme avait été une des décisions les plus difficiles à prendre de sa vie. Mais Taryn méritait d'être heureuse et il ne voulait pas l'entraîner dans sa chute.

Il ferma les yeux et des dizaines d'images lui revinrent à la mémoire, avec les yeux de Taryn toujours brillants d'amour pour lui, les milliers de nuits de plaisir et de bonheur partagées. Dans l'étrange moment de son existence où il se trouvait, les souvenirs de sa vie avec elle le nourrissaient et l'aidaient à vivre. Il s'accrochait à ces images, les savourait, les imprimait plus profondément dans sa mémoire. Il fallait qu'elles durent tout le temps qui lui restait.

Il l'aimait. Cœur, corps et âme. Les dix années qu'il avait passées avec elle étaient comme une existence entière, une éternité, mais aussi un moment trop bref. Même l'amnésie n'avait pu venir à bout du lien extraordinaire qui existait entre eux.

Taryn…

Son âme n'était plus que solitude.

Voilà qu'il la perdait, alors qu'il l'avait retrouvée.

Mais elle était en sécurité. C'était tout ce qui comptait à présent.

Lorsque les lumières de la voiture du shérif eurent disparu dans son rétroviseur, Taryn s'arrêta sur le bord de la route, quelque part au sud d'Ashbrook. Les mains crispées sur le volant, elle fixait l'obscurité. Il pleuvait toujours, et même ses pleins phares ne parvenaient pas vraiment à percer la nuit.

Elle ne voulait pas laisser son mari à la merci de ceux qui le haïssaient. Si elle partait, les odieuses manœuvres du shérif à son encontre n'auraient aucun témoin. Mais que pouvait-elle faire ? Qui l'écouterait ? Comment pourrait-elle faire entendre sa voix et garantir à Chance un procès équitable ? Elle ne pouvait le laisser seul face à son destin. Elle l'aimait. Elle devait être à ses côtés.

Une nausée lui tordit l'estomac. Elle n'avait pas dîné et une bonne alimentation était indispensable pour son bébé. Il ne devait pas subir de stress trop important.

Il ne lui restait qu'une chose à faire.

Elle fit demi-tour, roula jusqu'à une station-service doublée d'une épicerie et y acheta de la nourriture, un bloc-notes et deux appareils photo jetables. De retour au chalet du grand-père de Chance, elle ignora délibérément la bande jaune qui délimitait la « scène de crime » et en interdisait l'accès. De toute façon, les hommes du shérif avaient fait leur possible pour détruire tous les indices.

S'installant dans le coin cuisine, elle se força à manger un sandwich à la dinde et quelques carottes crues. Carnet et stylo à la main, elle passa ensuite dans le salon et se mit à rédiger la chronologie de tous leurs faits et gestes depuis que Chance et elle avaient commencé leur enquête.

Puis elle essaya de se mettre dans la peau de son mari et d'inspecter la scène de crime comme il l'aurait fait, et comme les hommes du shérif auraient dû le faire. Surmontant son dégoût des taches de sang séché sur le plancher, elle prit de nombreuses photos avec les appareils jetables, fit des croquis, reprit des notes. Quand elle eut scrupuleusement noté tout ce dont elle pouvait se rappeler, elle frotta le plancher avec de l'eau froide tirée à la pompe extérieure et un seau qu'elle avait trouvé dans la grange.

Tout en travaillant, elle pleurait sur Joely, sur Chance, sur elle-même. Elle ne s'arrêta que lorsque toutes les taches de sang furent parfaitement nettoyées. Après cet exercice, elle se sentit épuisée.

Elle se lava du mieux qu'elle put et changea de vêtements. Dans l'étouffante chambre d'enfants qui avait été celle de Chance, elle se laissa tomber sur l'un des deux lits. Elle essayait de toutes ses forces de ne pas trop se tourmenter pour Chance, mis en cage comme un animal, mais ses pensées revenaient toujours vers lui. Lui avait-on au moins donné quelque chose à manger ? Avait-il dormi ? Allait-il supporter cette nouvelle épreuve ou bien ses cauchemars allaient-ils faire de son emprisonnement un véritable enfer ?

Les yeux fixés sur l'obscurité du dehors, mais tout entière tournée vers ses pensées, elle poussa un soupir : elle ne pouvait lutter seule contre l'hostilité de toute une ville. Si elle voulait faire sortir Chance de prison, elle devait demander de l'aide.

Serrant son sac à main contre sa poitrine, elle en tira son téléphone portable et pianota un numéro, la gorge sèche et le cœur battant. D'une main tremblante, elle porta l'appareil à son oreille.

Non, elle n'allait pas abandonner Chance, pas sans combattre et pas avant d'avoir épuisé toutes les possibilités.

— Angus, articula-t-elle les yeux clos, le cœur dans la gorge et des larmes coulant sur ses joues. Il faut que vous m'aidiez, je vous en prie…

En surmontant son désespoir, elle lui expliqua la situation du mieux qu'elle put.

— Il faut que je passe quelques coups de fil, lui répondit son beau-père, mais je serai là demain tôt dans la matinée. Ne t'inquiète pas, mon petit, nous allons le ramener à la maison.

Mais comment aurait-elle pu ne pas s'inquiéter ?

*
* *

Chance sentait les murs se resserrer sur lui, comme un étau. Depuis combien de temps se trouvait-il là ? Il n'en avait aucune idée. Ils lui avaient pris sa montre, et nulle horloge ni aucune fenêtre ne lui permettaient d'évaluer l'heure qu'il pouvait être.

Il se mit à faire les cent pas dans l'étroit espace de sa cellule. Il se sentait à peu près comme un hamster dans sa roue.

— Arrête un peu ça, tu veux, tu me donnes le tournis ! pesta l'adjoint assis au bureau à l'extérieur de la cellule.

Mais, s'il s'arrêtait, Chance craignait de sombrer au plus profond du désespoir. Il lui fallait réfléchir et, pour cela, bouger.

— J'ai dit arrête de tourner en rond comme ça ! répéta l'adjoint.

Chance ignora délibérément cet ordre. Taryn devait être rentrée à la maison. C'était bien le seul point positif qu'offrait la situation. Pour endurer ce qui se préparait, il devait la savoir en sécurité.

Au matin, on le présenterait à un juge. Pour quelle inculpation, cela importait peu. Ses chances d'avoir un jugement équitable et un avocat efficace étaient proches de zéro. Ici, dans cette ville… Accusé de meurtre, il risquait la peine de mort, rien de moins. L'avenir s'annonçait bien sombre.

— Je t'ai dit d'arrêter de bouger !

Avant que Chance ait pu se tourner pour répondre, il reçut le contenu d'un baquet d'eau froide au visage.

Une puissante panique claustrophobe le saisit et une véritable chape de plomb tomba sur ses épaules. Il ne pouvait plus ni bouger ni respirer, seulement trembler convulsivement. Une voix lointaine résonnait dans sa tête : au secours, au secours ! Il avait mal, terriblement mal, comme si on l'écorchait vif. Un cri perçant lui vrilla le crâne et tout devint noir.

Garth allait entrer dans le poste de police comme Carter Paxton en sortait.

— Venez, lui dit le shérif en dévalant les quelques marches d'escalier. Je vous emmène au tribunal.

— Des problèmes ?

— Je ne sais pas encore. Cet imbécile de Blanchard a fait une boulette, je n'ai pas tout compris au téléphone, mais Makepeace est toujours dans la nasse, c'est le principal.

— Tentative d'évasion ?

— Oh ! Il n'a jamais été du genre à faire face à ses responsabilités, mais en tout cas il ne s'en tirera pas.

— S'il pouvait avoir un accident, cela nous épargnerait la peine d'un procès…

Carter Paxton eut un ricanement bref en ouvrant sa portière.

— Mais je veux qu'il en ait un, moi, répliqua-t-il. Pour Ellen, je veux qu'il soit jugé et condamné à mort. L'injection mortelle, c'est d'ailleurs encore trop bon pour lui.

Garth s'installa sans répondre sur le siège passager. Le shérif actionna la sirène et les lumières, puis démarra sur les chapeaux de roues.

— Combien de temps vous faudra-t-il pour que tout cela soit réglé ? s'enquit Garth.

Il était venu à Ashbrook réclamer le corps de Joely en tant que plus proche parent et régler les funérailles, mais il avait bien espéré ne pas s'attarder plus que nécessaire. Il n'aimait guère cette ville où il avait trop de souvenirs, même si la moitié des bâtiments, tribunal compris, portait son nom. Il ne s'y sentait pas en sécurité.

— J'ai un peu préparé le terrain, lui confia le shérif. Le juge Frasier est prévenu, il refusera la mise en liberté sous caution et nommera un avocat d'office, plus ou moins à sa botte. Nous ne prendrons pas de risque.

Garth le dévisagea : une lueur haineuse brillait dans son œil et il se penchait en avant sur le volant comme s'il voulait entraîner la voiture. Son souffle court, précipité, accroissait sa ressemblance avec un taureau furieux. Kyle n'avait aucune chance, en effet.

Garth en était presque triste pour lui. Pourtant, il aurait été soulagé qu'un accident survienne pendant le transfert au tribunal. Une évasion qui tournait mal, comme il l'avait suggéré. Cela arrivait tout le temps, avec de tels caractériels…

De toute façon, il avait trop investi sur Ellen pour prendre le moindre risque, en particulier celui que Kyle puisse retrouver la mémoire à un moment ou à un autre. Les morts ne parlent pas et tant pis si son ancien copain ne s'était pas vraiment rendu compte des raisons… spéciales de sa soudaine richesse. Il n'y avait pas de place pour le sentimentalisme. Seuls comptaient les résultats.

Parvenu au tribunal, Carter se gara à la diable et monta quatre à quatre la volée de marches qui menait au hall de réception. Il le traversa au pas de charge et s'engouffra dans un couloir peint d'un vert administratif, tandis que Garth le suivait d'un pas plus lent. La dignité devait être préservée… Le shérif appuya avec force et impatience sur la sonnette de la porte des quartiers de détention.

— Qu'est-il arrivé ? demanda-t-il immédiatement à l'adjoint qui lui ouvrit.

Embarrassé, l'homme se passa la main dans les cheveux.

— Ben, je ne sais pas, répondit-il. Il faisait les cent pas, ça m'a rendu fou. Je lui ai dit d'arrêter et, comme il ne voulait pas, je lui ai flanqué un seau d'eau… alors… Il s'est mis à étouffer et puis il est tombé sur le dos. C'est là que je vous ai appelé.

Carter s'avança vers la cellule.

— Ouvre ça, et vite, grogna-t-il.

S'agenouillant près de Chance toujours évanoui, il prit son pouls.

— Il est vivant, marmonna-t-il. Enlevons-lui ses vêtements mouillés. Toi, ajouta-t-il à l'attention de l'adjoint, trouve une couverture et appelle le Dr McMillan.

Une fois que l'adjoint fut sorti, Garth passa la tête par la porte de la cellule. Dans son évanouissement, le visage de Kyle conservait une expression de pure terreur. Que lui était-il arrivé ? Le choc du retour de ses souvenirs ?

— Ça serait peut-être mieux s'il ne se réveillait pas, non ? fit-il remarquer à mi-voix.

— Je vous ai dit que je voulais qu'il soit jugé et condamné, répliqua le shérif en défaisant la chemise de Chance, étendu à ses pieds.

Quand il l'eut retirée, exposant un dos couvert de cicatrices, Garth ouvrit la bouche de surprise et recula d'un pas.

— Les empreintes, dit-il dans un souffle, les empreintes… Vous les avez reçues ?

— L'hôpital m'a dit qu'on me les faxerait aujourd'hui. Elles sont peut-être arrivées à mon bureau à l'heure qu'il est.

— Et sa femme ?

— Rentrée chez elle. Je l'ai moi-même escortée hors de la ville hier soir.

L'imbécile ! pesta Garth. Quelqu'un d'aussi absolument loyal à son mari n'allait pas obéir aussi facilement à un renvoi. Elle avait certainement fait demi-tour et devait se trouver quelque part dans les environs, mijotant un plan pour le tirer d'affaire. Une femme comme elle était prête à mourir pour celui qu'elle aimait. D'un certain côté, cela forçait son admiration. D'un autre, cela pouvait attirer beaucoup d'ennuis. Jamais elle n'abandonnerait.

— Je vous laisse quelques minutes, lança-t-il au shérif. J'ai une affaire urgente à régler. Appelez-moi quand vous serez prêt à le transférer…

Le temps pressait… Mais il s'était trouvé pris à la gorge déjà plusieurs fois par le passé et s'en était toujours tiré.

13

— Est-ce qu'il va bien ? demanda Taryn à Angus.

Elle tenait son téléphone portable à deux mains, le ventre noué par l'angoisse.

Le soleil filtrait à travers les vitres sales de la cuisine, dans le chalet du grand-père. Elle s'était forcée à avaler un grand verre de jus d'orange et des cornflakes, pour le bien du bébé, et elle avait attendu avec angoisse, soit le bruit de la voiture d'Angus dans l'allée, soit au moins un coup de téléphone de sa part. Elle n'avait fait qu'un bond quand il avait sonné.

— Chance va bien, lui dit-il tout de suite. Ils le transfèrent à Lufkin, alors je vais le rejoindre là-bas. J'ai appelé un avocat.

— Vous croyez qu'il pourra obtenir une libération sous caution ?

— Même s'il le peut, pour une affaire de meurtre, elle sera énorme : au moins cinq cent mille dollars.

— Un demi-million ? Mais où veut-il que je trouve une somme pareille ?

Angus poussa un soupir d'impuissance.

— Ne baissons pas les bras, Taryn. Tu disais que tu as pris des photos de la scène de crime ?

— Plein. Sous tous les angles.

— Parfait. Fais-les vite développer, en double. Envoie un jeu au bureau de Chance à Gabenburg, et apporte l'autre au tribunal de Lufkin, c'est sur Franck Avenue.

— D'accord, j'y joindrai mes notes. On se retrouve là-bas.

— Fais bien attention sur la route. Je ne veux pas qu'il t'arrive encore quelque chose. Ni au bébé.

Taryn en resta bouche bée.

— Mais… comment savez-vous… ?

Angus rit à l'autre bout du fil.

— Je pourrais te raconter que c'est mon intuition, mais en fait ta grand-mère a trouvé un test de grossesse positif dans ta salle de bains et elle se répand dans toute la ville en disant que tu vas voir un bébé…

Taryn poussa un grognement dépité. Autant pour le secret…

— Que faisait-elle dans ma salle de bains ?

— La lessive. Il semblerait qu'elle tienne à préparer la maison pour ton retour.

— Elle ne vous fait pas trop de misères, à Lucille et à vous ?

— Non, rassure-toi. D'ailleurs, elle a de quoi s'occuper, car elle a finalement accepté de tenir ta boulangerie en ton absence. Visiblement, elle est ravie. Tu vas avoir du mal à l'en arracher à ton retour.

Son retour ! Cela semblait presque un rêve. Il fallait d'abord libérer son mari.

— Ne dites rien à Chance, pour le bébé, s'il vous plaît, Angus. Avec l'accident et tout le reste, je n'ai pas encore eu le temps de lui annoncer.

— Ne t'inquiète pas, je te laisserai ce plaisir. A présent, il faut que je te quitte, le transfert va avoir lieu…

Taryn raccrocha aussitôt et mit dans son sac les appareils jetables et ses notes, en essayant de ne pas penser à Chance menotté et en tenue orange de prisonnier. Attrapant au passage une bouteille de soda au gingembre, elle se dirigea vers la porte et fut surprise, en l'ouvrant, de découvrir Garth sur le seuil. Elle ne l'avait pas entendu arriver, mais une Cadillac d'un blanc étincelant était garée devant la maison.

— Oh ! Je suis désolé si je vous ai fait peur, lui dit-il avec un sourire qu'elle sentit forcé.

— J'allais sortir, répondit-elle, en serrant son sac contre elle.

— Kyle, je veux dire Chance, a des ennuis… J'aimerais vous en parler une minute…

— Il faut vraiment que j'y aille…

— Ça ne sera pas long, je vous assure…

Il posa doucement la main sur son épaule. Elle était si

près qu'elle pouvait sentir le parfum de sa très coûteuse eau de Cologne.

— J'ai un peu d'influence dans cette région et quelques relations, aussi. Si nous parvenons vous et moi à un accord, peut-être que je pourrais faire libérer votre mari.

Elle le regarda, pleine de méfiance.

— Quel genre d'accord ?

Il la prit par le coude et entra en la ramenant vers l'intérieur avec lui. Il la maintenait sans violence, mais fermement tout de même, et son seul contact suffisait à raviver en elle la nausée.

Il la fit asseoir et s'installa en face d'elle, en prenant soin de ne pas froisser son pantalon.

— Kyle, Kent et moi, nous avons été élevés ensemble. Kyle, enfin… Chance…

Il secoua la tête.

— Je n'arrive pas à l'appeler comme ça… soupira-t-il.

— C'est le seul nom que je lui connaisse… répliqua-t-elle sans chaleur.

— Je disais donc que nous avions été élevés ensemble. On nous appelait les Trois Mousquetaires. Ils étaient comme des frères, pour moi.

Elle voulut parler, mais il l'arrêta d'un geste.

— Je sais… J'ai été dur avec lui, quand vous êtes venus au bureau, mais il le fallait. Ellen est ma femme et mon seul souci. Je suis sûr que vous le comprendrez. Je voudrais seulement vous aider…

— Là, je ne vois pas bien comment…

— Par exemple, je peux passer un ou deux coups de téléphone et m'assurer que l'on libère votre mari sous caution.

Taryn préférait, de beaucoup, ne rien devoir à cet homme.

— Je vous remercie, mais mon beau-père a déjà appelé un avocat…

Garth sourit.

— Je crains qu'il ne puisse pas grand-chose contre la détermination de Carter. Ce qu'il vous faut, c'est quelqu'un qui puisse réellement s'introduire dans les rouages…

— Et ce quelqu'un, c'est vous ?

Il se pencha vers elle.

— Je ne veux pas voir Kyle derrière les barreaux. Je suis même prêt à payer la caution moi-même.

— Et vous voulez quoi en échange ?

Il gloussa désagréablement.

— Kyle s'est décidément trouvé une épouse épatante. Ça ne m'étonne pas de lui… Je suis sûr que vous comprendrez que, Carter étant mon beau-père, il m'est difficile de m'opposer à lui alors qu'il veut se venger. Il faudra donc que, jusqu'au bout, tout le monde ignore mon intervention…

— Même Chance ?

— Désolé, mon chou. Ce sera notre petit secret.

Depuis leur mariage, elle ne lui avait jamais rien caché, excepté sa grossesse, et il aurait dû être au courant depuis longtemps, s'il n'avait pas eu son accident.

— Quand il sera libre, reprit Garth, je veux être bien sûr qu'il retournera à Gabenburg.

Taryn le fixait, perplexe. C'était un peu trop beau, un peu trop conforme à ses propres souhaits, pour qu'elle puisse le croire. Il devait y avoir quelque chose de caché dans tout ça.

— Pourquoi ? s'enquit-elle.

— Parce qu'ainsi il sera à l'abri des manœuvres de Carter.

— Après ce que vous dites qu'il a fait à Ellen, comment pouvez-vous lui pardonner si facilement ?

Il se pencha alors et lui posa la main sur le genou. Gênée, elle se poussa un peu de côté. Il comprit le message et se cala de nouveau dans son fauteuil.

— Je n'ai rien oublié, répondit-il, mais je me souviens aussi de tout ce que nous avons vécu tous les trois. Je dois bien cela à Kyle. Mais, s'il reste ici, je vous préviens que je ne pourrai pas assurer sa sécurité.

Qu'est-ce que cela sous-entendait ? se demanda-t-elle. Un autre accident arrangé par le shérif Paxton ? Une autre rafale de balles dans la nuit ? Chance était-il plus en danger au-dehors qu'en prison ? Toutes ces questions tournaient inlassablement dans sa tête.

— Vous savez, lui répondit-elle finalement, je souhaite autant que vous que Chance rentre à la maison…

Il lui décocha un sourire étincelant.

— Nous sommes donc bien d'accord…

Elle ne pouvait que l'être, malgré sa méfiance. Chance ne survivrait pas derrière les barreaux, pas avec le poids de ses remords et de ses questions sans réponse. En prison, il deviendrait une proie un peu trop facile pour le shérif Paxton. Une fois sorti, il lui serait plus facile de prouver qu'il n'avait pas tué Joely Brahms.

— Nous sommes d'accord, conclut-elle en se levant et en passant la lanière de son sac par-dessus son épaule. Dès qu'il sera libéré, nous rentrerons chez nous.

Garth lui offrit sa main et elle la serra après un quart de seconde d'hésitation.

— Bon… Je m'en occupe tout de suite, promit-il.

Après la lumière artificielle de la salle d'audience, le soleil du dehors fit ciller Chance.

La décision du tribunal de Lufkin avait été une libération sous caution. On l'avait ramené à Ashbrook pour en établir la procédure. Le shérif Paxton avait pris tout son temps, faisant durer le plaisir avant de le libérer enfin.

Chance cligna des yeux plusieurs fois. Quand il put accommoder sa vision, Taryn l'attendait en bas des marches. Quelque chose en lui s'épanouit comme une fleur.

Taryn, son épouse, son amante, son amour…

Il l'aimait tant que son cœur en était gonflé. Il aurait voulu se précipiter en bas des marches, la prendre dans ses bras et la soulever vers le ciel.

Mais ce n'était pas possible… D'abord, il ne pouvait pas rester là avec elle. Pas question de lui faire courir le moindre risque, et chaque minute passée sous la juridiction du shérif Paxton accroissait le danger. Tout le tribunal avait pu entendre sa réaction rageuse quand la libération sous caution avait été décidée. Sa colère avait été plus grande encore quand le greffier avait annoncé qu'elle était déjà payée.

Le shérif Paxton ne renoncerait pas à sa vengeance, ce n'était que trop certain.

Machinalement, Chance regarda autour de lui à la recherche de chaque toit en terrasse, de chaque coin d'ombre où l'on aurait pu poster un tireur armé d'un fusil ou d'une carabine à lunette. Pas question de relâcher sa vigilance, pas avant d'être de retour à Gabenburg, sous sa propre juridiction. Là, Taryn serait enfin en sécurité.

Angus, qui le suivait, lui mit la main sur l'épaule.

— Je vais chercher ma voiture. Retrouvons-nous à la gare routière, puis nous passerons prendre celle de Lucille, et direction la maison.

Chance acquiesça. Angus se pencha à son oreille et murmura :

— Allez, mon garçon. Va donc embrasser ton épouse.

Une nouvelle tape d'encouragement sur l'épaule et il tourna les talons.

En descendant les marches vers elle, Chance se sentit de plus en plus nerveux. Il brûlait de l'embrasser, de la toucher. Mais, s'il faisait cela, elle allait savoir. Il n'avait jamais rien pu lui cacher. Depuis le début, les maîtres mots de leurs relations étaient « cartes sur table ». Dissimuler, garder un secret, c'était trahir.

— Où es-tu garée ?

Ce n'était pas ce qu'il voulait lui dire.

Je me souviens, Taryn. Je me souviens de tout. Notre amour. Notre mariage. Nos projets. Tout. Les quinze dernières années me sont rendues et je t'aime.

C'était cela, bon Dieu, qu'il aurait dû lui dire, s'il l'avait pu.

Elle le regarda, les mains dans les poches de son short, se balançant un peu d'un pied sur l'autre.

— Par là… bafouilla-t-elle, visiblement émue. Tu veux que j'aille la chercher ?

— Non, allons-y.

Elle avait l'air fatigué et le teint pâle. Quand il serait rentré, il lui ferait couler un bain et lui frotterait doucement le dos. Le lendemain, il la laisserait dormir toute la journée et, quand elle serait bien reposée et détendue, il lui ferait l'amour jusqu'à ce qu'elle s'endorme entre ses bras.

Elle ouvrit la portière, se glissa sur le siège passager et lui tendit les clés. Elle le regardait intensément, comme si ses yeux bleus le passaient aux rayons X. Pouvait-elle deviner le changement, en lui ?

— Nous devons retrouver Angus à la gare routière, lui dit-il, puis nous irons chercher la voiture de Lucille et nous rentrerons à la maison.

— Je sais.

Elle joua une seconde avec la lanière de son sac.

— Il faudra passer au chalet de ton grand-père, que je prenne mes affaires, ajouta-t-elle.

— Très bien.

— Ça va ? demanda-t-il en démarrant, tout en continuant à surveiller les toits et les coins d'ombre.

— Oui, bien. J'ai juste besoin de boire un soda au gingembre…

— Nous nous arrêterons sur la route.

— Si tu me déposais au chalet, tout simplement ? Tu reviendrais chercher Angus après ?

Il secoua la tête.

— Pourquoi pas ? insista-t-elle. Ça gagnerait du temps.

— Où as-tu pris l'argent de la caution ?

— C'est important ?

— Evidemment !

Elle détourna les yeux et regarda les sapins défiler au bord de la route, puis répondit :

— Je l'ai emprunté.

Son regard revint se poser sur lui. Elle avait les yeux rouges, au bord des larmes.

— Je t'ai sorti de prison, Chance. C'est tout ce qui compte, non ?

Les mâchoires serrées, il fixa la route. Ainsi, Taryn avait ses secrets, elle aussi. Il n'aimait pas cela du tout… Après dix ans d'une transparence totale entre eux, c'était comme une porte qui se fermait violemment.

— Arrête la voiture, lui lança-t-elle soudain.

Elle se penchait en avant, une main sur la bouche et l'autre sur son estomac.

Avant même qu'il eût pu stopper complètement, elle ouvrit la portière et vomit au bord de la route.

Il lui tendit une bouteille d'eau qui était restée toute la journée à l'intérieur de l'habitacle. Elle en but une gorgée et se rinça la bouche.

— Ramène-moi au chalet, murmura-t-elle en se laissant aller contre le dossier de son siège. Il faut que je reste un peu assise au calme.

— Très bien…

Il ne pouvait guère le lui refuser.

Une fois à destination, il la fit s'étendre sur le canapé, mouilla d'eau froide un gant de toilette qu'il lui posa sur le front, tandis qu'elle buvait quelques gorgées de son éternel soda.

— Il faudra que tu voies un médecin, quand nous serons rentrés, Taryn.

Elle était bien pâle, et tout cela ne lui disait rien qui vaille.

Les yeux clos, elle lui répondit :

— Il faut que tu retournes chercher Angus.

— Et si tu ne vas pas mieux ?

Elle secoua la tête.

— Ça ira. J'ai juste besoin de rester tranquille quelques minutes, le temps que la nausée passe.

Chance se mordit la lèvre. La menace du shérif Paxton résonnait dans sa tête. *Je t'aurai, Makepeace, d'une manière ou d'une autre. Toi, ou bien les tiens, mais mon Ellen sera vengée…*

Il ne pouvait pas non plus la ramener à Gabenburg dans cet état-là…

— Tu es sûre ?

— Je vais parfaitement bien. Ne t'inquiète pas…

De ses deux pouces, il lui caressa les pommettes et elle lui sourit. Il se détendit un peu. Après tout, elle était en sécurité dans ce chalet. Personne ne les avait suivis. C'était d'ailleurs plutôt la voiture de Lucille que le shérif Paxton aurait pensé à mettre sous surveillance.

— D'accord, lui dit-il, mais tu vas m'attendre bien sagement. Je vais verrouiller la porte et tu ne répondras à personne d'autre qu'à moi, d'accord ?

Elle acquiesça.

Taryn ne parvenait pas à y croire. Elle n'avait pu s'empêcher de vomir au bord de la route. C'était bien embarrassant. Chance s'inquiétait si visiblement pour elle qu'elle avait eu peur qu'il ne devine tout. Pas question de lui asséner ce genre de nouvelles au milieu de nulle part, courbée en deux au-dessus d'un fossé. Elle le lui annoncerait quand ils seraient chez eux. Le moment devait être spécial, unique.

Se levant péniblement du canapé, elle alla vers le coin cuisine. A force de courir de tribunal en tribunal, elle n'avait pas pris le temps de déjeuner et en payait le prix.

Elle avala une gorgée de soda. Il y avait quelque chose, dans la façon dont Chance la regardait, qui lui redonnait espoir. Elle avait entrevu de nouveau celui qu'il était autrefois. Le sourire, la voix apaisante, le geste délicat. Tout pareil…

Elle écarta une mèche de cheveux de son front. Mon Dieu, c'était la dernière occasion qui restait à Chance de revivre la scène de son accident et de se souvenir ! Il ne devait pas la laisser passer.

Elle sauta sur un papier et un stylo, écrivit un mot qu'elle déposa sur le comptoir. Puis elle prit son sac sur l'épaule et, sa bouteille de soda toujours à la main, ouvrit la porte et se tint un instant sur le seuil. En regardant le soleil, au-dessus des sapins, elle murmura :

— Je t'attendrai là-bas…

« Chance,

Il fait vraiment trop chaud. J'ai décidé d'aller un peu me promener au bord de la rivière. Rejoins-moi.

Je t'aime,

Taryn. »

Garth replaça avec précaution le billet sur le comptoir, puis retourna à sa voiture en laissant la porte du chalet ouverte.

Il s'était reposé sur des imbéciles, non seulement une seule fois, mais trois, au moins. C'était bien davantage que ce qu'il s'autorisait habituellement. Carter était un fou furieux à qui il ne pouvait pas se fier. Le soi-disant tireur d'élite qu'il avait engagé n'était bon qu'à se tromper de cible. Décidément, il devrait gérer le problème lui-même.

Makepeace allait retourner au fond de sa chère rivière. Et, cette fois, il n'en ressortirait pas.

14

Taryn suivit le cours de la rivière, jusqu'à ce qu'elle trouve une sorte de clairière au soleil. Comme elle l'avait fait de loin en loin, elle accrocha une feuille arrachée à son carnet sur une branche basse. Ainsi, Chance pourrait la retrouver facilement. L'endroit était enchanteur : la lumière brillait entre les feuilles et faisait miroiter les flots rapides. Elle entendait chanter les grillons et aussi, malheureusement, vrombir les moustiques.

En s'éventant avec son carnet, elle s'assit au bord de l'eau. Elle retira ses chaussures et rafraîchit ses pieds dans le courant. Au bout de quelques minutes, le craquement d'une branche lui fit tourner la tête.

— Chance ?

Mais, entre les branches des sapins, c'était une chevelure blond-roux qui s'avançait.

— Désolé, ma belle, ce n'est que moi…

— Garth ? Mais que faites-vous ici ?

L'homme d'affaires épousseta négligemment quelques aiguilles de sapin sur son élégante veste d'été.

— J'ai, voyez-vous, un petit problème à régler…

— Quel genre de problème ? releva-t-elle.

— Chance…

Taryn regarda autour d'elle. Le lieu était isolé. Elle se sentit soudain très vulnérable. La flamme qu'elle voyait briller dans l'œil de Garth n'avait rien pour la rassurer. Il la déshabillait littéralement des yeux. Pieds nus, elle ne pouvait espérer lui échapper, et elle n'avait d'autre arme que son sac à main.

Elle se releva et se tourna vers lui. Appuyé contre un arbre, il ne paraissait pas particulièrement menaçant. Peut-être exagérait-elle, et peut-être après tout n'avait-il pas de si mauvaises intentions…

— Nous partons, lui dit-elle. Chance est allé chercher la voiture. Dès qu'il sera là, nous rentrerons à Gabenburg et vous n'aurez plus à vous inquiéter de rien.

Elle parlait trop vite, trop précipitamment, elle le savait. Cela ne pouvait rien faire de bon.

— Je sais… répondit Garth. Je vais l'attendre avec vous.

Bon, il semblait vouloir simplement s'assurer qu'ils partaient vraiment. Il n'y avait rien de mal à cela. Pourtant, elle ne pouvait s'empêcher de trembler.

— L'argent de la caution vous sera remboursé, ajouta-t-elle. Chance ira à son procès. Il est shérif, il sait comment ces choses-là se passent.

— Je ne suis pas inquiet… Vous devriez vous rasseoir… Ça sera peut-être plus long que vous le pensez.

— Oh ! non. Il sera là d'une minute à l'autre…

Elle tenait son sac contre sa poitrine, dérisoire protection.

— Asseyez-vous, lui dit-il plus fermement.

Elle obéit docilement, comme une enfant.

— Il faut que je parle en privé avec Chance, marmonna-t-il.

Il regarda autour de lui.

— Alors, comme ça, vous l'avez trouvé ? s'enquit-il.

— Trouvé quoi ?

— C'est ici, précisément, que Kent et Kyle se sont battus et qu'ils sont tombés dans la rivière.

— Je vais m'assurer que vous êtes bien partis, tous les deux, lui lança Angus par la vitre baissée de sa voiture. Ensuite, je rentrerai…

Chance acquiesça, puis s'approcha du chalet. Il s'arrêta brusquement. La porte d'entrée en était grande ouverte.

Il entra avec méfiance. Pas d'activité, pas de bruit. Son cœur se mettait à battre très vite.

— Taryn ?

Un regard par la porte du salon : elle n'était pas là.

Angus le rejoignit.

— Il y avait une voiture de police qui nous suivait, lui apprit-il.

— Taryn ? Où es-tu ?

La lumière rougissante du crépuscule ajoutait à son angoisse. Tout semblait baigner dans le sang.

Dans l'espace cuisine, il trouva le billet qu'elle lui avait laissé et le montra à Angus.

— Tu vois, Chance, elle est simplement allée se promener au bord de l'eau. Je viens avec toi…

— Je lui avais dit de m'attendre, déclara-t-il en froissant la feuille de papier.

— Mais elle t'attend, justement…

— Tu n'as pas l'air de t'inquiéter ? dit Chance, étonné.

— Il n'y a plus de raison. Le shérif ne peut plus te faire grand-chose avant le procès…

Mais il n'avait pas l'air si convaincu que cela de ses propres affirmations. Comme il tournait les talons, Chance le retint.

— Angus ?

— Va vite la rejoindre…

Chance sentait d'étranges picotements dans sa poitrine.

— Tu savais, n'est-ce pas ? dit-il, la voix rauque d'émotion. Ma vie, avant l'accident… tu savais, tu étais au courant ?

Angus parut s'affaisser d'un coup. Pour la première fois, il avait l'air d'un vieil homme. Il se laissa tomber sur un tabouret et murmura :

— Vous étiez si heureux, Taryn et toi… Je n'avais pas de raison de vouloir réveiller le passé…

Son regard se fit lointain.

— Lucille était avec moi lorsque je t'ai trouvé, c'était un samedi matin… Tu sais que notre fils, Tyler, s'était noyé dans cette fichue rivière, quand il avait douze ans. Jamais elle ne s'en était remise, évidemment… Elle s'est tout de suite attachée à toi…

Il s'interrompit un instant, puis reprit :

— Bien sûr, que j'ai fait mon enquête… J'étais le shérif. Tu n'avais plus de famille, ton grand-père était un ivrogne et

Lucille avait besoin d'un fils. J'ai pensé qu'ici, à Ashbrook, les choses se tasseraient d'elles-mêmes…

— Apparemment, tu t'es trompé, affirma Chance plutôt sèchement.

— Oui… Tu devrais aller rejoindre Taryn, elle t'attend.

Chance acquiesça. Plus longtemps ils resteraient ici, plus ils seraient en danger. Il prenait les menaces du shérif Paxton très au sérieux.

Ils laissèrent la voiture de Lucille bien en vue, pour que le shérif ou ses hommes ne puissent la manquer, et prirent la Jeep d'Angus, à travers le bois clairsemé, vers la scierie abandonnée. Là, ils cachèrent le véhicule derrière des buissons et prirent le sentier.

Garth s'y attendait : Taryn accueillit cette information bouche bée. Une bien jolie bouche, songea-t-il, mais ce n'était pas le moment d'y toucher. Il avait, hélas, tout autre chose à faire…

— Nous étions assis là, dit-il en montrant trois arbres proches. Nous avions pris des hamburgers à emporter…

— Et Ellen ? Je croyais qu'elle était là, elle aussi ?

— Elle est arrivée plus tard…

Pourquoi ne pas lui dire la vérité, après tout ? Dans quelques minutes, elle ne serait plus là, victime, elle aussi, de la bien connue « rage de Kyle ».

— Pourquoi l'avez-vous épousée ? s'enquit-elle.

Elle était assise en tailleur. Son regard errait de droite à gauche, comme si elle cherchait une direction par laquelle s'enfuir.

Mais il ne s'inquiétait pas. Elle resterait aussi longtemps qu'il le faudrait. Il haussa les épaules.

— Parce que c'était pratique.

— Pratique ?

— J'avais quelques ennuis et le shérif avait besoin d'argent pour la soigner. Il voulait ce qu'il y avait de mieux pour elle, mais évidemment, avec son salaire, il ne pouvait le lui offrir. Moi, je le pouvais, je n'avais pas trop mal réussi, déjà…

— Vous avez donc conclu un accord ?

— C'est ça.

Elle mordilla nerveusement sa lèvre.

— Ça ne me dit toujours pas pourquoi vous l'avez fait.

Bien sûr, l'épouse loyale qu'elle était ne pouvait guère comprendre ce genre d'arrangement.

— Je vous l'ai dit, c'était pratique. Avoir une épouse invalide me permettait une grande liberté dans mes relations, sans jamais être menacé de devoir « régulariser ». Vous comprenez, à présent ?

Il était contraint de ternir quelque peu son image. Bah, tant pis.

Mais il n'aimait pas du tout l'air de dégoût qu'elle affichait sur son visage.

— Mais pourquoi est-elle venue ce jour-là ?

Il lui expliqua la manœuvre compliquée par laquelle Ellen avait essayé de rester la petite amie de Kyle, en provoquant sa jalousie envers son frère…

— Je ne comprends toujours pas comment, après ça, ils ont pu finir dans la rivière, déclara-t-elle.

— Kyle était dans un de ses mauvais jours, répondit-il. Il cherchait la bagarre et Kent se dérobait.

— Et Kyle a jeté son frère à l'eau parce que celui-ci ne voulait pas se battre ?

— Il jouait au type qui s'en fiche, mais il était fou d'Ellen. Et puis, il y avait eu des averses les jours précédents, les eaux étaient grosses. Kent a glissé.

Il se rapprocha d'elle et posa les mains sur ses épaules.

— Vous voulez savoir quelque chose que personne ne sait ? Kyle a sauté à l'eau pour sauver son frère.

— Mais vous avez dit…

— Oui, je sais, mais j'avais pas mal de choses à préserver…

— Je ne comprends pas…

— Il n'y avait rien que l'on puisse faire… Kent ne savait pas nager et il était pétrifié dans l'eau. Kyle, lui, était un excellent nageur, mais avec le courant il lui a été impossible de sauver son jumeau.

Le souffle court, Taryn recula, en serrant toujours son sac contre elle.

— Ellen voulait que je me jette à l'eau, moi aussi, poursuivit Garth. Mais j'ai toujours su où étaient mes intérêts dans la vie. Je n'allais certainement pas ruiner mon avenir pour faire un sauvetage…

— Alors c'est elle qui a plongé ?

Il secoua la tête.

— Non, elle a essayé de me faire chanter. J'avais obtenu une bourse à l'université. Elle a menacé de révéler que j'avais demandé à Alice Addison de rédiger pour moi l'essai qui servait à départager les candidats. Alice faisait partie de la commission d'attribution. Elle savait ce qu'ils voulaient trouver sur une copie…

— Comment l'avez-vous convaincue de faire ça ?

Il rit.

— Elle voulait du sexe et je lui en ai donné…

Il se pencha pour lui murmurer :

— Sans cela, je n'aurais jamais eu accès à l'école de commerce. Dans la vraie vie, un diplôme, ce n'est pas grand-chose, mais j'avais un plan bien établi et il fallait que j'en passe par là. Ellen avait été mise au courant de mon petit stratagème. Je ne sais pas exactement comment.

— Qu'est-il arrivé quand vous avez refusé d'aider les jumeaux ?

— Elle m'a poussé, je l'ai poussée aussi et ainsi de suite. Elle a trébuché sur ses talons…

Il montra un amas de rochers.

— Elle est tombée en arrière, ici, la tête là-dessus… Je savais qu'elle parlerait, alors j'ai fait la seule chose que je pouvais faire…

— Laquelle ?

— Je l'ai poussée dans la rivière.

— Pourtant, elle en est ressortie…

— En effet. Grâce à Kyle. Il l'a ramenée sur la berge et a replongé chercher son frère…

Taryn le regarda, bouche bée.

— Ce n'est pas lui qui a essayé de la tuer ?

Garth poussa un ricanement bref.

— L'imbécile a essayé de les sauver tous les deux. Mais la rivière voulait au moins ses deux proies. Elle les a eues… Quand Kyle a disparu, emporté par le courant, j'ai voulu remettre aussi Ellen à l'eau : elle était évanouie, mais vivante. C'est à ce moment-là que le garde forestier est arrivé. Il a fallu que je fasse comme si j'essayais de la sauver…

Il referma sa main sur les cheveux de Taryn et les souleva pour lui dégager la nuque…

— … Par chance, elle ne se remit pas de son coup sur la tête. Après des semaines de coma, elle s'est réveillée, mais sans jamais retrouver ses facultés intellectuelles. Elle n'a jamais été en mesure de contredire ma version des faits. Bien sûr, il a fallu aider un peu la nature… prolonger les choses…

— Vous la droguez, c'est ça ? balbutia Taryn, horrifiée.

— Je lui apporte la paix…

Il tira un peu sur ses cheveux.

— J'ai bien cru que les deux frères étaient noyés et j'ai été très surpris de voir réapparaître Kent, après tout ce temps… Kyle, j'imagine, est allé nourrir les poissons du golfe du Mexique…

— Kent ? Mais…

Il la fixa d'un air énigmatique.

— Oui, j'ai cru moi aussi qu'il s'agissait de Kyle. Toute cette colère, en lui… ça devait être lui. Et puis, j'ai vu les cicatrices sur ses épaules…

Garth sourit intérieurement. Aussi longtemps que Carter Paxton croirait que Chance était Kyle, il n'enquêterait pas trop précisément si un accident devait arriver à celui-ci. Avec Kent, ce serait autre chose. C'est pourquoi il avait dû subtiliser le dossier qui contenait les empreintes digitales des deux frères. Chance, ou plutôt Kent, aurait disparu avant que Paxton ait pu en recevoir un nouveau jeu. Ainsi, ses secrets seraient bien gardés, pensa-t-il.

— Mais… Je ne comprends pas, balbutia Taryn.

— Quand il avait cinq ans, Kent s'est introduit dans une

canalisation de drainage pour récupérer un ballon et il y est resté coincé. Kyle et moi avons essayé de verser de l'eau sur lui pour le faire glisser à l'extérieur, mais ça n'a pas marché. Alors nous l'avons tiré par les pieds et il s'est méchamment déchiré le dos et les épaules au passage.

— Je croyais que ces cicatrices venaient de son accident à la rivière, justement.

— Eh bien, on en apprend tous les jours, non ?

Sur ces mots, il tira un revolver de sa veste. Un rayon de soleil se refléta brièvement sur le barillet. Il n'avait jamais détesté un brin de théâtralité, dans la vie.

Taryn se figea, les yeux grands ouverts, les doigts serrés sur son sac.

Il se prit à imaginer à quoi elle devait ressembler dans les jeux de l'amour, en plein orgasme… Idée plaisante, mais il n'était pas temps d'y penser. Il devait préserver ce qu'il avait bâti.

— Est-ce… vraiment nécessaire ? demanda-t-elle d'une toute petite voix.

— Je le crains.

Il lui posa le canon du revolver sur la tempe, à la naissance des cheveux. C'était pitié que d'abîmer un si beau visage, mais il n'avait guère le choix.

Il savait déjà ce qu'il expliquerait à la police : Kyle avait été furieux que sa caution ait été payée par le mari de son ex-petite amie Ellen, il était entré dans une de ses rages coutumières et avait tué sa femme. Puis il avait retourné l'arme contre lui.

Qui ne voudrait pas le croire ? Est-ce que tout le monde n'était pas convaincu que l'histoire se répétait toujours ?

— Vous serez morte avant même d'avoir mal, ma belle, lui dit-il doucement. Je vous le promets…

15

Le canon du pistolet sur la tempe, Taryn revivait le passé en un éclair. Elle avait vingt et un ans et regardait sa mère en train d'agoniser sur le sol de son restaurant. Elle entendait même son propre cri résonner dans la salle.

Elle ne voulait pas mourir, pas maintenant…

Malgré ses réticences, Chance lui avait appris à se servir d'une arme.

— Tu dois faire face à ce qui te fait peur, lui disait-il. Si on braque une arme sur toi, tu dois vouloir de toutes tes forces ne pas être tuée…

Non, elle ne devait pas accepter tout bonnement la mort. La sienne, celle de son bébé, celle de Chance. Le regard de Garth était clair : si elle le laissait faire, ni elle ni son mari ne verraient se coucher le soleil de cette journée.

Instantanément, le chaos qui régnait dans son esprit laissa la place à une subite et étonnante sérénité. C'était comme si le monde entier ralentissait sa course et qu'au contraire tous ses sens décuplaient de puissance. Elle se souvenait parfaitement de tout ce que Chance lui avait enseigné en matière de self-defence. Elle avait tout le temps qu'il lui fallait.

Elle lâcha son sac et, la main ouverte, frappa le bras de Garth. Le canon s'écarta de sa tempe. Avant que l'homme d'affaires ait pu réagir, elle le frappa sur l'oreille de son autre main et le déséquilibra d'un croche-pied. Il tomba lourdement sur le dos. Alors, bloquant son poignet sous son pied nu, elle lui arracha son arme et la pointa sur lui. Pour la première fois depuis qu'elle connaissait Garth, ses cheveux n'étaient plus parfaitement bien coiffés et l'ordonnance de ses vêtements n'était plus aussi impeccable.

— Vous n'oserez jamais vous en servir, lui dit-il sans se relever. Ce n'est pas dans votre nature…

— Donnez-moi une bonne raison de ne pas le faire, répondit-elle entre ses dents.

Il se trompait. Elle était prête à tirer pour protéger ceux qu'elle aimait. L'arme toujours au poing, menaçante, elle tâtonna pour trouver son sac, en sortit son téléphone portable et composa le numéro d'Angus.

Il n'y eut pas de réponse et, au bout de quelques secondes, elle se résolut à rappeler le numéro d'urgence. Elle avait des preuves et il faudrait bien, cette fois, que le shérif l'écoute.

Garth se releva et s'avança vers elle, main tendue.

— Allons, lui dit-il, soyez raisonnable, rendez-moi ce revolver. Je suis sûr que vous ne savez même pas l'utiliser…

Elle appuya sur la détente, visant délibérément son bras. Il tomba à genoux en regardant la tache rouge qui s'élargissait sur la manche de son veston.

— Vous auriez pu me tuer, balbutia-t-il.

— Croyez-moi, si je l'avais voulu, ce serait déjà fait…

Le bruit de la détonation figea Chance sur place.

Taryn !

Une vague de terreur le submergea et il se mit à courir. Il devait l'aider. Il le fallait.

— Attends ! lui cria Angus.

Mais il ne l'écouta pas et se rua à travers les buissons.

Une arme. Il lui fallait une arme. La sienne était restée au tribunal, comme pièce à conviction. Il se retourna.

— Angus, passe-moi ton pistolet !

— Non, lui répondit l'ancien shérif. Pas quand tu es dans cet état.

Chance poussa un juron, attrapa un bâton au passage et reprit sa course en écartant fébrilement les branches. A l'orée de la clairière, il se figea sur place. Devant lui, Taryn tenait

Garth Ramsey en respect, un revolver à la main. L'entendant arriver, elle se tourna vers lui, sourit et lui lança :

— Eh bien, tu as mis le temps !

Il n'eut pas même celui d'être soulagé… Avant qu'il ait pu réagir, Garth avait profité du moment d'inattention de Taryn pour lui serrer le cou dans la saignée de son bras. Une torsion et il pouvait le lui rompre. De la main gauche, il avait repris son arme et la braquait sur Angus, qui venait d'arriver à son tour dans la clairière.

— On dirait qu'il y a un petit retournement de situation, leur lança-t-il d'un air de triomphe.

Chance bouillonna intérieurement : il ne pouvait pas bouger. Le moindre mouvement pouvait causer la mort de l'un ou l'autre des deux êtres qu'il aimait le plus au monde.

— Lâche ton arme, toi, le vieux, cria Garth à Angus. Et lance-la-moi.

Chance serrait très fort son gourdin dans sa main. Il brûlait d'envie de fracasser le crâne de Garth, mais celui-ci tenait Taryn à sa merci.

— On peut peut-être trouver un arrangement, proposa Taryn d'une voix étranglée.

— Trop tard, lui répondit Garth.

Chance entendait gronder la Red Thunder. Une image lui revint soudain à la mémoire et aussi une phrase, qu'il prononça tout haut :

— On ne peut pas arrêter le cours d'une rivière…

Les yeux agrandis par la surprise, Garth se tourna vers lui.

— Qu'est-ce que tu as dit ?

Sur une impulsion, Chance hurla :

— A terre !

Angus se jeta au sol et Taryn en fit autant, entraînant Garth avec elle. Celui-ci chercha désespérément à retrouver son équilibre, en tentant simultanément de braquer son arme dans la direction de Chance. Profitant de son avantage momentané, Taryn roula sur le côté, se libéra et arracha le revolver des mains de son agresseur. Chance se jeta sur celui-ci, tandis qu'Angus plongeait à son tour pour protéger Taryn avec son corps.

Une fois encore, la rive sableuse s'effondra sous le poids du corps des deux lutteurs. Garth et Chance tombèrent dans l'eau tumultueuse.

Taryn se mit à crier…

Chance vivait deux moments en parallèle, distincts et pourtant semblables : le présent et le passé, dont il se rappelait maintenant chaque détail. La dispute, la chute, les mains qui le repoussaient. Son corps balloté dans les eaux furieuses, la souche qui avait momentanément retenu son pied, avant que le courant, heureusement, ne le libère.

Mais il n'était plus le même. S'il revivait la peur paralysante qui avait effacé tous ses souvenirs, à présent, il savait retenir son souffle et utiliser le courant, s'en faire un allié.

La Red Thunder n'avait plus de pouvoir sur lui.

Il n'avait plus besoin de lutter contre elle. Sa capacité pulmonaire lui permettait de rester plus de deux minutes sous l'eau. Garth s'agrippait à lui, essayant de l'entraîner vers le fond, mais en quelques puissantes détentes des jambes il revint à la surface et ramena son adversaire vers la berge.

Il entendait Taryn l'appeler, sa voix flottait au-dessus de l'eau et il n'avait jamais rien entendu de plus beau. Elle lui avait rendu son passé. Elle était son avenir. Il était l'homme le plus heureux du monde.

— Par ici ! cria-t-il.

Taryn et Angus couraient vers eux à travers les buissons. Garth haletait comme un poisson hors de l'eau. Chance leva son poing…

De ses deux mains, Taryn retint son bras.

— Le cauchemar est terminé, lui dit-elle. N'en entamons pas un second.

Il leva les yeux et vit les siens pleins d'amour posés sur lui. Elle avait raison.

*
* *

Quelques minutes plus tard, Garth, menotté, geignait doucement sur le sol. Taryn avait brièvement examiné ses blessures. Il survivrait.

Le shérif Paxton venait d'arriver, avec deux de ses adjoints. Il avait été accueilli par les trois protagonistes dans le plus parfait silence.

— Il n'est pas Kyle, finit par lui dire Taryn. C'est Kent.

— Je sais, répondit le shérif. Les empreintes ne correspondaient pas…

Il montra Garth.

— Celui-ci a essayé de me le cacher, expliqua-t-il. Il a fallu que l'hôpital me les faxe une deuxième fois.

Chance se campa devant lui en tenant Taryn par la taille.

— Shérif… Kyle n'a fait aucun mal à votre fille, lui dit-il. Elle avait eu un choc au crâne, avant de tomber à l'eau. C'est même lui qui l'a ramenée sur la berge…

— Et j'en ai la preuve ! lança Taryn.

Elle courut chercher son sac à main et en sortit son petit Dictaphone.

— Je l'ai mis en marche dès qu'il a commencé à me raconter les faits, expliqua-t-elle. Il ne s'en est pas aperçu.

Elle appuya sur le bouton « play » et la voix ironique de Garth résonna dans la clairière :

— *Elle est tombée en arrière, ici, la tête là-dessus… Je savais qu'elle parlerait, alors j'ai fait la seule chose que je pouvais faire…*

— *Laquelle ?*

— *Je l'ai poussée dans la rivière…*

Le visage du shérif devint très rouge. Raide, les poings serrés, il se tourna vers Garth.

— Je vous ai fait confiance.

— J'ai fait ce que vous vouliez, j'ai pris soin d'Ellen.

— Elle n'en aurait pas eu besoin, si tu ne l'avais pas à moitié tuée, salaud ! éclata Carter Paxton.

Puis il donna vicieusement un coup de pied dans les côtes

de Garth. Il allait le frapper encore, mais Chance et Angus s'interposèrent.

— Ensuite, tu l'as droguée pendant des années, espèce de saleté !

Il lui cracha au visage.

— … Tu vas payer pour tout ça. Tu pourriras en prison !

— Je n'y serai pas seul. J'ai des dossiers contre toi, j'ai tout noté !

— Ça m'est égal. Je préfère crever derrière des barreaux que de te voir en liberté une minute de plus !

Le shérif fit signe à son adjoint. Celui-ci s'avança, releva l'homme d'affaires et lui annonça :

— Garth Ramsay, vous êtes en état d'arrestation pour tentative de meurtre sur la personne de Taryn Conover, Chance Conover et Angus Conover…

Il entraîna son prisonnier vers la voiture en lui faisant la classique récitation de ses droits constitutionnels.

Le shérif se tourna vers les Conover. Il paraissait avoir vieilli de dix ans en quelques minutes.

— Je vous demanderai de passer à mon bureau faire une déposition. Et maintenant, si vous voulez bien m'excuser, je dois passer quelques coups de fil…

Il tritura un instant maladroitement les bords de son chapeau dans ses mains, comme s'il ne savait pas quoi ajouter, puis s'éloigna, les épaules voûtées.

— Tu avais raison, Angus, dit lentement Chance. Il n'y avait vraiment rien qui me retenait ici…

Les yeux du vieil homme se mouillèrent d'émotion un instant, puis il esquissa un sourire. Il acquiesça.

— Je pars le premier, leur dit-il à tous deux. Vous me rejoindrez au poste de police…

Comme le soleil plongeait derrière les arbres, Taryn passa les bras autour de la taille de Chance et posa la tête sur sa poitrine. Elle entendait battre doucement son cœur, c'était particulièrement apaisant. Elle regarda les reflets de l'eau, qui se doraient à la lumière du crépuscule, et murmura :

— Je suis désolée, pour ton frère…

Chance embrassa doucement ses cheveux.

— On peut toujours espérer qu'il a survécu et que lui aussi a trouvé une famille qui l'aimait, soupira-t-il. Mais je n'y crois pas vraiment…

— Tu sais, reprit-elle, cela m'est égal, si tu n'as gardé aucun souvenir de notre vie ensemble, pourvu que tu m'aimes…

— Taryn, je…

Elle lui posa un doigt sur les lèvres.

— Attends… Nous allons nous faire de nouveaux souvenirs… Je suis enceinte. C'est pour janvier. Nous allons avoir un bébé…

Les yeux de Chance s'agrandirent de surprise et un long sourire illumina son visage. Un sourire qui, comme d'habitude, relevait un peu plus sa lèvre du côté gauche.

— Un bébé, c'est vrai ?

Il pencha la tête, rayonnant de fierté.

— Alors, ce devait être pendant le week-end que nous avons passé à Beaumont, il y a deux mois…

Ce fut le tour de Taryn d'ouvrir de grands yeux étonnés. Elle balbutia :

— Mais… Tu t'en souviens ?

Il lui prit le visage entre les mains et plongea son regard dans ses yeux, qui reflétaient toujours autant d'amour et de confiance.

— Je me souviens de tout. De notre mariage, de mes accidents, de tout.

— Et aussi… Du temps où tu étais Kent ?

— Oui, également. Les images que j'avais en tête, les yeux morts, les cheveux blonds, c'était ceux d'Ellen. Kyle n'a jamais essayé de me noyer, au contraire, il a voulu me sauver. Le visage que je voyais, c'était le sien, inquiet pour moi, alors que j'avais le pied coincé par une souche et qu'il essayait de me sauver.

Taryn sembla hésiter un instant.

— Et maintenant ? demanda-t-elle. Qui es-tu ?

Il eut un petit rire chaleureux.

— Toi, qui veux-tu que je sois ?

— Celui que tu veux vraiment être.

Il l'embrassa, une fois, deux fois, trois fois…

— Alors, je veux être Chance Conover, époux, père et shérif au service de sa communauté…

Ils s'embrassèrent, longtemps, longtemps, puis reprirent doucement le chemin qui longeait la rivière.

Epilogue

— C'est maintenant !

Chance bondit hors du lit.

— Maintenant, tu es sûre ?

— La poche s'est rompue, regarde. J'ai perdu les eaux…

Je ne suis pas prêt, avait envie de dire Chance. Il ne connaissait rien aux enfants, encore moins aux bébés. Ferait-il un bon père ? D'une main pas très assurée, il chercha un interrupteur. En clignant des yeux devant la lumière soudaine, il s'approcha de la commode.

— Où est ton sac ? demanda-t-il.

— Près de la porte.

— Est-ce que je dois appeler le médecin ?

— Je vais le faire.

Bon Dieu, impossible de se rappeler où pouvaient bien être les clés de la camionnette…

— Devant toi, sur la commode, murmura Taryn.

Elle se mit à respirer très fort et il sentit ses cheveux se dresser sur sa tête.

— Ça ne va pas ? s'enquit-il.

— Rien de grave. Une contraction. Tu crois que tu pourras conduire ?

— Bien sûr, bien sûr !

Il n'aurait su dire comment ils parvinrent à l'hôpital mais cinq longues et pénibles heures après, une jolie petite fille était née.

Chance annonça la nouvelle par téléphone à Angus, à Lucille et à la grand-mère de Taryn. Il n'eut plus ensuite qu'un coup de fil à passer à son bureau : RoAnn se chargerait de prévenir tout le reste de la ville…

Il était béat devant sa fille. A chaque minute, il se penchait sur son berceau et s'extasiait sur son petit visage et sa touffe de cheveux noirs.

Le lendemain de la naissance, on frappa à la porte et une tête blonde se montra dans l'entrebâillement.

— Bonjour !

— Ellen, entre donc ! l'invita Chance.

— Je ne vais pas réveiller Taryn ?

— Je ne dors pas, déclara celle-ci. Entre…

A son tour, Ellen s'émerveilla devant la beauté du bébé.

— Mon Dieu, qu'elle est jolie ! Comment l'avez-vous appelée ?

— Shauna Tyne, répondit Chance. Ça veut dire : cadeau de la rivière, en gaélique.

— Et c'est bien ce qu'elle est !

— Tu veux la prendre dans tes bras ?

Une ombre passa dans les yeux de la fragile jeune femme blonde.

— Il ne vaut mieux pas, dit-elle avec regret. Je ne suis pas encore assez forte. Mais avec mon programme de rééducation cela s'améliore de jour en jour.

Chance prit le bébé dans ses bras et l'approcha d'elle, puis le tendit à Taryn.

Ils bavardèrent agréablement encore un long moment tous les trois, puis Chance s'assit au bord du lit, passa son bras autour des épaules de sa femme et resta là à la regarder, elle et leur fille, avec tout l'amour du monde.

Le 1er février

Black Rose n°285

De dangereuses noces - Kerry Connor

Série *Mystères à Sutton Hall 2/2*

Sutton Hall. Un manoir somptueux, où chaque future mariée rêverait de célébrer ses noces... Mais qui est l'assassin qui rôde dans ses couloirs sombres ?

La neige, tombant sans discontinuer... Tandis qu'elle observe la tempête qui fait rage au-dehors, Meredith ne peut réprimer sa peur : ses hôtes et elle sont bloqués à Sutton Hall alors qu'un tueur se cache parmi eux... Un scénario qu'elle était loin d'imaginer en accueillant dans son manoir son amie Rachel afin que celle-ci y célèbre ses noces ! Jusque-là, tout se déroulait pourtant à merveille : buffet magnifique, convives ravis, et le témoin du marié – le beau Tom Campbell, que Meredith avait follement aimé à l'université sans jamais oser le lui avouer –, se montrait particulièrement prévenant à son égard... Oui, tout était parfait. Jusqu'à ce que l'une des invitées ne soit assassinée, et qu'ils se retrouvent contraints de rester cloîtrés, tous ensemble, pour une durée indéterminée...

Une inavouable tentation - Cynthia Eden

Cale est-il toujours en vie ? L'inquiétude n'a pas quitté Veronica depuis que son frère adoré a subitement disparu. Voilà pourquoi elle s'est résolue, malgré ses réticences, à demander son aide à Jasper Adams, un collègue de Cale. Jasper, ce play-boy arrogant qui lui a clairement fait comprendre, dès leur première rencontre, que les femmes comme elle ne l'attiraient pas... Mais aujourd'hui, contre toute attente, il se montre extrêmement agréable envers elle, et très intéressé par les informations qu'elle lui livre sur son frère. Comme si, pour lui aussi, il était vital de le retrouver...

Black Rose n°286

Témoin malgré elle - Angi Morgan

J'assurerai ta protection vingt-quatre heures sur vingt-quatre jusqu'à ce que tu aies recouvré la mémoire. Que tu le veuilles ou non.

Jolene enrage. Si Levi imagine qu'elle va lui obéir sans protester, il rêve ! C'est vrai, elle est poursuivie par de dangereux criminels, persuadés qu'elle peut les identifier suite au meurtre dont elle a été témoin. Mais elle n'a rien vu... ou plutôt, à cause du choc, elle a tout oublié ! Alors hors de question pour elle d'être surveillée comme une enfant par Levi, le garde du corps de son père. D'autant qu'elle est secrètement amoureuse de lui depuis des années, et qu'à force de le côtoyer nuit et jour, elle risque bien de se trahir...

Le venin du secret - Robin Perini

Erin et Brandon viennent d'être enlevés ? Lorsqu'on lui transmet cette information, l'agent spécial Hunter Graham est sous le choc. Tout cela est arrivé par sa faute... S'il n'avait pas séduit la jolie Erin deux ans plus tôt, sur un coup de folie, elle n'aurait jamais été repérée par les criminels qui le traquaient alors. Et pas un instant sa vie – et celle de Brandon, le petit garçon qu'ils ont conçu cette nuit-là – n'aurait été menacée. Rongé par la culpabilité, Hunter se résout à faire la seule chose qu'il s'était à jamais interdite : réapparaître dans la vie d'Erin. Mais juste le temps de les retrouver et de les mettre à l'abri, son enfant et elle...

La menace inconnue - Lauren Giordano

Si seulement elle avait été plus prudente ! Tandis qu'elle observe à la dérobée l'homme assis à côté d'elle sur le siège passager, Jillian se fait mille reproches. Que lui veut cet inconnu, qui s'est introduit de force dans sa voiture en pointant un revolver sur elle et en lui ordonnant d'obéir ? Il est blessé, il semble affaibli, sur le qui-vive et... même désespéré. Inexplicablement, Jillian sent qu'il a besoin de son aide. Mais elle refuse de se laisser attendrir. Pour cette simple raison : ses trois neveux sont endormis à l'arrière et, si elle veut assurer leur sécurité, elle doit garder la tête froide...

Un troublant coéquipier - Alana Matthews

Ces yeux bruns si expressifs, ce corps athlétique... Cassie ne les connaît que trop bien. Ainsi, on ne lui a pas menti : le marshal Harlan Cole est en ville, pour l'aider dans la difficile enquête qu'on lui a confiée... Comment va-t-elle faire pour côtoyer jour après jour celui qui a été le grand, l'unique amour de sa vie... mais qu'elle a quitté dix ans plus tôt, parce qu'il l'avait trahie de la pire des façons ? Bien que bouleversée, Cassie s'en fait la promesse : elle restera professionnelle et mettra de côté ses rancœurs – tout comme l'irrépressible attirance qu'elle éprouve toujours pour Harlan...

Black Rose n°288

Piège pour une héritière - Susan Mallery

Ma femme Madison a été enlevée. Retrouvez-la à tout prix !
Jamais le détective Tanner Keane n'aurait dû accepter la mission que lui a confiée Christopher Hilliard. Car, s'il a réussi sans grande difficulté à tirer Madison Hilliard – la richissime héritière – des griffes de ses ravisseurs, il se retrouve à présent dans une position bien délicate. Non seulement la beauté hors du commun de Madison le trouble plus que de raison, mais elle vient de lui faire une terrible révélation : son mari, un homme violent et cupide, aurait commandité lui-même son enlèvement, dans le but de toucher l'argent de la rançon, versée par son père...

L'inconnu de Crystal Creek - Delores Fossen

Daniel Allen vient d'arriver à Crystal Creek... Il sera là d'un instant à l'autre... Cette nouvelle, censée la réjouir, laisse Elaina abasourdie. C'est impossible ! Daniel ne peut être de retour, pour la bonne raison qu'il *n'existe pas*. Il n'est qu'un nom, un personnage né de son imagination : pour échapper aux assassins de Kevin, son mari, elle s'est inventé de toutes pièces ce nouvel époux, prétendument mort à l'étranger. Et elle-même vit depuis un an sous une fausse identité, cachée, dans le mensonge et la solitude... Mais, alors, qui est cet inconnu qui se fait passer pour « Daniel » ? Et surtout, que lui veut-il ?

A paraître le 1er janvier

Best-Sellers n°593 • thriller

Indéfendable - Pamela Callow

Lorsqu'Elise Vanderzell bascule par-dessus la rambarde de son balcon par une belle nuit d'été, ses enfants se réveillent en plein cauchemar. Leur mère est morte. Et c'est leur père qu'on accuse du meurtre.

Kate Lange, jeune avocate, sort tout juste d'une période personnelle très noire dont elle garde de profondes cicatrices. Elle sait ce que c'est que de vivre un cauchemar, aussi accepte-t-elle de défendre Randall Barrett, son patron – mais également un être très cher –, soupçonné du meurtre de sa femme. Elle découvre alors un dossier complexe, car Randall est le suspect idéal. En apparence, tout l'accuse : son ex-femme l'a trompé, il a la réputation d'être un homme impulsif et violent, il s'est disputé avec la victime quelques heures avant sa mort… Confrontée à une famille hostile, meurtrie par le doute et les conflits, Kate sait qu'elle n'a rien à attendre non plus des légistes d'Halifax. Ceux-ci préfèrent à l'évidence voir Randall en prison, plutôt que de défendre l'indéfendable. Et elle est désormais la seule à pouvoir prouver l'innocence de Randall. Il y a urgence, car dans l'ombre, un personnage silencieux attend le moment propice pour porter le coup fatal.

Best-Sellers n°594 • suspense

Les secrets de Heron's Cove - Carla Neggers

Une collection de somptueux bijoux russes, mystérieusement disparue quatre ans plus tôt, serait sur le point de refaire surface à Heron's Cove ? Quand Emma Sharpe, agent du FBI spécialisé dans le trafic d'oeuvres d'art, apprend cette incroyable nouvelle, elle est aussitôt convaincue que cette affaire est liée à celle dont s'occupe Colin Donovan, son collègue au FBI, qui revient tout juste d'une périlleuse mission d'infiltration auprès de trafiquants russes… Certes, elle se serait bien passée de collaborer avec Colin, pour lequel elle éprouve des sentiments ambigus, très déstabilisants. Mais elle sait pourtant qu'elle n'a pas le choix : ce n'est qu'en joignant leurs forces qu'ils parviendront à déjouer les plans de ces dangereux criminels…

Best-Sellers n°595 • suspense

La demeure des ténèbres - Heather Graham

L'adolescent surgit de la forêt et s'arrêta au milieu de la route. Il était nu. Et couvert de sang…

Le jeune Malachi Smith a-t-il massacré les membres de sa famille à coups de hache ? Sam Hall, le célèbre avocat qui a choisi de le défendre, exclut cette hypothèse : jamais cet adolescent malingre et inoffensif n'aurait pu commettre un crime d'une telle violence. Tout comme il refuse de croire que Malachi ait été – comme tous le murmurent dans les ruelles de la vieille ville de Salem – possédé par le démon… Non, Sam en est persuadé : le véritable meurtrier court toujours, et il doit à tout prix le démasquer. Voilà pourquoi il a accepté l'aide que Jenna Duffy lui propose. Bien sûr, il ne croit pas un seul instant au don que cette rousse incendiaire prétend posséder – et qui lui permettrait de communiquer avec les morts. Mais Jenna est un agent reconnu du FBI. Et puis, comme lui, elle est prête à tout pour faire éclater la vérité…

Best-Sellers n°596 • thriller
Dans les griffes de la nuit - Leslie Tentler

Des cadavres de femmes aux ongles arrachés, marqués d'un chiffre gravé à même la peau… L'agent du FBI Eric Macfarlane en est convaincu : après avoir passé plusieurs années à se faire oublier, le Collectionneur – ce psychopathe qu'il n'est jamais parvenu à arrêter et qui, prenant un plaisir malsain à le provoquer, à le défier, a été jusqu'à assassiner sa femme – vient de sortir de sa tanière… Mais cette fois, une de ses victimes a réussi à lui échapper. Et bien qu'elle soit frappée d'amnésie suite aux mauvais traitements qu'elle a subis, Mia Hale est la seule à avoir vu le visage de son tortionnaire… Alors, qu'elle le veuille ou non, elle devra l'aider, pour qu'il puisse enfin mettre un terme aux agissements de ce tueur fou qui l'obsède jour et nuit depuis trois ans…

Best-Sellers n°597 • roman
L'enfant de Kevin Kowalski - Shannon Stacey

Après une folle nuit d'amour dans les bras du sublime Kevin Kowalski, Beth est contrainte de redescendre de son petit nuage. Même si elle totalement sous le charme, même si elle frissonne de désir dès que Kevin pose les yeux sur elle, que peut-elle attendre de ce don Juan impénitent, qui collectionne les conquêtes sans jamais penser à l'avenir ? Seulement voilà, trois semaines plus tard, Beth apprend que cette nuit qu'elle pensait sans lendemain va en réalité changer toute sa vie : elle est enceinte de Kevin.
Déjà très déstabilisée par cette nouvelle qui remet en cause tous les choix qu'elle a faits jusqu'à présent, Beth a la surprise de constater que Kevin semble plutôt bien accepter l'idée de devenir père. Et qu'il est même prêt à l'épouser et à vivre avec elle ! Loin de l'apaiser, l'attitude de son amant d'une nuit la perturbe encore un peu plus : comment pourrait-elle accepter ce qu'il lui offre uniquement pour le bien de leur enfant ?

Best-Sellers n°598 • historique
La comtesse amoureuse - Brenda Joyce

Cornouailles, 1795
Désespérée, la comtesse Evelyn d'Orsay doit se rendre à l'évidence : la mort de son mari la plonge dans le dénuement le plus total. Et dans ces conditions, qu'adviendra-t-il d'Aimée, sa petite fille adorée ? Le comte d'Orsay a bien laissé une fortune en France, avant de fuir les affres de la Terreur, mais comment la récupérer dans ce pays en proie à la guerre ? Evelyn n'a plus qu'un recours : faire appel aux services du célèbre contrebandier John Greystone, qui les a aidés à quitter la France quatre ans plus tôt. Pour l'amour de sa fille, la comtesse devra remettre leur sort entre ses mains. Mais n'est-ce pas folie de confier son destin à un homme que l'on dit espion, traître à sa nation ? Pire, de s'exposer à l'irrépressible désir que lui inspire ce hors-la-loi…

Composé et édité par les
éditions HARLEQUIN
Achevé d'imprimer en Italie (Milan)
par Rotolito Lombarda
en décembre 2013

Dépôt légal en janvier 2014